La

FRANÇOISE DORIN

Françoise Dorin

La Mouflette

Éditions J'ai lu

CHAPITRE I

Elle est mieux que jolie.

Il est pire que beau.

Ils viennent de faire l'amour.

Bien.

Très bien.

Comme toujours en somme. A cette précision près qu'ils ont pris l'habitude de classer leurs ébats en deux catégories : d'une part, les étreintes brèves, dépouillées de fioritures, fulgurantes, fonctionnelles qu'ils appellent l'amour-MacDo. D'autre part, les corps à corps prolongés où ils dégustent en gourmets les diverses spécialités de la carte érotique et qu'ils appellent l'amour-Bocuse. Selon les jours ils choisissent l'une ou l'autre de ces haltes amoureuses, admettant sans fausse honte qu'on n'a pas toujours assez d'appétit – ou de temps – pour le menu gastronomique.

Présentement, ils viennent de faire l'amour-Bocuse. Dans la chambre à fleurs bleues, située au second étage de la maison bleue que chaque fin de semaine met à leur disposition leur ami Rodolphe Bleux, créateur inspiré du salon de coiffure « Crins bleus », le salon dont les élégantes – et surtout celles qui rêvent de l'être – commencent à parler.

Ils aiment cette chambre et cette maison sur les hauteurs de Canisy, avec sa double vue sur la mer et la campagne.

Ils aiment aussi, en contrebas, Deauville avec sa double vie.

Elle préfère le Deauville endormi de la semaine avec ses rues calmes, ses boutiques vides, la plage déserte.

Lui, il préfère le Deauville animé des week-ends avec sa faune bigarrée : jeans-vison ; cabas paysan-caddy de golf ; machines à sous-super banco.

Elle est une Deauvillaise de souche. Elle est née avenue de la République dans une villa cossue signalée par une rutilante plaque de cuivre comme étant celle du docteur Etienne Astier.

Lui n'est venu dans la région qu'à l'âge de cinq ans. Précisément à Beuvron-en-Auge, signalé par les guides routiers en tant que site protégé. Lui aussi, dans son genre, est un site protégé. Les fées lui ont apporté dans son berceau le don du bonheur. Il faut lui rendre cette justice qu'il a su merveilleusement bien le cultiver. Certains ont des grains de beauté, lui il a des grains de gaieté : dans les yeux, qu'il garde presque en permanence ; dans la gorge, qui explosent en mille éclats de rire ; et deux dans les joues en forme de fossettes.

Elle, elle apprend à être heureuse avec lui depuis déjà dix-huit mois. Il faut dire qu'avant elle avait eu Peter Murray, son amour de jeunesse, Victor Vanneau, son amour de raison, et sa fille Agnès : pas vraiment des raisons de rigoler.

Il est sous la douche. Il chante.

Elle est allongée sur le drap froissé. Elle rêve.

Et puis il cesse de chanter. Et elle continue de rêver.

Vêtu d'une serviette-éponge nouée sur ses hanches étroites et de quelques gouttes d'eau attardées sur son torse basané, il sort de la salle de bains. Debout au pied du lit il s'adresse à elle avec une solennité qui s'accommoderait mieux d'une jaquette fleurie des palmes académiques :

– Madame, j'ai le plaisir et l'avantage de vous annoncer que je viens de vous inscrire dans mon grand livre des records.

Immédiatement elle enclenche sa machine à plaire sur le programme « badinage ». Un sourire de lauréate extasiée affleure à ses lèvres et la fébrilité parfaitement imitée détimbre sa voix :

– Oh ! Mon Dieu ! Ce n'est pas vrai !

– Si ! Et pour la deuxième fois !

– Ah bon ? Pour la deuxième fois ? Je ne me souviens pas bien...

– C'est l'émotion. Je vais vous rafraîchir la mémoire.

– Ah ! Merci, monsieur !

– Premier record : de toutes les femmes à qui j'ai prétendu en les rencontrant que j'étais un homosexuel pur et dur afin d'avoir le temps de les étudier avant qu'elles ne me sautent dessus, vous êtes celle qui l'a cru le plus longtemps, et de loin ! Un mois et un jour ! Le record précédent était détenu par une jouvencelle qui n'avait pas dépassé les quarante-huit heures de crédulité ! Mes compliments !

– En l'occurrence, c'est vous qui les méritez... pour vos dons de comédien.

– Oh, vous êtes trop aimable, mais ils n'auraient servi à rien sans votre excellente éducation qui vous a empêchée de vérifier – *de tactu* – la véracité de mes dires...

Gênée et agacée de l'être, elle remonte le drap jusqu'à ses yeux cependant qu'il insiste :

– N'est-ce pas l'avis de Votre « Altesse Rigidissime » ?

Elle déteste ce surnom. Autant que les deux autres du même acabit dont il l'a gratifiée peu après l'avoir connue : « Madame Ducoincé » et la « baronne de Sanneseux-Fépas », tous trois destinés à ridiculiser le carcan de principes dans lequel elle a grandi et vécu avant lui. Maintenant il l'appelle de temps en temps affectueusement « Popaule »... On voit par là le chemin qu'il lui a fait parcourir. Ce qui lui permet de saluer en reine souriante l'« Altesse Rigidissime » et d'en revenir au jeu :

– Et mon deuxième record ? demande-t-elle.

D'un bond, il saute sur le lit, s'agenouille près d'elle et quitte son ton faussement officiel, pour prendre celui qui est par essence le sien : foncièrement léger.

– C'est un record de durée : tu as réussi à m'imposer ta présence dans le cadre de ce qu'il est convenu d'appeler une liaison depuis dix-huit mois, six jours, deux heures et dix minutes. La précédente titulaire dans cette catégorie avait été amenée à abandonner au bout de dix-huit mois, cinq jours, une heure et cinq minutes.

– A cause de quoi ?

– Un bébé.

– Qu'elle attendait ?

– Qu'elle a prétendu attendre.

– Mais c'était peut-être vrai.

– Qu'elle était enceinte... peut-être ! Mais sûrement pas de moi !

– Pourquoi sûrement ?

Ses yeux noirs pétillent de mauvaise foi.

– Comment ? Je ne te l'ai pas dit ?

– Quoi ?

– Je suis stérile. Ou plutôt stérilisé.

– Stérilisé ?

Comme s'il s'agissait d'une anecdote sans importance, il raconte qu'à vingt ans, ayant échappé de justesse à une paternité, ô combien non souhaitée, il avait couru chez un chirurgien afin qu'il pratique sur lui une vasectomie et le mette ainsi à l'abri de tout risque de procréation.

– Il y a vingt-huit ans que je m'en félicite, conclut-il.

– Tu pourrais prévenir !

– Mais je préviens toujours... quand mes partenaires sont susceptibles de vouloir un enfant.

– A moi tu n'as rien dit ! Et j'aurais très bien pu être tentée comme beaucoup de mes contemporaines par l'enfant de la quarantaine, l'enfant de la dernière chance.

Il explose de rire : Paule rêvant d'une deuxième maternité après tout ce que la première lui a coûté de soucis, de sacrifices, de déceptions et de larmes... quelle bonne blague ! Paule aspirant de nouveau à toutes les contraintes, toutes les angoisses... alors qu'elle a découvert la paix de l'âme et la liberté il y a seulement cinq ans, quand son inapprivoisable fille a coupé net le cordon ombilical, déjà bien déchiqueté par ses soins... ça, c'est la meilleure !

– Franchement, dit-il, il faudrait que tu sois dingue, ou maso !

Paule n'est ni l'un ni l'autre. Elle n'a jamais envisagé l'éventualité d'une seconde maternité. Agnès lui a définitivement enlevé – arraché serait mieux dire – tout désir procréateur. Mais enfin, cela aurait pu ne pas être le cas. Un homme un peu moins égoïste que son énergumène y aurait pensé et aurait eu la courtoisie élémentaire de lui signaler sa stérilité. Il serait bon qu'il s'en rende compte. Alors, mi-figue, mi-raisin, elle répond :

– Tu sais, la nature humaine est ainsi faite : même cruellement déçu par un enfant ou un amour, on ne peut s'empêcher d'espérer que le prochain sera mieux. C'est une chance, d'ailleurs. Sinon, il n'y aurait plus ni couple ni famille.

D'un mouvement brusque, il s'assied à califourchon sur le ventre de Paule et s'arc-boute sur ses épaules, l'immobilisant du bassin au cou. Sa voix est aussi ferme que l'étreinte de ses jambes et de ses mains.

– Pas de généralités ! Pas d'échappatoires ! Réponds-moi, les yeux dans les yeux : as-tu envie d'avoir un lardon ?

– Et si je te répondais oui ?

– Je m'en irais sur-le-champ, comme les quelques fois où il y a eu entre nous incompatibilité d'humour ou de pensée. Sauf que là, ce serait définitif, parce que le sujet est primordial.

Paule sait qu'il ne s'agit pas d'une menace en l'air. Bien que cela remonte au début cahotant de leur idylle, elle n'a pas oublié certains affrontements qu'il a interrompus par un départ sans préavis afin de sanctionner « le crime de lèse-bon sens » dont il l'accusait. Encore moins oublié certaines redditions sans condition auxquelles, toute honte bue, elle s'était résignée pour qu'il revienne. Alors, elle préfère baisser pavillon maintenant plutôt que de hisser piteusement le drapeau blanc plus tard.

– Rassure-toi, dit-elle, il y a belle lurette que je ne fantasme plus sur les biberons et les couches-culottes.

Abusant des croyances religieuses de Paule dont pourtant d'habitude il se gausse, il lui demande :

– Tu me le jures ?

– Bien sûr, répond-elle sans hésitation.

– Tu me le jures sur quoi ?

Elle réfléchit à peine avant de jouer le salut de son âme :

– Je te le jure sur ton livre des records.

Il desserre son étreinte. Relâche son ironie. Sa voix suit ce mouvement de détente :

– Dans ces conditions, je vais t'y inscrire pour un troisième record.

– A quel titre ?

– Tu es la première femme que j'ai envie d'épouser.

Elle retient son souffle. Elle attend la douche froide. Elle attend le rire ravageur. Mais non ! Il poursuit, presque aussi étonné qu'elle des mots qui lui tombent de la bouche par saccades, comme à regret :

– C'est la seconde fois que tu m'inspires cette envie saugrenue. La première, c'était il y a quinze jours, dans la baie d'Along... quand tu m'as parlé de la guerre du Viêt-nam comme un mec... après m'avoir fait l'amour comme une déesse... J'ai pensé que dans le genre, je ne trouverais jamais un meilleur rapport qualité/prix. Et j'ai eu envie de t'épouser. Après, je me suis raisonné. Je me suis calmé. Mais je sentais bien que j'avais comme une idée-moustique dans le fond du crâne... Et voilà que tout à l'heure, dans la salle de bains, le moustique est remonté à la surface... J'ai essayé de le chasser. Mais je t'en fiche ! Il s'est juste un peu éloigné avec l'histoire du môme... Mais il est revenu ! Et il a vrombi de plus belle dans mon oreille : « Epouse-la... Epouse-la... Epouse-la... » Alors finalement je l'ai tué, d'un coup sec, en te disant : « J'ai envie de t'épouser. » C'était le seul moyen de m'en débarrasser ! Seulement, je me connais... Il ne faudrait pas qu'un autre moustique vienne tournicoter autour de moi, avec un bruit d'ailes qui ferait quelque chose comme : « T'es fou ! T'es fou ! T'es fou ! » Alors, pour ne pas lui laisser le temps d'arriver, on va se marier. Ici, à Deauville. Les formalités seront moins longues qu'à Paris. J'ai des relations à la mairie. Je vais y aller tout de suite. Enfin... quand je serai habillé. Ah... autre chose... Je voudrais que ça se passe dans la plus stricte des strictes intimités... Avec juste nos deux témoins : Rodolphe pour moi et Odile pour toi, je suppose... Sans mes frère et belle-sœur... Et sans ta mère... qu'il vaut mieux ne pas prévenir... Voilà... Ne bouge pas ! Ne dis rien ! Ni : « Merci ! » Ni : « Je rêve ! » Ni : « C'est le plus beau jour de ma vie ! » Pas davantage : « Et si je n'étais pas d'accord ? » Ni : « Tu permets que je réfléchisse ? » Ni : « Pour un non-conformiste : chapeau ! » Rien ! Tu ne dis rien... Tu ne souris pas non plus... Même pas comme ça... Tu fermes les yeux... Tu ne bouges pas... Tu me laisses enfiler une tenue décente... et puis, quand je suis parti... tu te lèves... tu te prépares... tu me rejoins aux « Vapeurs » vers treize heures... On déjeune. On parle. On rigole. On fait comme d'habitude, quoi ! Et après... tu rentres à Paris et moi je vais à Beuvron-en-Auge parler affaires avec mon frère... Et accessoirement porter une peluche à son rejeton pour son premier anniversaire... Message terminé. A plus tard !

Il signe le tout d'un bout de baiser et se lève.

Elle fait comme il a dit : elle attend sagement son départ pour prendre possession de la salle de bains et s'y laisse submerger par la déferlante de son émotion.

Lui...

L'éternel voyageur, éternellement sans bagages, qui s'est arrêté a priori pour une simple escale dans la vie de Paule et qui a envie tout d'un coup de s'y installer !

Lui...

Avec son goût forcené de l'indépendance et sa carte de visite hors normes, comme lui :

Comte Barthélemy de Saint-Omer

Entremetteur de luxe

Quatorzième à table

Quatrième au bridge

Premier à rire
Homme libre

Lui...

Le métis belgo-antillais, qui aime à se dire colibri des îles, bouvreuil normand, pinson des Ardennes et moineau de Paris !

Lui...

Le drôle d'oiseau qui s'est voulu jusqu'ici libre comme l'air, libre au point de vivre à l'hôtel, en camp volant ; au point de s'être inventé un métier sans patron, sans horaire fixe, et n'entrant dans aucune catégorie socioprofessionnelle ; au point de refuser la compagnie d'un chien ou d'un chat, animaux qu'il adore mais qui risqueraient de constituer une entrave, si légère fût-elle ; au point de n'avoir pas de voiture mais des amis qui en ont une – avec chauffeur bien entendu –, ainsi qu'une bicyclette et une carte de priorité dans deux compagnies de taxis !

Et c'est cet homme-là, ce funambule, cet Icare comblé qui l'a demandée en mariage... Qui a accepté l'idée en lui proposant la bague au doigt de se mettre un fil à la patte...

Elle s'efforce de maîtriser sa joie. Elle s'efforce même à un certain pessimisme. Elle s'efforce de penser que dans la vie on n'est jamais sûr de rien. A fortiori avec lui. Qu'il a cent fois le temps de revenir sur sa décision. Même la veille de la cérémonie. Même une minute avant. Elle s'efforce de penser qu'elle doit attendre, pour se réjouir, d'être sortie de la mairie, d'avoir en main son livret de famille avec sa nouvelle identité : Madame Paule de Saint-Omer. Elle s'efforce de ne pas réagir comme si elle avait dix-huit ans et que ce soit son premier amour... Comme elle a réagi à dix-huit ans, quand Peter lui a promis de l'épouser. Ni même comme elle a réagi à vingt-cinq, quand Vanneau lui a juré de quitter sa femme... Deux espoirs déçus, ça devrait suffire pour refroidir son enthousiasme. Eh bien non ! Même avec en filigrane : « Jamais deux sans trois », ça ne suffit pas.

Sur la route du retour, elle chante à tue-tête des chansons d'hier et d'aujourd'hui qui parlent d'amour.

Arrivée dans Paris, elle laisse passer les piétons, sourit aux agents, déverse sa monnaie dans les mains qui se tendent, touche du bois, achète des fleurs, a honte de sa chance, plaint tout le monde, ignore la mélancolie de l'été finissant : pour elle tout commence !

Les signes que ce 14 septembre est pour elle un jour de chance se multiplient : le lourd portail de son immeuble si dur à pousser est ouvert ; aucun malotru ne lui a pris sa place de stationnement dans la cour ; Madame Desvignes, la rentière du rez-de-chaussée, n'est pas derrière son rideau à l'affût d'un ragot ; Rachid, le fils de l'incontournable Tunisien du quartier, se trouve là en livraison à point nommé pour prendre une commande, dont, très organisée, elle a déjà dressé la liste ; elle met miraculeusement la main sur sa clé dans le fond de sa besace : aucun doute, la tribu des gentils lutins baptisés par Barth les « Chouchougnet » triomphe aujourd'hui de la tribu des « Bougredebigre », farfadets maléfiques qui se plaisent à empoisonner la vie des pauvres humains.

Elle est dans un tel état de confiante euphorie qu'elle n'a pas le moindre mouvement de peur en découvrant sur son palier une masse sombre, imposante et informe, surmontée d'une boule de poils hirsutes. Il est vrai que la boule est trouée de deux yeux bleus qui dégoulinent d'honnêteté et que s'en échappe une voix d'une politesse rassurante :

– Vous êtes Madame Astier ?

– Oui.

– Je m'appelle Keran Kersaint. Je suis le beau-frère d'Agnès.

Répondant au regard ahuri de Paule, il précise :

– Votre fille. Mon frère Yann l'a épousée à Montréal dès que le bébé s'est annoncé.

– Le bébé ?

L'homme se retourne. Paule voit alors, accroché au dos de l'homme, un « kangourou ». Il en émerge en bas deux chaussettes en laine violette ; en haut le visage d'un petit bout d'être, écrasé de sommeil contre le blouson de son porteur et encapuchonné de vert pomme.

13

    — Il y a juste un quart d'heure qu'elle s'est endormie.

    — Ah, murmure Paule, hébétée, c'est une fille ?

    — Oui. Votre petite-fille.

    — Ma...

    — Elle s'appelle Ophélie. Ophélie Kersaint.

CHAPITRE II

« Je me tire. Je ne fugue pas. Je me tire.

« Je suis majeure depuis cinq minutes. Inutile donc d'entreprendre des recherches.

« J'ai pris le fric que tu planquais en prévision de ton enterrement – comme ta mère – dans la boîte à pansements de la pharmacie. Moi je vais le claquer pour m'amuser. Salut ! Signé : Agnès. »

Tel fut l'adieu de la fille de Paule il y a cinq ans.

Madame Desvignes, de son poste de guet habituel, a vu l'adolescente traverser la cour de l'immeuble avec sa guitare et son sac polochon sur le dos, puis, avant de disparaître sous la voûte, se retourner pour faire un bras d'honneur adressé autant à elle – cette dinosaure indécrottable – qu'aux sept autres copropriétaires si convenables de cet ancien hôtel particulier si bourgeois. Pardon, bourge !

La vieille dame comprit ce qui se passait et à la première occasion exprima sa compassion à sa jeune voisine du rez-de-chaussée. Elle se chargea de diffuser la nouvelle parmi les commerçants du quartier qui, par quelques mines attristées ou quelques mots de consolation, montrèrent à Paule qu'ils participaient à son chagrin.

Or, elle n'en avait pas. Elle en avait tellement eu – et de toutes sortes – depuis la naissance de sa fille qu'elle éprouvait une espèce de soulagement à l'idée de ne plus vivre dans l'angoisse, les cris et, pire, les silences méprisants. Elle se l'était reproché au point paradoxal de souffrir de sa non-souffrance, jusqu'au jour où Barth, frais débarqué dans sa vie, s'attaqua en douceur au complexe de culpabilité qui l'empoisonnait.

Sans trop de difficulté il lui fit avouer que sa fille réunissait tous les défauts, les goûts et la mentalité qu'elle exécrait et qu'elle se serait plus facilement attachée ou intéressée à n'importe quelle étrangère qu'à elle.

Il eut plus de mal à la convaincre que la voix du sang est un de ces nombreux clichés dont tous les panurges de la terre aiment à se repaître ; que la consanguinité n'oblige ni à l'indulgence, ni à la partialité ; qu'un imbécile reste un imbécile même s'il est votre enfant ; que l'amour maternel ou paternel, pas plus que l'amour filial, n'est inscrit dans les gènes, qu'il s'acquiert, se mérite, et qu'Agnès était donc seule responsable de n'avoir pas mérité celui de sa mère.

Après de nombreuses discussions, Paule finit par se rendre à ce raisonnement et oublier cette Agnès qui se trouvait être malencontreusement sa fille mais qu'elle n'avait en fait aucune raison de regretter.

Et voilà que tout à coup, Mademoiselle Astier, déserteuse, réapparaît en Madame Kersaint, volatilisée. Oui, volatilisée. Il ne manquait plus que ça !

Jusque-là, Paule a écouté Keran avec un calme relatif. Pourtant... ce qu'il vient de lui apprendre a de quoi lui hérisser le poil – en tout cas, celui qui lui reste de la baronne de Sanneseux-Fépas : après quelques « détours » par les Etats-Unis sur lesquels Keran ne s'est pas appesanti, Agnès a échoué à Montréal. Elle y a rencontré les frères Kersaint, en rupture de famille eux aussi – mais depuis plus longtemps. Ils l'accueillirent au sein de leur communauté de marginaux exilés et ne tardèrent pas à former avec elle, devenue la « fiancée » de Yann, et avec Lola, qui était celle de Keran, un groupe rock : « Les To-morrow ». Après bon nombre de galères, le succès commença à se pointer en même temps qu'Ophélie dans le ventre d'Agnès. Les futurs parents, aussi irresponsables l'un que l'autre, ne songèrent pas plus à éviter cette naissance qu'à changer pour elle quoi que ce fût à leurs activités. Si bien qu'Ophélie, avant même d'être née, connut les décibels des sonos, les trépidations des motos et la fumée des cigarettes et des joints. Trois jours après son arrivée au monde, elle connaissait les joies de la vie d'artiste en tournée : les trajets en car, les attentes dans les gares, les aéroports, les motels, la fermeture des bistrots de nuit, l'ouverture des snacks du matin.

Cinq mois de ce régime ne firent pas du bébé un parangon de robustesse ni de placidité. Ses parents, eux-mêmes fatigués, et son oncle Keran, déprimé par le départ subit de Lola, décidèrent alors une halte de récupération... en Crète ! Pourquoi la Crète en pleine chaleur du mois d'août ? Simplement parce que le grand-père du copain d'un copain y possédait près d'Elounda une baraque dont il louait quelques chambres à prix modique.

A peine leur balluchon posé, les trois prétendus adultes laissèrent Ophélie dans son couffin sous la garde du pépé crétois et partirent se baigner. Yann et Agnès s'arrêtèrent à la première crique solitaire rencontrée sur leur chemin. Keran alla plus loin, à la recherche d'un endroit plus fréquenté où il pourrait éventuellement « pêcher la nana ».

En fin d'après-midi, il revint bredouille au lieu où il avait laissé son frère et sa belle-sœur. Il y retrouva leurs affaires, mais d'eux, pas de trace.

A ce jour, on ne les a toujours pas retrouvés.

S'agit-il d'un accident ? D'un enlèvement ? D'une fuite préméditée ? Mystère ! Les investigations officielles avec hélicoptère et scaphandriers n'ont pas donné plus de résultats que les expéditions pédestres entreprises par les villageois de bonne volonté. Plusieurs radiesthésistes ayant eu vent de l'affaire par les journaux ont indiqué différentes pistes sans plus de succès. Les policiers finirent par conclure à une disparition inexplicable – sans trop d'étonnement car c'était, à cet endroit précis, la quatrième de ce genre. Ils essayèrent de joindre Paule à l'adresse inscrite sur un bout de papier dans le portefeuille d'Agnès. En vain, puisque, à ce moment-là, Paule visitait le Viêt-nam avec Barth. Keran, sûr qu'elle lirait un des nombreux articles où on la mentionnait comme la mère de la disparue, attendit qu'elle se manifeste. Puis, manquant d'argent pour prolonger son séjour, résolut de venir à Paris pour mener son enquête personnelle. Elle le conduisit à l'heure du déjeuner chez Madame Desvignes qui, méfiante, le rassura avec parcimonie : Madame Astier habitait toujours là et serait probablement de retour dans la soirée.

Muni de ce précieux renseignement, Keran se rendit au très proche jardin du Luxembourg. Il y passa tout l'après-midi, le torse ceinturé de bandoulières : celles de son saxo, celles de son sac de marin, celles du kangourou d'Ophélie. La fillette opposant au sommeil une résistance peu commune, il la balada tantôt dans ses bras, tantôt dans son dos, tantôt dans son couffin au-dessus d'un amoncellement de couches-culottes, de biberons, de jus de fruits, de petits pots et de quelques rares éléments vestimentaires. Vers six heures du soir, épuisé, il vint s'effondrer sur le paillasson de Paule où la petite enfin s'endormit quelques minutes avant lui... et avant que Paule ne rentre.

Keran s'est ébroué et, avec des précautions de voleur, a transféré Ophélie du kangourou au couffin préalablement vidé de tout son contenu. Visiblement soulagé que l'enfant ne se soit pas réveillée, il a rassemblé ses forces restantes pour résumer à Paule les cinq ans d'absence de sa fille et l'odyssée crétoise.

Maintenant, parvenu à la fin de son récit, des bâillements mal réprimés et une élocution de plus en plus imprécise trahissent sa fatigue :

– Vous voulez peut-être dormir ? demande Paule.

– Non merci, mais par contre je prendrais volontiers une douche.

– Et quelque chose à manger ?

– Ben... Si ça ne vous dérange pas...

– Pas du tout, je vais vous préparer un petit en-cas pendant qu'Ophélie dort.

Keran va jeter une moitié d'œil sur Ophélie dont le sommeil agité n'a pas l'air de le surprendre.

– Si jamais elle se met à crier, dit Keran entre deux bâillements, vous n'avez qu'à la promener, elle aime bien.

– Et peut-être lui donner un biberon ?

– Oh... oui ! Si elle veut... Mais... ça m'étonnerait...

Incapable de prononcer un mot intelligible de plus, Keran entre dans la salle de bains, plus proche du clodo débile que du rocker déchaîné.

Quand il en ressort, barbe et cheveux disciplinés, chemise propre, et embaumant l'eau de toilette de Paule, il a déjà meilleure allure. Après avoir englouti une platée de pâtes, une omelette, des fromages et un bol de café, il est en pleine forme. Après avoir constaté la sagesse d'Ophélie, il se dit prêt à partir.

– Pour le Canada ? demande Paule.

– Non ! Je n'ai plus assez de sous pour le voyage. Je vais plutôt aller à Londres. Avec le bateau et l'auto-stop, je peux m'en tirer.

– Mais la petite ?

– Quoi, la petite ?

– Vous avez de quoi la nourrir ?

– Mais... la petite, je vous la laisse !

Keran n'ajoute pas : « En voilà une question, grosse bête ! », mais c'est sous-entendu dans son sourire amusé qu'il garde d'ailleurs imperturbablement pendant que Paule, ahurie, découvre peu à peu la bombe qu'elle vient juste de détecter.

– Vous me la laissez... maintenant ?

– Ben oui !

– Pour combien de temps ?

– Le temps que je trouve au moins un boulot, un toit et une nana pour s'occuper de la mouflette.

– Ça peut être long.

– Ça dépend. Dans le show-biz, la réussite peut venir tout d'un coup.

– Ou jamais.

– Ça, c'est sûr !

– Mais, vous rendez-vous compte de ce que ça représente, un enfant à élever ?

Le sourire de Keran s'élargit, contenant cette fois cette opinion : « Vraiment, elle est idiote ! »

– Evidemment que je me rends compte, sinon je ne serais pas là !

Cette franchise désarme d'autant plus Paule qu'elle est suivie d'une touchante preuve de bonne volonté.

– Notez que si vous ne pouviez pas la garder, votre petite-fille, je me débrouillerais. Il y a plein de mômes qui poussent très bien dans les squats. Mais je pense quand même qu'elle serait plus heureuse avec vous qu'avec moi.

En dehors de cette évidence rabâchée qu'il vaut mieux être riche et bien portant que pauvre et malade, je ne vois guère que celle-ci pour l'égaler : il vaut mieux pour un bébé vivre dans un douillet appartement du VIe arrondissement auprès de sa jeune grand-mère, régulièrement salariée, que dans un squat londonien auprès d'un oncle chômeur et marginal.

C'est tellement indiscutable que Paule ne discute pas.

Sitôt qu'elle a donné son accord, Keran prend le chemin du départ avec une précipitation que Paule, innocemment, attribue au chagrin qu'il éprouve de quitter Ophélie. Le fait qu'il refuse d'attendre son réveil pour partir ainsi que la permission qu'il demande de prendre des nouvelles de sa nièce la confortent dans cette idée. Si bien que, sur le pas de la porte, c'est elle qui le rassure :

– Ne vous inquiétez pas. Tout va bien se passer.

– J'en suis certain.

Sur cette certitude, brusquement, Keran tourne les talons et, en courant, s'enfuit plus qu'il ne s'en va. Encore une preuve pour Paule que le jeune barde breton est bien triste d'abandonner sa mouflette et qu'il viendra la rechercher dès qu'il le pourra.

Paule n'attend pas une heure pour comprendre son erreur de jugement.

Trop tard !

CHAPITRE III

– Ophélie, ma petite fille, mon coup de tonnerre, ma catastrophe, mon innocente... Je t'en supplie, calme-toi ! Il y a quatre-vingt-dix minutes que tu es réveillée ! Quatre-vingt-dix minutes que ton corps de grenouille émet des rugissements de lionne ! Quatre-vingt-dix minutes que, comme la dernière des courtisanes, je m'évertue à te plaire. J'ai essayé de te nourrir : tu ne veux pas. Je t'ai changée, lavée, promenée, bercée, montré les images de la télévision, chanté tout mon répertoire de *Dodo, l'enfant do* jusqu'à *La Marseillaise*, mis des cassettes d'Offenbach, de Mozart, de Brel, fait les marionnettes, le guignol, l'andouille. Je suis au bout de mes ressources récréatives et au bout de mes nerfs. Ah ! Je comprends pourquoi il était si pressé de partir, Keran. Il prévoyait ton récital et il a pensé que ça me découragerait, que je te laisserais tomber. Entre nous, il manque un peu de jugeote, ton oncle. Il aurait dû se douter que je n'étais pas une inconsciente qui agissait sans savoir ! Oh non ! Je sais ! Je sais, hélas ! Je sais quels orages tu caches dans ton couffin... Je sais la place que tient le petit d'homme dans une vie de femme : une place disproportionnée par rapport à sa taille et dont le gigantisme est insoupçonnable pour quiconque ne l'a pas expérimenté. Je sais, moi, que l'enfant est le plus avide des chronophages, qu'il grignote le temps de travail, engloutit les jours de loisirs, dévore les heures de détente, ronge les nuits d'amour et picore jusque dans les minutes de réflexion. Je sais, moi, son poids de fatigue. Son poids d'exigence. Son poids d'inquiétude. Et je m'en suis chargée quand même...

Soudain Paule se tait, l'esprit accroché par ces

questions : Avait-elle le droit de refuser ? Quels arguments aurait-elle pu opposer à Keran, si justement convaincu qu'elle était la plus habilitée auprès d'Ophélie à pallier l'absence de ses parents ? Que lui dire ? Que, dans l'ensemble, les grand-mères actuelles ne sont plus ce qu'elles étaient ? Que pour sa part elle ne se sent rien de commun avec les mamies d'autrefois au corps alourdi de renoncement, aux mains prolongées par des aiguilles à tricoter, au visage strié d'abandon ; rien de commun avec les mamies-arnica, les mamies-raconte-moi, les mamies-recoud-boutons, les mamies-confidences, les mamies-mouchoirs, les mamies-cadeaux, les mamies-à-tout-faire ? Bref, rien de commun avec ces femmes qui acceptaient de ne plus en être à part entière et mettaient totalement leur temps, leurs qualités, leur maison à la disposition de leur descendance ? Pouvait-elle dire à ce Keran, qui, manifestement, ne portait pas sur elle un regard d'homme, que néanmoins elle se considérait, elle, de corps et d'esprit, plus proche d'une nana que d'une bonne-maman ; que « la ride véloce et la pesante graisse » chères à Raymond Queneau ne l'ont pas encore envahie ni même menacée ; que pas plus tard que ce matin elle s'est envoyée en l'air dans les bras d'un mec qui n'avait rien d'un pépé ; que ce mec-là l'a demandée en mariage ; qu'elle en a eu le cœur chaviré comme une jouvencelle et qu'elle était précisément en train d'échafauder des projets de jeune fiancée quand il a surgi dans son univers rose avec son offre d'emploi pour grand-mère grisonnante à plein temps ? Pouvait-elle lui expliquer qu'il était déjà miraculeux que l'homme de sa vie ait consenti à devenir un mari et qu'il était inenvisageable que cet homme-là devienne le quart d'une seconde un grand-père, même par procuration ? Pouvait-elle lui avouer qu'elle préférait les roucoulades de son drôle d'oiseau aux cris de sa grenouille, les inconséquences de l'un aux conséquences de l'autre ? Pouvait-elle en somme sacrifier une innocente à son bonheur ?

Peut-être que d'autres auraient pu.

Elle, pas.

– Tu entends, Ophélie, je n'ai pas pu. Ça devrait te faire plaisir. Je n'ai même pas essayé de défendre un seul instant ma position, pourtant défendable, de femme qui, après dix-huit ans de durs et loyaux services dans l'armée des mères involontairement célibataires, a mérité sa place dans le bataillon des amoureuses attardées. Je n'ai pas déclaré : « Merci, j'ai déjà donné. J'ai le droit maintenant de recevoir. » Je n'ai pas supplié : « Encore un battement de cœur, monsieur le bourreau ! » Je n'ai pas argué : « Ce sont mes dernières belles années, mon dernier baroud d'amour, mon dernier rayon vert avant le coucher du soleil. Laissez-moi vivre cela en paix... ou du moins en guerre d'adulte... sous les ordres du capitaine Eros et non pas en combats inégaux avec un enfant, sous la bannière du général Fessosec. » Non... j'ai simplement dit à Keran : « Vous avez raison. La petite sera mieux ici... En tout cas, pour le moment. » Point final. Cette acceptation si rapide l'a même épaté. Tiens ! toi aussi, j'ai l'impression... Tu en restes bouche bée. Enfin ! J'apprécie cet hommage mais, entre nous, je ne l'ai pas volé. D'autant moins qu'en te voyant, pour être franche, je n'ai pas eu le coup de foudre. Je n'ai pas ressenti cet émerveillement inconditionnel des nouvelles grand-mères immédiatement à l'affût de la moindre ressemblance entre le fruit de leurs entrailles et le fruit du fruit... ou – encore mieux – entre le fruit du fruit et elles-mêmes. Non... Avec la meilleure volonté, je n'ai pu dénicher un seul point commun avec ta mère qui n'en avait déjà aucun avec moi. Dommage ! C'était un joli bébé, ta mère : blond, rose, bleu. Dans l'ensemble, un peu trop pastel... comme son père : Peter Murray. Ton grand-père en quelque sorte. Je te le montrerai un jour, celui-là, quand l'increvable feuilleton qui l'a rendu célèbre : *Robin des villes*, repassera une fois de plus à la télé. Il en jouait le héros romantique sans peur et sans reproche. J'ai eu le tort de l'identifier à son personnage.

Quelques images, très récentes, passent devant les yeux de Paule : un homme encore séduisant, mais avec un rien de vitreux dans le regard, deux riens de couperose sur les joues et trois riens d'embonpoint sous le blazer marine impeccablement coupé. C'est, début septembre, Peter. Il regarde l'affiche du film qu'il est venu présenter au festival du cinéma américain de Deauville. Paule est arrêtée à deux pas, attendant patiemment que le chihuahua de sa mère soulage ses intestins capricieux. Peter se retourne. Il reconnaît Paule tout de suite. Elle, deux secondes plus tard... juste au moment où le chien, enfin libéré, s'est mis à tirer sur sa laisse et où une femme, prisonnière de son lifting, a surgi d'une Bentley blanche et s'est mise à tirer Peter par le bras. Leurs sourires se sont croisés : celui de Peter, désolé et attendri. Celui de Paule, ironique. Seulement ironique.

Ces images qui ont accaparé quelques instants l'attention de Paule s'estompent sans difficulté dès qu'Ophélie la rappelle à l'ordre d'un couinement impatient :

– Toi aussi, j'ai l'impression que tu ressembles à ton père, avec ta crinière brune, tes yeux bleu marine et ton menton volontaire. En tout cas, tu n'es pas une Astier, comme moi. Ni une Murray, comme ta mère. Tu es une Kersaint. Je n'ai rien contre. Mais enfin, si tu avais eu un petit air de famille, ça ne m'aurait pas déplu. Pour ne rien te cacher, si tu avais eu également un autre prénom, j'aurais préféré. Le tien m'agace. Je sais bien que tu n'y es pour rien. A l'évidence, c'est ta mère qui l'a choisi, une fois de plus en réaction contre moi... Moi qui n'aime que les prénoms simples et intemporels ; moi qui ai toujours combattu chez elle un goût immodéré pour la théâtralité ; moi qui déteste ce tordu d'Hamlet qui, elle, la fascinait. Tu comprends ? Ophélie... Ton prénom c'est, au-delà de l'absence, un défi que ma fille m'a lancé, une ultime provocation. Si encore tu t'annonçais comme une blonde éthérée, ce serait à la rigueur acceptable... mais là, non ! T'as une bille de clown, une tête à t'appeler Zoé ou Julie. Quant à tes deux autres prénoms, encore deux messages empoisonnés : Bonnie, comme l'héroïne de *Bonnie and Clyde* – son idole et ma terreur – et Maryvonne, comme la mère de ton père – ton autre grand-mère ! Ça ne m'a pas vraiment écorchée... Mais enfin, ça a réveillé quelques élancements à l'endroit de mes anciennes cicatrices, pratiquement disparues sous les arguments de Barth. En résumé, Mademoiselle Ophélie, Bonnie, Maryvonne Kersaint, rien à votre arrivée chez moi n'a plaidé en votre faveur. Et pourtant, je vous ai gardée sans la moindre hésitation. Alors, je ne vous demande pas de la reconnaissance, ce serait absurde, bien sûr. Je vous demande simplement de faire votre métier de bébé qui consiste pour le moment à dormir le plus vite possible et le plus longtemps possible afin de me permettre de faire mon métier d'adulte qui consiste, figurez-vous, à traduire des romans pour les éditions Marionneau et des pièces de théâtre pour qui fait appel à moi. Mais, je t'expliquerai ça une autre fois...

Miracle ! Les yeux d'Ophélie papillotent. Paule, immobile, continue à lui parler, mais d'une voix de plus en plus chuchotante :

– Une autre fois, je te parlerai aussi d'Odile, mon amie de Deauville, et de Laurence, mon amie de Paris. Elles vont bien rigoler quand je vais leur raconter mon aventure avec toi. Tu penses ! Il leur est arrivé la même. Enfin... presque ! On leur a refilé à elles aussi les fruits de leurs fruits sans leur demander leur avis. Laurence, veuve et ne supportant pas la solitude, a été ravie. Odile, pas du tout. Mère célibataire, comme moi, et enchantée d'avoir recouvré sa liberté, comme moi, elle n'aspirait qu'à la garder, comme moi. Mais elle n'avait pas, comme moi, un Barth dans sa vie. Si elle en avait eu un, comment aurait-elle réagi... elle ?

Ça y est ! Ophélie s'est endormie. Paule retient son souffle, ôte ses chaussures, vérifie que le couffin est bien calé entre la table basse et le canapé, puis, rassurée, s'en éloigne à pas de chatte, quand soudain... retentit, dans sa tête surchauffée, le tocsin ! En l'occurrence, la sonnerie du téléphone, suivie une seconde après par le hurlement du bébé.

Vingt et une heures ! Panique à bord ! Sauve qui peut ! Sauve ce qu'on peut... tant qu'on peut ! Paule s'engouffre dans le long couloir qui sépare le salon de sa chambre, plonge sur son lit et décroche l'appareil. C'est Barth. Un Barth excédé par les turbulences de son jeune neveu, par les gâtouillages de son frère avec lequel il lui a été impossible d'avoir une conversation sérieuse, par les affolements de sa belle-sœur encore plus nerveuse que d'habitude ; un Barth furieux qu'un homme intelligent, vif, chaleureux comme son cadet et une femme assez sympathique pour qu'on regrette d'en dire du mal soient devenus en un an un couple de zombies épuisés, otages d'un monstre lilliputien, d'un Hitler en couche-culotte, d'un brahma tentaculaire avec plein de mains poisseuses ; un Barth qui a fui cet enfer familial pour rejoindre en auto-stop la maison de Rodolphe à Deauville d'où il repartira demain par le train de dix heures douze.

– A propos, tu peux venir me chercher à la gare Saint-Lazare ? On pourrait déjeuner ensemble.

– C'est-à-dire que... ça ne va pas être très facile...

– Pourquoi ?

– Ben... je t'expliquerai...

– Tu n'es pas seule ?

– Si !

– Alors, explique-moi maintenant.

– Non... pas au téléphone.

– Enfin quoi, merde ! Qu'est-ce qui se passe ?

Paule est à l'écoute des cris d'Ophélie. Ils ont redoublé et ont pris, lui semble-t-il, une sonorité inhabituelle. Elle s'affole tout à coup en n'entendant plus rien.

– Attends une minute, dit-elle à Barth, je reviens !

Elle cingle vers le salon. Ophélie, cramoisie, est suffocante. Elle la prend dans ses bras, lui tapote le dos, lui murmure les plus douces supplications dans l'oreille. Une seconde s'écoule, lourde comme l'angoisse. L'enfant retrouve un filet d'air. Elle se remet immédiatement à hurler. Quel bonheur ! Un enfant qui hurle est un enfant qui vit. Paule a eu si peur. Pas question de lâcher son paquet vagissant. Tant pis ! Elle aurait préféré jeter son pavé dans la mare de Barth avec plus de ménagement et à un moment plus propice... Mais le sort en a décidé autrement. Après tout, un peu plus tôt ou un peu plus tard...

Paule empoigne le téléphone avec la détermination résignée de certains condamnés à l'échafaud pendant la Révolution :

— Allô, Barth...

— Qu'est-ce que tu as ? Qu'est-ce que c'est que ce vacarme ?

— Je suis grand-mère, mon amour, et ce sont les cris de ma petite-fille.

CHAPITRE IV

4 h 16... 4 h 17...

Paule n'arrive pas à détacher ses yeux des chiffres sautillants de son réveil électronique.

4 h 18... 4 h 19...

Le grand orchestre de l'Insomnie, sous la direction d'Herbert von Stress, donne cette nuit un programme de gala. Après avoir joué la Symphonie des soucis domestiques, puis la Sonate des problèmes professionnels, il entame maintenant le Requiem des espoirs défunts avec Monsieur de Saint-Omer en soliste.

Hier soir, au téléphone, le virtuose a exécuté sa partition avec son brio habituel : quand Paule lui a annoncé sa grand-maternité ô combien inattendue et, partant, son impossibilité de venir le chercher à la gare Saint-Lazare, il a écourté au maximum les explications :

– L'o.b.n.i. sera encore là ce soir ? a-t-il demandé.

– L'o.b.n.i. ?

– Objet braillant non identifié.

– Evidemment qu'Ophélie sera là.

– Alors je passerai chez toi vers huit heures pour voir sa tête et je t'emmènerai dans un bistrot nouveau pour discuter de tout ça.

– Avec la petite ?

– Tu es folle ! C'est un restaurant où les chiens, les motos, les bébés et les marteaux-piqueurs sont interdits.

– Et qu'est-ce que je vais en faire ?

– Ben... prends une baby-sitter !

– Si j'en trouve une.

28

– Regarde sur le Minitel. Il y a plein de sociétés du genre : S.O.S. Moutards.

– Mais je ne les connais pas.

– Alors demande aux commerçants de ton quartier, à ta pharmacienne, à Laurence.

– Mais d'ici à demain...

– Vraiment, il y a des moments où tu te noies dans un verre d'eau.

Sous-entendu : il y a des moments où elle l'énerve. Des moments où il ne la comprend pas. Des moments où il a comme des renvois d'indépendance qui lui montent aux lèvres... Or des moments comme ça, Paule sait qu'à présent il y en aura beaucoup. Beaucoup trop...

5 h 04... 5 h 05...

Paule tourne rageusement le dos au réveil obsédant. Elle ne verra pas 5 h 06. En revanche, elle voit 7 h 06. Ou plutôt elle entrevoit, entre deux clignements de ses paupières qui pèsent des tonnes. Mais elle entend sans difficulté les justes revendications d'Ophélie... étayées bientôt par des arguments odoriférants.

Alors, titubante, à la limite du somnambulisme, Paule se met à accomplir tous les gestes oubliés avec une maladresse qu'Ophélie, par toutes sortes de gesticulations, s'amuse manifestement à aggraver. Le nettoyage des fesses, l'arrimage de la dernière couche propre, l'enfilage de la dernière grenouillère potable deviennent pour la grand-mère novice et hébétée des tâches titanesques. Mais le plus long – sinon le plus dur – reste à faire : le remplissage du tube digestif. Le bébé ingurgite le reste de la dernière bouteille de lait à l'allure d'un retraité sirotant son tilleul-menthe... et le dégurgite presque entièrement avec la béatitude d'un empereur romain repu.

Ô rage, ô désespoir, ô jeunesse ennemie ! Paule se jette sur son calmant préféré, le plus inoffensif et le plus efficace : une bouffée d'informations à la radio. Les malheurs du monde réduisent les vôtres à une taille lilliputienne : c'est l'effet Gulliver. Il joue encore pendant qu'elle noie sous la lavande l'odeur du lait caillé, pendant qu'elle avale un bol de Nescafé et qu'elle grelotte sous la douche... elle que Barth a convertie aux nonchalances matinales !

Mais l'effet Gulliver s'arrête net quand commence le combat épuisant qu'elle doit livrer pour que les jambes frétillantes d'Ophélie entrent dans les deux trous mouvants du kangourou conçu pourtant pour les recevoir. Elle finit par triompher, mais dans un tel état de nerfs que ses ennuis jugés objectivement lilliputiens quelques instants auparavant lui semblent à présent aussi énormes que ceux de la terre entière.

Enfin, à l'heure où les rideaux de fer des boutiques commencent à se lever, donnant l'impression que Paris s'éveille en bâillant, Paule, attelée à sa petite-fille somptueusement indifférente, part pour acheter les objets et les produits de première nécessité. Une vraie course d'obstacles commence.

Premier obstacle : sa voisine d'en face, Madame Desvignes. Catastrophivore gloutonne, la vieille dame se pourlèche les babines à longueur de journée, en premier lieu avec les misères du monde – les tremblements de terre lointains et la famine dévastatrice étant ses mets de prédilection –, puis avec les malheurs de la France – un régal ! –, ensuite avec les deuils, les maladies et les faillites du quartier – du nanan ! –, enfin avec les coups du sort qui frappent les gens de l'immeuble, de préférence ceux qui affichent des signes extérieurs de bonheur. Bien sûr, elle a tout de suite flairé autour du bébé malingre et des traits tirés de sa voisine, hier encore si rayonnante, le délicieux fumet des drames qui mijotent. Elle ouvre sa fenêtre pour essayer d'en connaître les ingrédients. Paule s'efforce de livrer les composants de base : l'accident en Crète et le parachutage de sa petite-fille avec le maximum de bonne humeur, appliquant là, par réflexe, un principe hérité de son père : « Il faut toujours cacher ses ennuis aux autres, afin de s'éviter au moins celui de les voir s'en réjouir. » Ça n'empêche pas Madame Desvignes de saupoudrer son « plat du jour » avec les habituels « Je vous plains de tout mon cœur » et « Je vous souhaite bien du courage », qui donnent de la saveur au plus insipide de ses brouets.

Deuxième obstacle : Thérésa, sa femme de ménage, une robuste Portugaise. Veuve et mère de trois enfants de onze, huit et six ans, studieux, gentils, gais, serviables, travailleurs, courageux... comme leur mère, quoi ! C'est vous dire qu'elle est bien placée pour donner des conseils à Paule. Elle ne s'en prive pas. Prototype de « la dame qui sait », Thérésa égrène les « moi, à votre place » d'une voix rauque et puissante qui ne plaît pas du tout à Ophélie ; laquelle ne se gêne pas pour lui dire : « En sourdine, ta sono ! Je suis sensible des portugaises – des esgourdes si tu préfères. Et puis, ras-la-touffe de tes recommandations ! Toi qui sais tout, tu devrais savoir qu'on n'est jamais à la place de quelqu'un ; que chaque cas est particulier. Et que moi, comme cas particulier, je me pose un peu là ! Vise un peu ma tronche, tu comprendras ! Allez ! On met les bouts et fissa ! Je vous préviens, un mot de plus et je me fâche pour de bon, et pas de guiliguili, je déteste ! »

Telle est la traduction que Paule fait des grognements de sa petite-fille. Traduction apparemment fidèle à la pensée de l'auteur puisque, dès que Thérésa s'éloigne, Ophélie y donne son imprimatur par un silence satisfait.

Troisième obstacle : Yolande Vanneau, la veuve de son ex, l'écrivain Victor Vanneau, dont Paule fut d'abord la secrétaire, puis très vite la collaboratrice et l'égérie pendant dix-sept ans. Yoyo, la légitime, la reléguée, la grassouillette, la vulgaire en Chanel, est l'ennemie jurée de Paule, la favorite, la polyvalente, la mince, la distinguée en Prisu. Les deux femmes se croisent et se toisent assez souvent. Normal ! Elles habitent le même quartier. Ce n'est pas un hasard. L'homme qu'elles ont partagé avait acheté un appartement dit « de fonction » pour y loger sa maîtresse-assistante ainsi que sa fille, équidistant de son domicile conjugal et de sa maison d'édition. Ainsi, il perdait un minimum de temps en allées et venues. L'inconvénient était la multiplicité des rencontres entre Yoyo et Paule. L'une avec Antinéa, sa chienne yorkshire au bout d'une laisse ; l'autre avec un attaché-case au bout du bras. Ces rencontres, au début courtoises, se sont peu à peu dégradées au fur et à mesure que la liaison de Victor et de Paule s'officialisait. Depuis la mort brutale de l'écrivain, depuis surtout que Yoyo, à cette occasion, a appris que son mari avait fait donation de l'appartement « de fonction » à Mademoiselle Astier, la « veuve spoliée » change de trottoir ou de rue dès qu'elle aperçoit l'« intrigante ». Mais aujourd'hui, la curiosité l'emportant, elle reste sur le chemin de Paule qui, de son côté, ne cherche pas à l'éviter. Au point d'intersection, Antinéa, bien dressée, se met à aboyer. Ophélie, qui décidément n'aime pas le bruit – en tout cas pas celui des autres – réplique en jappant à sa façon. Yoyo la passe au laser de ses yeux globuleux et, en haussant le ton, jette son venin dans l'oreille de Paule :

– Vous avez trouvé un nouvel employeur à ce que je vois.

– Non ! Une employeuse ! Mais moins affable que votre mari... à ce que vous entendez !

Quatrième obstacle : Catherine Galipeau, dite « la grande Catherine ». Bras droit et main gauche de Monsieur Marionneau, P.-D.G. des éditions du même nom. Elle non plus n'aime pas beaucoup Paule. S'ennuyant ferme avec celui qu'on appelle dans les milieux littéraires « le vieux faune », elle envie la vie sentimentale de l'ex-protégée du délicat Victor Vanneau – un homme d'une classe ! –, devenue la maîtresse comblée du séduisant Barthélemy de Saint-Omer – un vrai mec ! –, elle n'a pas encore digéré que, à la demande expresse de Vanneau – auteur chouchouté –, son patron ait octroyé à Paule un statut de salariée, avec les avantages sociaux que cela comporte, alors qu'en tant que traductrice elle n'y avait pas droit. Depuis elle la traite en pistonnée et ne cesse de lui chercher des poux dans la tête. Expression moins gratuite qu'il n'y paraît de prime abord, quand on sait que Paule a une crinière flamboyante, drue, frisée, que jalouse aussi sa supérieure... très inférieure sur le plan capillaire. Ce qui n'est pas le cas de Carmen, sa petite chienne qui appartient également à la mafia des yorkshires du Luxembourg, que sa toison épaisse aveuglerait si elle n'était retenue par un nœud assorti en général à la tenue de sa maîtresse. En l'occurrence vert pomme. Une de ces audaces vestimentaires que la grande Catherine affectionne et dont Paule s'apprête à la complimenter abusivement avec l'espoir d'échapper à un reproche – justifié – sur son travail. Mais elle n'en a pas le temps.

Mademoiselle Galipeau fait partie de cette espèce humaine en voie de développement qui préfère les bêtes aux enfants. Sans qu'on puisse déterminer si cette tendance est imputable à la fatigabilité croissante des adultes ou à la turbulence elle aussi croissante des enfants. Dès qu'elle a aperçu Ophélie, elle a pris sa Carmen dans les bras comme si elle craignait que le bébé ne la morde. Arrivée à la hauteur de Paule, elle demande d'un air dégoûté :

– C'est à vous, « ça » ?

– Oui, « ça », c'est Ophélie, ma petite-fille.

Un éclair jubilatoire traverse les yeux de la grande Catherine qui normalement devraient être noirs et durs, mais qui en fait sont gris et doux : une erreur de la nature !

– Oh ! Vous êtes grand-mère ?

– Comme qui dirait. Depuis hier.

– Ah... seulement ?

– Oui.

– Alors, ce n'est pas à cause de « ça » que vendredi vous avez omis d'apporter la traduction du livre de ma série « Au nom du chien » que je vous avais demandée en urgence.

– Non, j'ai eu... une petite attaque de grippe.

– La « barthélemite », comme d'habitude.

– Non... je vous assure...

– Je vous en prie. Pas à moi ! Quand pensez-vous avoir fini ?

– Demain... dans la soirée.

– C'est trop tard ! Si je n'ai pas votre traduction en fin d'après-midi, ou demain matin, je suis désolée

mais je serai obligée d'en référer à Monsieur Marionneau.

– Je ferai l'impossible mais, vous savez, avec la
petite...

– Oh oui ! Je sais ! C'est pourquoi les femmes à
enfant ne restent jamais longtemps dans la maison.

Cinquième obstacle. Ce n'en est pas vraiment un.
Juste un regard à affronter. Un regard plein de tendresse, plein de souvenirs, et peut-être brusquement
à nouveau plein d'espoir. Le regard de Félix. Métier :
libraire. Vocation : saint-bernard. Ça change des
yorks ! Il a toujours considéré Paule comme la femme
de sa vie, même quand il a su qu'il ne serait jamais
l'homme de la sienne. Discret dans les bons jours de
Paule – surtout depuis le raz de marée Barthélemy –,
omniprésent dans les mauvais, notamment quand elle
s'est retrouvée seule avec Agnès sur les bras et dans
le dos, comme elle se retrouve aujourd'hui avec Ophélie. *Bis repetita*...

Félix est sur le pas de sa porte et s'attendrit, comme
prévu, sur l'identité des images à presque un quart de
siècle d'intervalle. Histoire d'accentuer la ressemblance, Ophélie se fend d'une risette en le voyant,
comme autrefois sa mère dès qu'elle l'apercevait.
Automatiquement les vieux réflexes se remettent en
route :

– Si tu as besoin de moi, dit-il, je suis toujours là.

– Tu serais libre ce soir ?

– Merde !

– Quoi ?

– C'est le seul jour où j'ai un rendez-vous, et avec
quelqu'un que je ne peux absolument pas décommander.

– Une fille ?

Félix lève les yeux au ciel. Comme si Paule ne savait
pas que pour elle il décommanderait l'exquise syn-
thèse de Madame Curie, Colette et Mère Teresa !

– Un rendez-vous d'affaires, très, très important.
Tu sais bien que...

– Bien sûr que je sais.

– Je t'en dirai plus une autre fois.

– Moi aussi.

Enfin Paule arrive au terme de sa course : la pharmacie de Simone Bellarian. Celle-ci, pourtant si volontiers rassurante d'habitude, ne peut s'empêcher de tiquer sur le poids d'Ophélie nettement au-dessous de la moyenne, sur ses yeux cernés, sur son teint plus que pâlot, et propose à Paule de téléphoner sur-le-champ au docteur Carpentier, pédiatre réputé de la rue Guynemer, afin d'obtenir un rendez-vous d'urgence. Paule accepte... et le regrette aussitôt en entendant la pharmacienne lui annoncer triomphalement que le médecin, bien que surchargé, s'arrangera pour la recevoir cet après-midi même entre deux clientes, à trois heures. Heure à laquelle elle prévoyait une sieste pour Ophélie, et donc une possibilité de travail pour elle. Mais comment invoquer la traduction de *Dog, my love* pour refuser un rendez-vous concernant la santé de sa petite-fille ? Paule ne s'en sent pas capable.

En conséquence, elle se retrouve à l'heure dite dans la salle d'attente du docteur Carpentier en compagnie de quatre mères de famille et de six enfants, de tous les âges, tour à tour pleurant, geignant, se disputant les jouets mis à leur disposition, réclamant : pipi ! gâteau ! dodo ! à boire ! bonbons ! mouchoir ! ma poupée ! ma tortue ! mon auto ! la télé ! Paule avait oublié les incessantes exigences des bambins, leur constance dans l'instabilité, leur entêtement, leur malignité. Elle avait oublié aussi la patience des mères... ou des grand-mères, leurs efforts d'impartialité, leurs sous-jacentes indulgences, leurs éclats de colère, leur capitulation, leur fierté, leurs attendrissements bêtes, coupables... et merveilleux ! Elle a eu deux heures pour s'en souvenir. Deux heures à contempler ce spectacle – universel, intemporel – de la tyrannie des faibles face à la vulnérabilité des forts. De quoi sourire... si l'on est calme et reposé... si l'on a le temps... si mille préoccupations n'altèrent pas votre sens de l'humour. Ce n'est pas le cas de Paule.

Elle entre dans le cabinet du médecin avec dans les bras une Ophélie trempée du nord au sud. L'inondation du nord a été provoquée par des crises successives de toux et de rogne. L'inondation du sud est due, elle, au débordement d'une couche moins absorbante que sur les écrans publicitaires et dont Paule n'a pas prévu le remplacement. Sa confusion de se présenter avec un bébé mouillé, rougeoyant, vociférant, est vite apaisée par la bonhomie du docteur Carpentier. Immédiatement, il amadoue Ophélie avec « Monsieur Tourneboule », un culbuto pelé et manifestement magique. A moins que ce ne soit avec son sourire aussi réconfortant que ses yeux d'adolescent... Allez donc savoir ! Les petites filles sont déjà des femmes en puissance. Même à six mois. Toujours est-il qu'Ophélie, paisible comme un lac, permet à sa grand-mère de livrer au praticien ce qu'elle sait de sa descendance. En vérité, peu de chose. Son identité, ses origines, son âge, son inappétence, ses difficultés respiratoires, digestives, ses rognes dont une a débouché hier sur un début d'étouffement. Les conditions de la grossesse ? Le poids et la taille de naissance ? Les résultats de l'examen postnatal ? Les vaccinations ? Paule n'est pas au courant. Lacunes sans grande gravité au dire du pédiatre qui, néanmoins... – néanmoins, un des mots préférés du docteur Carpentier – juge très urgent de les pallier par une analyse de sang puis, après auscultation et palpation du bébé, par une radio des poumons et du tube digestif.

Pendant que Paule remet la grenouillère peu ragoûtante d'Ophélie sur une couche propre fournie par le pédiatre, celui-ci établit trois ordonnances : l'une destinée à un laboratoire, la deuxième à un radiologue, la troisième à la pharmacie de Madame Bellarian. Il y figure une longue liste de médicaments qu'il est prudent d'avoir à portée de main quand on a la responsabilité d'un enfant. Plus une liste de vaccins à garder au réfrigérateur en attendant le résultat des examens. Devant la mine affolée de Paule, le pédiatre lui offre un cordial – verbal, bien entendu :

– Ne vous inquiétez pas ! Miss poids plume est plus résistante qu'elle n'en a l'air.

– Oui, je sais, j'ai tendance à...

– Néanmoins... faites pratiquer les examens assez vite. Autant se débarrasser des corvées.

– Ça ne peut pas attendre la fin de la semaine ?

– Bien sûr... Néanmoins, si ça pouvait être avant...

Après quoi le docteur Carpentier baise la main d'Ophélie et tapote la joue de Paule en la gratifiant d'un « bon courage, à bientôt ! » pas vraiment réconfortant.

L'attelage grand-mère-petite-fille trotte jusqu'à la pharmacie, montrant des signes évidents de fatigue. Arrivées à destination, la première engloutit deux tablettes énergétiques « conseillées aux athlètes de haut niveau ». La seconde s'endort, permettant à Madame Bellarian de remonter le moral de Paule, de lui expliquer l'utilité et le mode d'emploi des médicaments – ceux à donner régulièrement ; ceux à ne donner qu'« au cas où » –, de lui communiquer adresses et numéros de téléphone d'un laboratoire et d'un centre de radiologie, et enfin, alors qu'elle colle les vignettes sur la feuille de maladie, de poser cette question apparemment anodine :

– Vous avez fait les démarches auprès de votre centre de Sécu ?

– Quelles démarches ?

– Pour qu'Ophélie soit portée officiellement sur votre compte.

– Mais... c'est ma petite-fille !

– Oui, bien sûr ! Mais l'administration va vous demander des preuves.

Des preuves ! Derrière ce mot, Paule entend tous les autres qui vont bientôt l'assaillir, la torturer : « Vos papiers ! », « Revenez dans une semaine ! », « Remplissez ce formulaire ! », « Guichet fermé ! », « Dossier à l'étude ! », et le dernier, le plus terrible : « Demande refusée ! ».

En une seconde, Paule évalue grosso modo ce que risque de lui coûter la santé d'Ophélie sans l'aide de la Sécurité sociale : pour la moindre maladie infantile, un problème ; pour une hospitalisation, un désastre. Cette nouvelle menace, ajoutée à celle que la garde d'Ophélie fait déjà peser sur sa vie affective et sur sa vie professionnelle, lui donne le vertige, comme si elle était au bord d'un gouffre. D'ailleurs, elle est véritablement au bord d'un gouffre. Et cet inconscient de Barth qui a osé lui reprocher hier de se noyer dans un verre d'eau ! Qui, en plus, est bien capable de ne pas comprendre ce soir qu'elle n'a pas eu le temps de trouver une baby-sitter ; ni de se faire une beauté pour le recevoir ; ni de lui préparer un repas raffiné, en compensation de celui prévu au restaurant dont son absence d'organisation allait le priver ! Elle soupire. Elle ne se sent plus la force d'affronter les critiques de Monsieur de Saint-Omer. Pas davantage son ironie. Elle lui téléphone de la pharmacie, promue annexe de son domicile. Le répondeur de Barth l'annonce absent jusqu'à deux heures du matin... Le monstre ! Il prévoyait une soirée avec amour-Bocuse jusqu'à deux heures du matin ! Elle regarde sa montre, puis Ophélie écrasée de sommeil. Elle a un sursaut de courage. Allons ! En se dépêchant elle pourra trouver chez le traiteur et le fromager de quoi satisfaire l'appétit exigeant de Barth, mettre la table, ranger le désordre de l'appartement, peut-être se maquiller, enfiler un chemisier propre et, bien sûr, s'occuper d'Ophélie.

Elle est en train de remplir le dernier point de ce programme lorsque la sonnette retentit. Il est trop tôt pour que ce soit Barth. En plus, il a la clé. La petite fille dans les bras, Paule va jeter un œil sur le palier à travers le judas Elle voit une « chose » étrange : ça a la forme triangulaire d'un immense bouquet de fleurs présenté à l'envers ; c'est enveloppé dans de la Cellophane et orné d'un grand nœud rose, comme un bouquet de fleurs. Ça s'accompagne d'une petite enveloppe avec nom et adresse, comme un bouquet de fleurs. Seulement, ce n'est pas un bouquet de fleurs. C'est un homme ! Deux pieds – au moins du 44 – élégamment chaussés, en bas de « la chose », sont là pour le prouver. Paule ouvre la porte et, à travers la Cellophane du faux bouquet, reconnaît, à sa léonine chevelure blanche, Gregory Vlasto.

A l'instant où elle prononce le nom de ce vieil homosexuel délicieux, elle entend, venant de l'encoignure du palier, le rire explosif de Barth...

... et une seconde après, le cri non moins explosif d'Ophélie !

CHAPITRE V

– Ophélie, ma minuscule, ma toute-fragile, ma toute-puissante, qu'est-ce qui s'est passé ? Ils ont ri trop fort ? Ils t'ont fait peur, Gregory en sortant de sa Cellophane et Barth avec sa « Madame Crapaudin » ? Oui, d'accord, il aurait pu choisir une peluche plus jolie dans la fabrique de son frère et Gregory aurait pu être moins bruyant, mais quand même, ce n'était pas une raison pour leur cracher ta soupe à la tête et hurler comme une diva ! Déjà qu'ils ne sont pas du genre à s'attendrir sur le têtard... ni l'un ni l'autre. Tiens ! Pour te donner une idée, Barth trouve absolument génial l'humoriste qui a dit : « Celui qui n'aime pas les enfants ne peut être vraiment mauvais ! » Quant à Gregory, lui il prétend raffoler des enfants... mais seulement des garçons... et à partir de dix-huit ans ! Le pauvre ! Ça ne lui a pas porté chance : il y a quelques années il s'est entiché d'une charmante gravure de mode junior. Il l'a initiée à ses affaires avant de l'associer à son agence théâtrale, la T.S.F. (Théâtre Sans Frontière), chargée de placer les pièces étrangères, parfois traduites par ta grand-mère – eh oui ! –, aux producteurs français, et inversement de placer des pièces françaises aux producteurs étrangers. Le jeune disciple était reconnaissant au vieux maître... mais pas au point de lui être fidèle. Il a été emporté par « la » monstrueuse maladie... il y a plus d'un an. Et Gregory ne s'en remet pas : il ne s'intéresse plus à rien, même plus à sa « boutique » qu'il a créée et qu'il aimait tant. Qu'il aime encore, puisqu'il ne veut la laisser qu'entre les mains de quelqu'un qui veillerait sur elle... comme sur son enfant. Quelqu'un qui serait dynamique, proche des créateurs, assez jeune pour avoir encore de l'enthousiasme, assez âgé pour avoir une certaine expérience. Quelqu'un qui parlerait et écrirait couramment l'anglais... Bref, quelqu'un qui pourrait me ressembler... Eh oui, mon bébé, je comprends que ça t'épate... Moi aussi, tu sais, mais une chose est sûre : Gregory est venu ce soir m'offrir le siège de P.-D.G. de sa société. Société modeste puisqu'elle ne comprend que trois employés, mais jouissant d'une réputation très solide. C'est un vrai cadeau, cette proposition. Elle n'a qu'un seul défaut : arriver en même temps que toi... Ce n'est pas ta faute... C'est la faute à « pas d'chance ». Tu le connais déjà, « pas d'chance », mais tu ne le sais pas... C'est un personnage mythique... Je t'expliquerai... Plus tard... plus tard... plus...

Selon un processus en passe de devenir rituel, les paupières d'Ophélie commencent à s'alourdir et la pression de ses petits doigts autour de l'index de sa grand-mère à s'alléger. Encore trente secondes de chuchotis et elle va s'endormir. Paule n'aura plus qu'à opérer le transfert d'Ophélie de ses bras au couffin, tout doucement, sans le moindre heurt. Encore dix secondes de patience. Dix secondes de trop. Barth s'encadre dans la porte et s'énerve :

– Elle n'est pas encore endormie, ta chieuse ?

Ophélie répond à la question de Barth par un soubresaut, un cillement et un raffermissement de sa pression manuelle. Paule y répond, elle, avec une maîtrise méritoire, en ne bougeant pas d'un millimètre et en continuant de psalmodier sans discontinuer son étrange berceuse, mais maintenant à l'intention de son amant :

– Elle était sur le point de sombrer... quand tu es arrivé. Avec un peu de chance, elle va replonger... A condition que tu t'éloignes... A condition que je ne m'arrête pas de lui parler, de la rassurer, de lui dire qu'elle n'a rien à craindre, qu'elle n'est pas seule au monde, que je suis là... pour la protéger... pour la soigner... pour l'endormir... Ça y est, cette fois elle est H.S.!

Paule amorce l'opération couchage. Elle dure... elle dure...

– Quatre minutes vingt secondes, annonce Barth, chrono en main, quand Paule le rejoint au salon.

– Ce n'est pas un record !

– Félicitations ! Dommage que ce genre de sport ne soit pas homologué aux jeux Olympiques... sinon tu nous ramènerais la médaille d'or.

– Beaucoup de femmes la mériteraient plus que moi.

– Dans cette catégorie-là, je me demande ! Personnellement je n'ai jamais vu mettre autant de temps pour coucher un gniard !

– Tu n'as surtout jamais été témoin de ce genre de spectacle.

– C'est juste ! Et je ne le serai pas une seconde fois. Je ne supporte pas.

– Tu en as de bonnes, toi, si tu crois que ça m'amuse !

– Franchement, on le dirait ! Tu n'es quand même pas obligée de prendre autant de précautions ! En te regardant avec la môme dans les bras, j'ai eu l'impression que tu trimbalais de la nitroglycérine et que tu jouais « le salaire de la peur » !

– Il y avait un peu de cela, en effet ! J'avais peur qu'elle se réveille, peur de perdre encore une heure à la rendormir, peur que tu t'impatientes, peur que tu m'engueules, peur qu'il se passe ce qui est en train de se passer... au lieu de...

Paule se retourne, renâclant devant l'orage menaçant, mais Barth la saisit par le bras, l'oblige à pivoter et fonce dans les nuages :

– Au lieu de quoi ?

Sans lui laisser le temps de trouver une échappatoire, il poursuit en répondant à sa place :

– Au lieu de te prendre dans mes bras ? De m'extasier sur ta patience ? D'admirer ton dévouement ? De te féliciter ? De t'aider à accomplir ta tâche ? Que dis-je ? Ta mission ? Au lieu de t'encourager à la continuer ? Hein ? C'est ça que tu voudrais ? C'est ça que tu attends de moi ?

– Je suis moins exigeante. Je me contenterai d'un peu de compréhension.

– Comprendre quoi ? Qu'en à peine plus de vingt-quatre heures tu es devenue l'esclave de cette braillarde que tu ne connaissais pas il y a deux jours ?

– Cette braillarde est ma petite-fille, figure-toi.

– Ah non ! Tu ne vas pas remettre ça avec ta sacro-sainte loi du sang ! Tu ne vas pas aliéner ta liberté sous prétexte que ta fille – non affectionnée – a mis au monde une grenouille qui menace d'être aussi emmerdante qu'elle !

Barth écume. Paule se rebiffe. Réaction viscérale de la grand-mère ou simplement réaction sensible de la femme ? Elle vole au secours de l'orpheline avec véhémence :

– Ophélie n'est pas emmerdante. Elle est nerveuse, perturbée par toutes les tribulations qu'elle a connues, et, dans l'ensemble, pas très bien-portante.

– Oui, je sais.

– Comment le sais-tu ?

– En venant ici je suis passée devant la pharmacie. Madame Bellarian m'a vu. M'a appelé. M'a tout raconté.

– Tout quoi ?

– Le pédiatre. La Sécu. Tes inquiétudes. Ton courage. Et en prime, ta mine de papier mâché.

– C'est provisoire.

– Jusqu'à quand ?

– Jusqu'à ce que je m'organise.

– De quelle façon ?

– En engageant quelqu'un pour me seconder.

– A demeure ?

– Non ! L'appartement est trop petit, et puis ce serait trop cher !

– Alors, à mi-temps ?

– Oui. Le matin ou l'après-midi.

– Il n'est donc pas question que tu reprennes l'affaire de Gregory ?

– Pas dans l'immédiat en tout cas.

– Il faut par conséquent que tu continues à travailler en tant que traductrice aux éditions Marionneau et à l'agence T.S.F. – si toutefois celui ou celle qui occupera le poste que tu refuses ne prend pas quelqu'un d'autre à ta place.

– Evidemment !

– Tu penses que tu pourras t'acquitter de toutes ces tâches pendant les quelques heures de liberté que te laissera une garde d'enfant ?

– Si besoin est, je travaillerai le soir.

– A portée de voix du berceau... au cas où il te faudrait jouer les Schéhérazade pour endormir ta sultane, je suppose ?

– N'exagérons pas ! Il y a des moments où elle dort.

– Mais aucun moment, je pense, où elle soit susceptible de se réveiller ?

– Comme tous les bébés !

– J'en conclus que tu ne sortiras plus avec moi pour aller au restaurant, ni au spectacle, ni chez des amis ? Que nos relations seront réduites à des veillées devant la télévision et de temps en temps à une tranche d'amour-MacDo entre deux tranches de hurlements.

– C'est là que tu voulais en venir ?

– Accessoirement ! Je voulais avant tout te montrer qu'à cause du fruit ratatiné de ton fruit pourri tu allais balancer la chance que t'offre Gregory, perdre ton indépendance, ta disponibilité d'esprit, compromettre ta santé, abdiquer ta coquetterie et renoncer à nos joies futures – celles que nous avons déjà expérimentées et celles qui nous restaient à découvrir ensemble.

Jusque-là, Paule n'a évalué le prix des sacrifices consentis à Ophélie que de façon approximative : un peu comme on évalue au supermarché ce que va coûter, grosso modo, l'ensemble des produits qu'on choisit à la hâte dans les rayons et qui un à un ne semblent pas très chers. A la caisse, on est toujours surpris que la somme à payer soit si élevée. Devant le décompte de sa facture, énoncé par Barth, Paule se demande tout à coup si elle ne s'est pas montrée trop dépensière. Mais comment reculer ? Ophélie est là maintenant. Elle en a accepté la charge. Elle ne peut tout de même pas confier cette enfant à la D.D.A.S.S. ? Barth, ravi de la panique qu'il a sciemment provoquée chez Paule, l'attire vers lui dans un geste protecteur qui lui est très inhabituel. Rassurant à l'extrême, il lui affirme qu'il n'a jamais envisagé cette solution radicale, censée troubler n'importe quelle conscience, même celle d'un égoïste de sa trempe. Ce qu'il préconise est, lui semble-t-il, propre à satisfaire l'âme sensible de Paule sans grever pour autant ses projets... dans aucun domaine !

Il s'agirait en effet de confier Ophélie à ce qu'on appelait autrefois une « nounou » et que notre époque, qui a volontiers le néologisme euphémique, doit avoir baptisé « mère substitutive » et que lui, Barth, a déjà surnommé « Madame Mamybis ». Barth pensait qu'il serait préférable de choisir cette personne en dehors de Paris, parce que la fragile Ophélie bénéficierait ainsi d'un air moins pollué ; mais pas trop loin afin que Paule puisse s'y rendre facilement, chaque fois qu'elle le jugerait nécessaire. Il suggérait Deauville – ou ses environs – qui, outre la proximité, offrait un avantage considérable : cinq de leurs proches y habitaient, à savoir la mère de Paule, sa voisine Gabrielle Moutiers, Odile son amie d'enfance, le frère et la belle-sœur de Barth. Ils pourraient exercer une surveillance discrète et tenir Paule au courant de tout ce qui concernait la petite. Car il était évident que Paule continuerait à assumer la charge morale de l'enfant. Elle serait simplement libérée des contraintes matérielles que sa présence auprès d'elle dans son appartement impliquait.

Paule est ébranlée mais sa nature inquiète la pousse à imaginer cette « Madame Mamybis » comme une émule de la Ténardier plutôt que comme une fana du *Voile bleu*. Là encore, Barth, qui a creusé visiblement la question, trouve la parade :

– Odile, en qui tu as toute confiance et qui connaît tout le monde dans la région, pourrait certainement dénicher la personne de tes rêves... et des miens.

– Oui... peut-être, c'est une solution, reconnaît Paule sans enthousiasme exagéré.

– A mon avis, la meilleure. Et même la seule.

– A condition que les examens demandés par le

docteur Carpentier ne réservent pas une mauvaise surprise.

– Quel genre ?

– Je ne sais pas, moi, quelque chose qui nécessiterait...

– Je te signale qu'il y a en dehors de Paris une foule d'enfants malades et tout ce qu'il faut pour les soigner. Et les guérir !

– Bien sûr ! Mais je ne vais quand même pas expédier à des étrangers un bébé de six mois avec une étiquette : « Attention ! fragile ! », et les laisser se débrouiller avec.

– Admettons ! Mais au cas où l'état de santé d'Ophélie serait satisfaisant, tu es bien d'accord pour adopter ma solution ?

Paule acquiesce du bout des lèvres. Barth la pousse alors dans ses retranchements :

– Et quand comptes-tu être fixée ?

– Je pense avoir un rendez-vous au laboratoire et chez le radiologue demain... après-demain au plus tard.

– Et les résultats ?

– De la radio, immédiatement, et de la prise de sang, je ne sais pas...

– A la fin de la semaine ?

– Peut-être... Pourquoi me demandes-tu ca ?

– Parce que... excuse-moi, je n'ai pas eu encore le temps de te le dire... j'avais envisagé avec la mairie de Deauville de t'épouser le 23 septembre. Autrement dit, demain en huit. Et comme je n'ai pas la moindre intention de retrouver Ophélie en demoiselle d'honneur ou comme cadeau dans la corbeille de noces, je voulais savoir si je devais confirmer la date, l'ajourner ou l'annuler définitivement.

Paule exhale sa perplexité dans un soupir. Elle a envie de crier à Barth : « Confirme ! Marions-nous ! Ophélie se taira bien le temps qu'on dise : "Oui !" Après, on verra. Après, on sera deux. On sera forts. On sera invulnérables. Et s'il le faut, je serai forte. Je serai invulnérable. Pour deux. » Mais en même temps, elle a envie de lui crier : « Annule ! Ce mariage est une folie ! De toute façon, une folie ! Jamais nous n'arriverons à nous comprendre. J'ai les pieds enfoncés dans la terre normande. Toi, tu as la tête dans ton ciel bleu. Tu es irrémédiablement un oiseau. L'oiseau du poète : "Et même quand il marche on sent qu'il a des ailes..." »

Finalement elle lui dit :

– Ajourne !

– Juste le temps, je suppose, que tu sois rassurée – si tu dois l'être – sur le sort d'Ophélie ?

– Oui, c'est ça.

– Le temps aussi que tu sois certaine qu'elle ne sera pas trop malheureuse dans son éventuel nouveau foyer ?

– Oui, bien sûr.

– Le temps d'être convaincue qu'on ne va pas t'accuser de non-assistance à personne en danger ?

Paule perçoit à retardement l'ironie de Barth et la réprobation qu'elle sous-entend.

– Tu m'en veux ?

– Non, répond-il sincèrement, on ne peut pas en vouloir aux gens d'être ce qu'ils sont. On ne peut que s'en vouloir à soi d'avoir eu la présomption de croire qu'ils vous aimaient assez pour changer.

– Tu es de mauvaise foi ! Tu sais très bien que je t'aime !

– Oui... dans la mesure de tes moyens... Comme moi je t'aime dans la mesure des miens. Nous ne sommes ni l'un ni l'autre de ces êtres passionnés, capables de franchir leurs limites, de quitter leurs bases, leurs territoires, de « se quitter » eux-mêmes.

– Parle pour toi ! Moi...

– Non, Paule, toi aussi. Car toi tu serais en droit de me dire : « Si tu m'aimais vraiment, tu accepterais Ophélie », mais moi je serais en droit de te répondre : « Si tu m'aimais vraiment, tu renoncerais à Ophélie », et nous aurions tous les deux raison. Mes sentiments pour toi sont limités par mon égoïsme foncier, mon besoin de liberté. L'un et l'autre sans doute inscrits dans mes gènes. Les tiens pour moi sont limités par ton sens du devoir, hérité de tes parents et entretenu par eux.

– Au moins, c'est respectable, comme sentiments.

– Peut-être... mais c'est ennuyeux.

– Il y a vraiment des moments où tu es monstrueux !

– Il y a vraiment des moments où tu es... ta mère ! Et dans ces moments-là, il est préférable, dans notre intérêt commun, que je m'éloigne.

Joignant le geste à la parole, Barth prend tranquillement la direction de la sortie et ouvre la porte palière.

A nouveau, Paule est partagée entre deux envies contradictoires : celle de se ruer sur lui, de le gifler, de le poursuivre dans la cour sous un de ces flots ininterrompus d'injures dont les matrones du cinéma italien de papa – la Magnani en tête – avaient le secret ; et celle de le rattraper sur le palier, de se jeter à son cou, de lui offrir un regard imbibé du cocktail explosif : larmes-désir, suivi de près par un long picorage de baisers haletants, avec accompagnement de boutons qui sautent et de vêtements qui s'arrachent ; puis par une chute indolore – dans ces moments-là on ne sent rien ! – sur le tapis de l'entrée ; enfin par un de ces tourneboulés vertigineux qui font les recettes – sinon la gloire – du cinéma contemporain.

A nouveau, Paule choisit la tangente : peut-être, après tout, que Barth a raison ; qu'il lui manque autant qu'à lui ce grain de folie qui pousse aux extrêmes. Il est déjà presque sorti quand elle le rejoint :

– Tu me téléphones demain ? demande-t-elle, s'appliquant à l'indifférence.

– Non. Je ne veux pas risquer de réveiller ta sultane. Appelle-moi, toi.

Le lendemain... le répondeur de Barth signalait qu'il était parti en voyage pour trois jours.

CHAPITRE VI

Barth absent pour trois jours !

A vrai dire, Paule est plus soulagée que déçue : elle va pouvoir ainsi régler tranquillement tous les problèmes qui concernent Ophélie et son travail.

Tranquillement ? Ça commence mal et très tôt le matin, après une nuit découpée en tranches de deux heures par les réveils intempestifs et inconsidérés de la mouflette. Elle est en train de changer le bébé sur son lit en pensant à une phrase que sa mère aimait à prononcer dans ce genre de circonstance : « On sent bien qu'elle n'a pas mangé de la savonnette ! » Par association d'idées, elle pense sans plaisir qu'elle va devoir téléphoner à la vieille dame et repousse déjà dans son esprit cette corvée jusqu'au soir, quand Madame Rose Astier... devance son appel.

– Allô, Paule ! C'est ta mère.

Comme si depuis le temps Paule pouvait confondre avec une autre la voix maternelle en toute occasion réprobatrice et douloureuse.

– Je t'ai reconnue, maman, mais... est-ce que je pourrais te rappeler dans cinq minutes ?

– Ah non ! Mademoiselle Moutiers m'attend pour aller à la messe de huit heures.

– Alors, ce soir ?

– Non ! Excuse-moi, mais je ne peux pas attendre ce soir pour savoir si ce qu'on m'a dit est vrai. C'est trop grave.

Rendez-vous compte ! « On » lui a dit une chose insensée sur Paule, sa fille pour ainsi dire unique, puisque les deux autres, médecins comme leur père, ont choisi de soigner les malades aux quatre coins de la planète... alors qu'à Deauville, rien qu'avec la santé chancelante de leur mère, elles auraient eu de quoi s'occuper à plein temps. Quelle chose insensée ? Eh bien, simplement, que Paule allait épouser à la sauvette, très prochainement, son « zazou ». Terme que l'obsolète Rose Astier s'obstine à employer depuis l'Occupation pour désigner toute personne qui ne respecte pas les usages en cours avant la guerre de 1939.

« On », c'était bien sûr sa chère voisine Gabrielle Moutiers, retraitée de l'enseignement, mais toujours en pleine activité dans le renseignement, qui tenait l'information de l'employée de la mairie, chargée par « qui de droit » de collationner les papiers pour la cérémonie clandestine. Madame mère s'est refusé à croire que sa benjamine – mauvaise tête mais bon cœur – lui a infligé l'affront de ne pas la prévenir de ses projets matrimoniaux. Néanmoins, elle a préféré téléphoner pour être pleinement rassurée à ce sujet. En un éclair Paule visualise la scène tragi-comique qui se déroule entre sa mère et elle : à un bout du fil, la vieille dame, prête à poser une fois de plus sur ses vénérables cheveux blancs l'auréole de la mater dolorosa ; à l'autre, elle, le téléphone coincé sous le maxillaire, tenant d'une main la couche souillée d'Ophélie et agitant l'autre – la propre – sous le nez de celle-ci pour la distraire et l'empêcher de se manifester. La première séparée de la seconde par des années-lumière – ou plutôt des années-obscurité. Ophélie, mettant à profit le bref relâchement de sa grand-mère, s'empare de sa couche sale avec un dessein funeste mais très visiblement réjouissant pour elle.

– Cochonne ! s'écrie Paule en ôtant l'objet de sa convoitise à Ophélie.

– A qui parles-tu ? demande Madame mère, déjà sur le qui-vive.

– Hein ? questionne Paule à seule fin de se donner le temps de trouver un mensonge.

– A qui parles-tu ?

L'imagination en panne, excédée par cette conversation aussi « emmerdante » au sens propre – si l'on peut dire – qu'au sens figuré, Paule lâche la vérité et explique l'ensemble de la situation avec une concision et une rapidité dans le débit qui auraient convaincu n'importe qui de ne pas prolonger l'entretien. Seulement voilà, Madame veuve Astier n'est pas n'importe qui ! Elle est la mère. L'arrière-grand-mère. L'éventuelle belle-mère. Alors, elle a le droit de savoir. Triplement droit. Moyennant quoi, insensible à l'énervement croissant de sa fille toujours aux prises avec l'agitation également croissante d'Ophélie, elle continue à creuser, à l'abri de son auréole, cette mine de potins. Elle en oublie pour une fois le prix de la communication. Elle est tellement sûre de l'amortir par l'intérêt qu'elle va susciter auprès de la curieuse Gabrielle : entre le parachutage de la mouflette, la disparition d'Agnès, le mariage effectivement prévu de Paule mais devenu problématique, il y a de quoi alimenter au moins pendant une semaine les conversations des deux voisines, souvent réduites aux ragots locaux, à leurs commentaires sur les tenues des animateurs – et surtout des animatrices – de la télé, sur l'état de la pelouse de Gabrielle et sur les espiègleries de leurs chihuahuas respectifs.

Le téléphone enfin raccroché, Paule termine la toilette d'Ophélie, puis commence la sienne en compagnie de la sultane dans son couffin, car on ne peut la laisser seule une minute sous peine de hurlements qui risquent de déboucher sur un étouffement comme le premier soir. En dépit de cette précaution, revenue dans la chambre où Paule finit de s'habiller, la mouflette commence à haleter, cette fois sans cris. La pauvre ! Elle en serait bien incapable ! Elle a déjà tant de difficultés à trouver un filet d'air. Son regard si facilement lance-flammes ne lance plus maintenant que des S.O.S. désespérés. Paule se livre à toutes les manœuvres qu'elle a déjà expérimentées avec succès, mais cette fois c'est l'échec total. Alors, affolée, elle enveloppe à la hâte Ophélie dans une couverture et l'emmène en courant – vêtue à la diable – jusque chez le docteur Carpentier. Son diagnostic est rapide :

– Laryngite striduleuse.
– C'est grave ?
– Pas vraiment... Néanmoins...

Néanmoins, séance tenante, il fait absorber au bébé coup sur coup un antihistaminique et un anti-inflammatoire. Il en attend les effets en expliquant à Paule, avec un sourire réconfortant, mais un peu crispé, que ce genre de spasme laryngé, très spectaculaire, est relativement courant chez les enfants et que le calme de l'entourage – et a fortiori du médecin – est un élément important de son traitement.

Malgré cette recommandation, au bout d'un moment, constatant que la respiration d'Ophélie ne s'améliore pas, Paule ne peut s'empêcher de demander :

– Ça peut durer combien de temps ?
– C'est variable. Entre dix minutes et une heure.

Pour la moufflette, c'est une heure. Une heure de tension au terme de laquelle Paule se retrouve courbatue des pieds à la tête, comme si elle avait soulevé un poids de cent kilos. Le poids de l'angoisse. Son corps l'oubliera peu à peu. Pas sa tête.

Pourtant, maintenant que la crise est passée, le pédiatre lui donne, d'une part, tous les apaisements possibles et, d'autre part, en cas de récidive, les médicaments à administrer immédiatement à l'enfant.

– Parce qu'il peut y avoir récidive ?
– Oh ! Rarement, mais néanmoins...

Néanmoins Paule sort de chez le docteur Carpentier avec dans sa tête une écharde taraudante... et dans sa poche la feuille de maladie où sont inscrits les honoraires du spécialiste de ce beau quartier. Relation de cause à effet, Paule décide de profiter du sommeil lourd d'Ophélie pour se rendre à son centre de Sécurité sociale.

Kafka et Courteline : même combat ! Celui entre Goliath et David. Entre l'administration monolithique et l'être humain réduit devant le monstre à l'état de fétu de paille.

Kafka cauchemarde.

Courteline rigole.

A chacun sa forme d'angoisse. Présentement, Paule se sent plus proche de Kafka.

Après une heure d'attente déambulatoire en com-

pagnie d'Ophélie, elle a enfin atteint la terre promise :
le bureau de la préposée que son numéro d'appel lui
a dévolue. Cette personne, conforme, du regard lassé
à la voix monocorde, à la caricature de la fonctionnaire qui a déjà un pied dans la retraite, lui énumère
les pièces qu'elle devra produire pour que les dépenses de santé de sa petite-fille soient portées sur sa
feuille de maladie personnelle :

– L'acte de naissance de votre fille. L'acte de naissance de sa fille. Ou, à défaut, le livret de famille des
parents de l'enfant...

Un coup de téléphone à caractère nettement privé
interrompt l'énumération de la fonctionnaire. Ce qui
permet à Paule de réfléchir aux moyens de satisfaire
aux exigences de l'administration. D'abord, l'acte de
naissance d'Agnès. Paule se rappelle très bien qu'au
cours des travaux de réaménagement effectués dans
son appartement elle s'est débarrassée d'un vieux carnet d'adresses. Elle y avait inscrit celle de la mairie
londonienne où sa fille avait été déclarée « née de père
inconnu »... par son propre père, Peter Murray. Bien
entendu, elle a complètement oublié cette adresse
dont elle ne s'est servie qu'à de très rares occasions
et il y a très longtemps. Il allait donc falloir qu'elle
remette la main sur Peter, toujours en tournage, en
voyage ou en cure de désintoxication, donc très difficilement joignable. Il allait falloir ensuite qu'elle lui
expose sa requête... saugrenue, soyons juste, après
vingt-cinq ans de silence. Il allait falloir encore qu'il
extirpe ce souvenir peu honorable de sa mémoire où
des hectolitres de whisky l'avaient peut-être noyé.
Mais bon ! ça, à la rigueur, ça pourrait s'arranger
avec un peu de chance. Mais le reste ? Comment obtenir le livret de famille d'Agnès et de Yann, ou à défaut
leur certificat de mariage, alors que la seule personne
susceptible de savoir où ils ont convolé – si toutefois
ils ont vraiment convolé – est Keran et que Paule
ignore complètement son adresse ?

La préposée raccroche et, au moment où Paule
s'apprête à lui expliquer son problème, elle lui en pose

un autre en ajoutant à sa liste de papiers à fournir le certificat de décès des parents d'Ophélie.

— Le certificat de décès ? répète Paule, consternée, sentant déjà peser sur ses épaules l'ombre impressionnante de Joseph K.

— Ben oui, répond la préposée avec la bonne volonté condescendante qu'elle réserve d'habitude aux sous-développés, il faut bien leur certificat de décès pour prouver qu'ils ne sont plus là et que vous avez l'enfant à votre charge.

— Oui, je comprends, mais ce certificat n'a pas été établi.

— Mais si, forcément ! Où étaient-ils ?

— En Crète.

— En Crète !

Miracle ! Jusque-là impassible, la préposée hoche la tête pour exprimer l'émerveillement dans lequel la plonge cette coïncidence incroyable : non seulement la Crète, elle y a passé ses vacances l'année dernière avec ses beaux-parents, mais en plus son beau-père y est mort ! D'une crise cardiaque ! Alors, vous pensez que la Crète... elle est bien placée pour savoir qu'on y délivre des certificats de décès... même par paquets de douze si on veut !

— Bien sûr, reconnaît Paule, mais encore faut-il que les gens soient morts.

— Mais... votre fille et votre gendre le sont ?

— Pas vraiment.

— Comment ça, pas vraiment ? Ils sont dans le coma ?

— Non, ils ont disparu.

Paule résume les faits avec une concision et une clarté qui eussent séduit Boileau et qui, nonobstant, plaisent aussi à la préposée dont le visage pour la deuxième fois s'anime.

— Mais dites donc, vos disparus, ce ne serait pas par hasard ceux dont on a parlé dans les journaux à la fin du mois d'août ?

— Oui, je crois, effectivement, que des articles ont paru à leur sujet.

— Vous ne les avez pas lus ?

54

– Non ! J'étais au Viêt-nam.

– Ah ! Flûte ! C'est pas de veine !

Paule se demande si la préposée la juge malchanceuse parce qu'elle est la mère d'une fille mystérieusement volatilisée ou parce que, à cause de son absence, elle a raté la notoriété provisoire que lui auraient value dans le quartier les comptes rendus publiés dans la presse... et peut-être même les interviews dont elle aurait été l'objet. Elle penche pour la seconde proposition en voyant à nouveau le visage de son interlocutrice perdre sa morne impavidité. Cette fois son œil brille carrément. Il est éclairé par cette étincelle d'intérêt suscité chez certains soldats de l'armée des anonymes par celui – ou celle – qui parvient à en émerger, même provisoirement, même pour une raison peu enviable ou peu respectable. Paule en profite pour pousser hardiment un pion :

– De toute façon, morts ou disparus, pour la petite et pour moi, c'est pareil.

– Peut-être, mais pas pour l'administration. Vous comprenez : s'ils sont morts, ils existent. Mais s'ils ont disparu, ils sont présumés vivants.

– Jusqu'à quand ?

– Quoi ?

– Au bout de combien de temps un disparu est-il considéré comme mort par l'administration ?

La préposée a soudain la mine éperdue du candidat à un jeu télévisé qui s'entend poser une question dont il ne détient même pas le bout de la queue d'une ombre de réponse. Elle l'avoue avec une franchise désolée :

– Alors là... vous me posez une vraie colle !

– Pourtant le cas s'est sûrement déjà produit.

– Pas dans l'arrondissement !

– Peut-être, mais forcément ailleurs. D'après les statistiques, il y a entre dix-huit mille et trente mille disparus par an.

– Ah oui ! Vous avez raison.

Consciente de tenir là l'occasion inespérée de participer à un fait divers médiatique, d'être appelée peut-être à témoigner devant un micro ou une caméra et d'avoir sûrement quelque chose à raconter ce soir à ses voisins et à son mari, la préposée décide de se renseigner. Elle avise d'abord sa voisine de droite, une certaine Marilyn – physiquement surdéveloppée – qui ne lui cache pas que « ce machin-là, ce n'est pas son truc ! ». Ce qui est de toute évidence exact. Elle s'adresse ensuite à sa voisine de gauche, une espiègle Vanessa qui, en pouffant de rire, lui conseille de brancher sur cette affaire la chef zélée, Madame Dudombief, dont la quarantaine effervescente considérerait le moindre harcèlement sexuel comme une bénédiction. Celle-ci voit donc dans ce cas inédit un prétexte rêvé pour consulter dans son bureau Monsieur Blanquetti ; lequel est le responsable du centre... en l'absence toutefois d'un autre responsable... qui lui-même est sous les ordres d'un autre responsable, qui lui-même... et ainsi de suite jusqu'au faîte de la hiérarchie dont les dernières marches se perdent dans un halo fantomatique.

Mais redescendons jusqu'à Monsieur Blanquetti qui, après avoir jeté un coup d'œil discret par l'entre-bâillement de la porte de son bureau sur la personne qui « pose problème » à l'administration, déclare *in petto* à Madame Dudombief dépitée qu'il va prendre personnellement l'affaire en main et la prie de lui amener l'usagère en difficulté.

Adieu Kafka ! Adieu Courteline ! Bonjour Delly !

Paule – l'innocente avec sa pauvre petiote – aux prises avec Lucien Blanquetti, le séducteur sur le retour qui détient le pouvoir ! On pourrait se croire au début du siècle. Eh bien non ! On en est presque à la fin. Et dans un bureau de la Sécu, ignoré du président Fallières ! Mais Monsieur Blanquetti doit l'ignorer. Avec son œil de velours noir, ses moustaches fines sous son nez fin aux narines frémissantes, il est ce que Madame Rose Astier appelle un « bel homme ». Mais avec ses deux dents en or, sa moumoute trop noire et son air infatué, Paule, elle, le considère comme un M.P.D.I.D. (même pas dans une île déserte). En plus, il a cette haleine aillée que donnent certains médicaments prescrits parfois en cas de troubles circulatoires et qui est pour Paule un remède radical contre tout rapprochement. Ce dont, hélas, il est à cent lieues de se douter !

– Chère petite madame ! Vous n'imaginez pas à quel point je suis ravi de vous rencontrer... Depuis le temps que je vous vois dans notre cher quartier... ainsi que dans notre cher Deauville.

– Ah bon ? Vous y allez souvent ?

– Oui, j'adore... bien que je sois d'origine italienne.

– Oh... ça n'empêche pas : moi, j'aime beaucoup l'Italie... bien que je sois normande.

Blanquetti s'extasie sur cette remarque, très au-delà de ce qu'elle vaut.

– Ah ! J'étais sûr que votre ramage se rapportait à votre plumage.

A son tour Paule s'extasie sur la célèbre galanterie péninsulaire, plus que ne le vaut ce compliment rabâché, puis sans transition, comme aux infos, elle saute du badin au sérieux en recommençant une fois de plus son laïus. Blanquetti le ponctue de : « Pauvre petite madame » éplorés et il conclut en lui affirmant qu'elle ne pouvait tomber entre des mains plus compatissantes que les siennes...

Ni plus baladeuses, songe Paule en les voyant s'approcher de ses épaules. Avec un à-propos rare, Ophélie, réveillée en sursaut par l'impétuosité du bureaucrate, entame son grand air de la grogne, permettant ainsi à sa grand-mère une retraite rapide, certes, mais très courtoise : dame ! elle vient d'établir miraculeusement une tête de pont entre elle et l'administration, il s'agit de la conserver avec tous les moyens dont dispose une femme honnête – parfois à la limite de l'honnêteté.

Quarante-huit heures plus tard, Blanquetti lui fournit l'occasion de les employer.

Ce jour-là, elle est allée au Bon Marché commander tout ce qu'il faut pour coucher, langer, vêtir, promener et distraire Ophélie. Elle a dépensé le double de ce qu'elle avait calculé. A la suite de quoi elle a couru – elle ne sait plus marcher – chez le docteur Carpentier. Elle lui a apporté les résultats des différents examens subis par la mouflette. Après décryptage, le pédiatre a établi un « bilan de la situation », puis un « plan de bataille », qui prévoit une courte hospitalisation, nécessaire, selon lui, pour déterminer les causes des vomissements d'Ophélie que ses analyses ne révèlent pas.

Sous le coup de cette visite, Paule, en rentrant à son domicile, ne voit pas, à quelques mètres d'elle, Lucien Blanquetti qui l'attend devant la porte de son immeuble. Elle ne le voit pas. Mais elle le sent. Ses narines sont chatouillées par une fragrance musclée où le nez le moins subtil peut reconnaître l'ail du rustre, l'after-shave du gentleman et le cigare de l'hédoniste. Plus de doute : l'Homme est là avec un H majuscule, mais malheureusement pour lui avec aussi son yorkshire minuscule qui, bien qu'il réponde au nom de Jules, nuit à l'image de virilité que son maître voudrait imposer.

– Chère petite madame ! Quelle chance de vous rencontrer ! Je me suis déjà occupé de votre affaire !

– Oh ! Comme c'est gentil !

– Que ne ferait-on pas pour une jolie femme ?

Le temps pour Paule d'un sourire affable en pensant que son interlocuteur a dû bûcher son manuel du parfait séducteur dans une édition de 1910, et elle s'enquiert des renseignements qu'il a pu obtenir. Aussitôt l'homme s'efface devant le fonctionnaire :

– C'est assez confidentiel, répond-il avec une mine de conspirateur. Il vaudrait mieux aller chez vous, juste quelques instants, si vous n'y voyez pas d'inconvénient...

Paule y voit tous les inconvénients du monde mais il ne peut être question de repousser le sésame ouvre-toi des caisses de la Sécu quand elle a les perspectives d'une hospitalisation à trois mille francs la journée ! Alors...

– Excusez-moi, l'appartement est en désordre.

– Je ne le vois pas. Je le respire. Il sent si bon la femme...

Paule sentirait plutôt la moutarde lui monter au nez

mais elle se garde d'éternuer et demande en maîtresse de maison accomplie :

– Vous prendrez bien un petit whisky ?

– Volontiers... si cela ne vous dérange pas, chère petite madame...

Evidemment que ça la dérange, d'autant qu'il le souhaite, dans un frétillement de moustache, « on the rocks » et qu'elle est obligée de démouler les glaçons d'une main avec Ophélie coincée sous son autre bras, mais le docteur Carpentier a aussi parlé d'une douzaine de séances de « clapping » pour Ophélie avec un kinésithérapeute, afin de dégager ses bronches. Alors...

– Je ne voudrais pas abuser de votre temps, dit-elle au bout de cinq minutes.

– Je vous en prie, je ne suis pas pressé du tout. Personne ne m'attend.

Suit un léger froid, meublé – sans aucune intention humoristique – par l'immersion des glaçons dans le verre. Suit un nouveau frétillement de moustache, signe extérieur chez Lucien Blanquetti d'une profonde autosatisfaction. Ce qui, étant donné la fatuité du personnage, a converti ce frétillement en une espèce de tic. Suit cette phrase qu'il estime particulièrement subtile :

– Mais peut-être que vous, « on » vous attend ?

– C'est le travail qui m'attend.

Lucien Blanquetti est soulagé : s'il ne s'agit que de travail... Et pour montrer qu'il prend cet argument par-dessus la jambe, il croise allégrement les siennes, offrant à Paule une vue imprenable sur des mollets de coq émergeant de chaussettes trop courtes.

– J'espère que, malgré tout, vous prenez quelques moments de détente.

– Pas actuellement. Avec la crise qui sévit dans l'édition, comme partout, je ne peux pas me permettre de négligences professionnelles : un licenciement est si vite arrivé. C'est toujours ennuyeux mais, en l'occurrence, ce serait pour moi catastrophique.

– Vraiment ?

– Je viens d'apprendre par le pédiatre que la santé

de ma petite-fille allait réclamer des soins très coûteux. C'est pourquoi j'ai absolument besoin de régulariser ma situation vis-à-vis de l'administration.

Imprudent aveu dont Blanquetti se pourlèche d'avance les babines.

– Malheureusement, dit-il, les renseignements que j'ai pu obtenir sur votre cas ne sont guère encourageants...

– C'est-à-dire ?

– Il faut attendre au minimum un an avant que la Sécurité sociale reconnaisse comme mort un disparu.

– Un an ?

– Minimum...

Blanquetti savoure le désarroi de Paule. Il suit sur son front soucieux la bataille que les chiffres se livrent dans son crâne. Dès que l'imposante colonne de gauche – celle des dépenses – a visiblement terrassé la chétive colonne de droite – celle des rentrées –, il intervient, toute patte de velours dehors :

– En réfléchissant bien, il y aurait peut-être un moyen de s'arranger.

– Lequel ?

– Il faudrait que vous demandiez une dérogation afin d'obtenir pour la petite une prise en charge... provisoire... pour un mois ou deux... et que l'on renouvellerait de mois en mois, jusqu'à ce que le décès des parents soit officiellement reconnu... Ou bien sûr jusqu'à ce qu'ils réapparaissent.

– Ah oui ! C'est une bonne idée ! Mais à qui dois-je demander cette dérogation ?

– A moi !

L'habituel frétillement de moustache s'enrichit pour la circonstance d'un regard appuyé sur la petite croix en or qui brille dans l'échancrure du chemisier de Paule.

Devant le danger menaçant, Paule, histoire de faire diversion, saisit la petite croix qu'il regarde et bredouille :

– Elle vient de ma grand-mère.

Cette information, dépourvue vraiment du moindre intérêt, allume des feux étranges dans la prunelle du fonctionnaire et entre ses deux incisives dorées une question non moins étrange :

– J'espère que vous la gardez quand vous faites l'amour ?

Ciel ! L'Italien a la libido branchée sur le Vatican ! Le genre à fantasmer sur la nonnette et à pianoter en soutane sur son Minitel pourpre le 3615 code goupillon ! Comme aurait dit justement cette chère grand-mère : « Cet homme-là a le diable sous sa chemise ! » Vite un exorciste ! Dieu ne pouvait qu'entendre cet appel. Hélas ! c'est la pauvre Ophélie qui boute le démon dehors en se mettant à tousser. Ce qui a pour effet de déclencher les aboiements de Jules qui déclenchent le départ de son maître.

– Excusez-le, chère petite madame. Je reviendrai sans lui demain.

– Mais non, ne vous dérangez pas ! Je passerai à votre bureau.

– Non, comprenez-moi... Pour votre dérogation... il vaut mieux être discret...

Paule comprend. Elle comprend même si bien qu'elle juge utile de mettre tout de suite les choses au point... avec toutefois des mitaines en dentelle, recommandées dans le manuel de la femme honnête – également édition de 1910 !

– Ecoutez, Monsieur Blanquetti, vous êtes sûrement un homme très sollicité...

Il frétille de la moustache. Elle rajuste ses mitaines :

– Je ne mérite vraiment pas que vous perdiez votre temps avec moi.

– Mais...

– Je vous dois la vérité : j'ai quelqu'un dans ma vie.

– Je sais.

– Oh non ! Personne ne sait.

Au contact de Vanneau, Paule a appris à imaginer des histoires avec une certaine facilité. Et la voilà qui s'invente un amant mystérieux quand... la réalité rejoint la fiction : Peter Murray sonne et, la porte ouverte, apparaît sur le palier dont l'éclairage tamisé ravive son ancienne séduction. Blanquetti, grand habitué des salles obscures – pas seulement par cinéphilie –, est ébloui de reconnaître l'une des idoles de sa jeunesse. Paule est éblouie aussi... par l'espièglerie du hasard. Elle susurre les présentations :

– Monsieur Blanquetti : un ami... Peter Murray... le père de ma fille... L'homme dont je...

Le fonctionnaire s'empourpre : déjà, en grand-mère d'Ophélie, Paule lui plaisait beaucoup, mais en maîtresse de Peter Murray, elle l'affole carrément ! Du coup, il lui affirme dans un dernier frémissement de narines que désormais elle peut envisager l'avenir avec sécurité... sociale bien entendu ! Puis, après un baisepoignet très peu administratif à Paule, il échange avec Peter une poignée de main qui n'est pas sans évoquer celle qu'échangent deux ministres lors d'une passation de pouvoirs. Enfin, Lucien Blanquetti s'élance dans l'escalier, couvant sous sa moumoute des fantasmes qui ne manqueront pas d'éclore cette nuit sous sa couette.

La porte à peine refermée, Ophélie cesse de tousser pour commencer une nouvelle crise de laryngite striduleuse.

Paule, appliquée à suivre scrupuleusement les prescriptions du docteur Carpentier « en cas de récidive », prête peu d'attention à ce que lui dit Peter. Dommage ! C'est plutôt gentil. Et même très gentil : il avoue avoir été touché – au-delà de ce qu'il aurait cru – en apprenant par sa secrétaire que Paule lui avait téléphoné, après vingt-cinq ans d'un silence... qu'il a voulu rompre souvent... très souvent... de plus en plus souvent... Il avoue qu'il a sauté sur l'occasion qui lui était offerte de la revoir et que, une fois l'acte de naissance d'Agnès en poche, il l'a prévenue – par répondeur interposé – qu'il s'apprêtait à le lui remettre en mains propres ce soir et qu'il espérait bien pouvoir dîner avec elle. Ces derniers mots parviennent à Paule.

– Je n'ai pas eu le temps de prendre mes messages, dit-elle, mais de toute façon...

– De toute façon, tu n'as pas envie de dîner avec moi ?

– En tout cas, pas ce soir. J'attends quelqu'un.

Sourire déçu.
– Ah...
– Que tu connais.
Sourire soulagé.
– Ah ?
– Félix !
Sourire radieux.
– Il est toujours là ?
– Eh oui ! Ça existe, les gens fidèles.

Sourire gêné. Fondu enchaîné avec sourire attendri sur la mouflette qui s'est apaisée enfin. C'est un acteur ! Il sort de sa poche un petit paquet dont l'emballage trahit le grand joaillier.

– Un souvenir pour Ophélie, dit-il, de la part de son grand-père.

A l'intérieur de l'écrin matelassé, Paule découvre une minuscule croix en or, semblable à la sienne.

– Tu vois, dit-il, j'ai aussi mes fidélités.

– Oui, je vois... Mais c'est un mot qui ne supporte pas très bien le pluriel.

Peter reconnaît là avec une certaine nostalgie le rigorisme de la Paule de sa jeunesse et lui rend un hommage tardif :

– Décidément, tu es plus que jamais « ma belle erreur ».

Sur le palier, il ajoute ce codicille :

– Tu es aussi... tu pourrais être aussi... ma dernière carte.

Après son départ, cette phrase déclenche une cascade de questions dans la tête de Paule : « Et s'il était aussi la mienne ? La carte surprise : celle du retour à la case départ. Du retour de flamme. Du "on efface tout et on recommence". Du "ce qu'on a été bêtes !". Du "rattrapons le temps perdu...". »

La soirée qu'elle passe avec Félix change le cours de son introspection : « Et si je choisissais comme dernière carte ce saint-bernard obstinément amoureux, et dévoué à la cause d'Ophélie ? Ne suis-je pas arrivée à l'âge où l'on accepte plus facilement que l'amitié remplace l'amour ? N'est-il pas temps de préférer "l'art délicat de la conversation" aux "plaisirs de la turlutaine" ? »

A force de brasser ces points d'interrogation pendant que le libraire s'occupait de la moufflette comme une nurse suisse, Paule s'est endormie. Elle ne s'en rend compte qu'en rouvrant les yeux dans l'obscurité totale. Elle n'a pas entendu Félix revenir dans le salon et éteindre les lumières. Elle ne l'a pas davantage entendu ouvrir ni refermer la porte d'entrée ; ni enlever tout désordre de la pièce, ni déposer près d'elle ce petit mot : « Je crois honnête de te prévenir qu'en ton absence Ophélie m'a demandé ma main et que je la lui ai accordée. En conséquence, je te prie de me considérer désormais comme son fiancé officiel, et donc comme ton petit-fils. Ravi de cette promotion inattendue, j'embrasse avec émotion ma grand-mère – à jamais sans rivale ! »

Paule est attendrie... Forcément ! Plus que par les derniers mots de Peter... qui pourtant ne l'ont pas laissée de marbre... Forcément ! Les femmes ne sont jamais insensibles aux tendresses qu'elles inspirent : celles qui perdurent contre vents et marées ou celles qui resurgissent soudain d'un volcan depuis longtemps éteint. Jamais ! A moins que...

Il est cinq heures du matin. La maison est silencieuse. Ophélie dort. Paule se sent reposée. Avant de se mettre à travailler, elle écoute les messages de la veille sur son répondeur. Le premier est celui de Peter. Le deuxième est de sa mère, maugréant contre ce « parlophone » qu'elle déteste, contre sa fille qui la laisse sans nouvelles... et qui ne s'inquiète guère des siennes. Le troisième message est de Laurence. Elle est inquiète : certains bruits courent aux éditions Marionneau à propos d'une éventuelle vente de la maison... et la grande Catherine, plus influente que jamais auprès du patron, laisse planer des menaces de licenciement sur ceux et celles qu'elle n'aime pas. Laurence ne voudrait pas affoler Paule, mais cependant elle lui conseille de se tenir à carreau.

Quant au quatrième et dernier message, il est le soleil en novembre. Il est tout ce qu'on s'interdit d'espérer et qui arrive. Bien entendu, il émane de Barth :

« Salut mémé ! Je reviens du Québec... avec l'acte de naissance de ta grenouille ! Oui ! Je serai chez toi demain à vingt heures... avec une baby-sitter pour Ophélie et le Kāma-sūtra pour toi. Ne m'appelle pas. D'une part, je récupère le décalage horaire. D'autre part, je n'ai pas envie de t'entendre me dire que tu n'es pas libre. A demain... Veinarde ! »

Dix-huit secondes en tout : Félix... Peter... balayés ! L'ouragan Barthélemy est passé par là. Odieusement dévastateur. Fantastiquement fertile.

Avec lucidité, Paule sourit à sa faiblesse.

Mon Dieu ! que les femmes sont bêtes !

Mais bon sang ! que la vie est belle !

CHAPITRE VII

– Ophélie, mon roc, ma porcelaine, mon trésor, ma ruine, s'il te plaît, bois encore un peu de ton biberon... Un tout petit peu. Tu as été si mignonne aujourd'hui : tu m'as laissée travailler jusqu'à huit heures trente ! Une merveille ! J'ai pu enfin finir ma traduction pour la grande Catherine... Comme ça, je vais pouvoir attaquer celle du nouveau manuscrit que Gregory m'a envoyé par coursier... Mais pas maintenant... tout à l'heure, quand Thérésa sera là... Tu l'aimes bien, Thérésa ? Oui, je sais, elle parle trop fort pour toi. Pour moi aussi d'ailleurs. Je le lui ai déjà dit. Mais à part ça, elle est gentille... Elle s'occupe bien de toi... Pas aussi bien que Félix ? Eh oui, qu'est-ce que tu veux ! Lui, il n'a pas d'enfant mais il a le don... Comme certaines personnes avec les plantes ! Elles ont la main verte, et Félix, lui, il a la main rose. Il l'a toujours eue. Déjà avec ta mère... Allez ! Ophélie, bois ! Il faut que tu te remplumes ! Ouvre le bec ! Si tu l'ouvres, je te parlerai encore de ton fiancé !

Miracle ! La sultane happe la tétine et sa Schéhérazade de grand-mère – chose promise, chose due – commence avec Félix son conte du jour.

Drôle de prince charmant ! Taille : un mètre soixante. Patronyme : Legrand ! Il a un visage sans histoire et un cœur qui aspire à n'en connaître qu'une, exceptionnelle. Comme, de temps en temps, la nature n'est pas totalement méchante, elle lui a donné une grande force – physique et morale – pour combattre ses inévitables complexes, ses inévitables déceptions et ses éventuels tourmenteurs. Cousin d'Odile Hébert, ami et condisciple de Paule au lycée de Deauville, il voit les deux filles, inséparables, pendant l'été. Bien qu'il soit leur aîné de dix ans, il se mêle volontiers à leurs jeux et supervise leurs devoirs de vacances. Quand les gamines deviennent des adolescentes, et lui, l'adolescent, un jeune adulte, leurs relations ne changent pas. Pourtant Félix est tombé amoureux de Paule. Passionnément. Au point de ne pas le lui dire de peur de la voir s'éloigner, de perdre le privilège d'être son confident... Car il est son confident !

Ironie du sort, il est le premier à apprendre que Paule, passant ses vacances à Londres dans la famille de sa correspondante anglaise, a le cœur foudroyé par le frère de celle-ci : Peter Murray, jeune espoir de la télévision britannique. Félix est également le premier à apprendre qu'au Noël suivant, Peter, lui aussi très épris, franchit la Manche pour rejoindre Paule avec l'intention de demander sa main à son père. Mais celui-ci étant hospitalisé pour une opération soi-disant bénigne, c'est Paule qui franchit le pas le 1er janvier. Bonne année ! Bonne santé !

En mars, Paule sait – et Félix aussi par la même occasion – qu'elle est enceinte. En avril son père meurt, ignorant ce qu'il n'aurait pas manqué d'appeler « sa faute » ; sa mère, à qui elle ne peut plus cacher son état, la met à la porte de la maison familiale. En mai, Peter vient la chercher à l'aéroport d'Heathrow, l'installe dans le studio qu'il habite quand il n'est pas chez ses parents. En juin, juillet et août, il tourne en vedette un nouveau feuilleton en Italie qui doit se poursuivre à travers l'Europe jusqu'à la mi-octobre. Il emmène Paule avec lui. Lune de miel d'un mariage dont il parle beaucoup moins maintenant que de sa carrière, ses espoirs, ses projets. Lune de miel avec un gros ventre, un soleil de plomb, des horaires tyranniques... et une productrice aux belles dents de louve. Mais lune de miel quand même vue par les yeux de Paule éblouie jusqu'à l'aveuglement.

Le 29 septembre, Agnès daigne venir au monde après s'être annoncée seize heures plus tôt. Seize heures au terme desquelles la jeune mère se retrouve déchirée, épuisée... et seule ! Le père achève son feuilleton à Paris sur l'esplanade du Sacré-Cœur ! Félix se mêle à la foule des badauds. Il assiste à la dernière prise du dernier plan. Il entend le metteur en scène exulter : « Terminé ! Finished ! Terminata ! » Il voit une brune, jolie encore pour quelque temps, au sourire carnassier, se précipiter sur Peter : sa productrice, Anna Goldener. Elle enlace son jeune premier. L'étreint. Le tentaculise. Il ne la repousse pas. Elle lui chuchote quelque chose à l'oreille. Sans doute une bonne nouvelle puisque Peter hurle de joie. Son enthousiasme à peine apaisé, elle lui glisse une autre nouvelle, sans doute mauvaise cette fois, puisque Peter devient exsangue. Anna le laisse à son trouble. Félix en profite pour s'approcher. Peter l'accueille avec soulagement. Lui confie son problème, provoqué par la douche écossaise à laquelle Anna vient de le soumettre : d'une part, elle a réussi à l'imposer dans un film américain susceptible de lui ouvrir une carrière internationale ; d'autre part, « sa petite Française » vient d'accoucher d'une fille. Pour Peter, l'alternative est simple : Anna qui l'aime et la gloire éventuelle, ou Paule qu'il aime et le train-train familial qu'il ne supporterait pas. La productrice lui a bien spécifié qu'il n'est pas question de concilier les deux. Ou même d'essayer. Il doit choisir. Et vite.

Pas très fier de lui, Peter choisit le rêve américain.

Encore moins fier, il va l'annoncer à Paule dans sa chambre à la maternité londonienne... ainsi que son départ imminent pour Los Angeles... ainsi que son souhait de reconnaître leur enfant. Souhait qu'avec beaucoup de dignité Paule refuse d'exaucer. Leur amour très réel, avorté autour d'un berceau, accouche d'adieux déchirants.

Le lendemain, Peter s'envole avec Anna à la conquête de l'Amérique et Paule quitte l'hôpital avec Agnès, à la quête d'un moyen d'existence.

Félix est là. Avec toujours sa tête de saint-bernard et cette fois deux billets d'avion autour du cou. Devant l'infirmière qui tient le bébé dans son nid d'ange, Paule lui tombe dans les bras... Souvenir inoubliable...

Ophélie en est bouche bée. Paule en profite pour

renfoncer la tétine et négocier avec sa petite-fille quelques gorgées de biberon contre la suite de son histoire :

– Oui, ma mouflette, inoubliable... Mais pas pour les raisons romanesques qu'on pourrait imaginer. Pour une raison ridicule : m'étant précipitée dans les bras de Félix avec l'envie folle de pleurer sur son épaule, je me suis rendu compte tout à coup que cette épaule était à vingt centimètres de mes yeux et qu'au mieux mes larmes chuteraient en cascade sur son crâne. Complexée à cet âge par ma taille, je ne supportais pas le rapprochement avec des hommes que je surplombais. Ça n'a d'ailleurs pas changé depuis. Je l'ai particulièrement regretté ce jour-là sur les marches de la maternité, trouvant injuste et bête que vingt malheureux centimètres me privent dans l'immédiat d'un apaisement certain et plus tard – qui sait ? – d'un nouvel amour. Au fil des semaines, puis des mois, ce sentiment se développa. Chaque jour, j'appréciai davantage la discrétion, la patience, la tendresse dont Félix nous entourait ta mère et moi. J'avais pour lui une reconnaissance sans bornes, une estime profonde, une amitié indéfectible, mais... je ne l'aimais pas ! Mais... je ne pensais qu'à l'Autre, à cette crème d'égoïste ! Et quand j'apprenais par un journal qu'il avait commencé à tourner son premier film américain, qu'il avait épousé Anna, qu'il l'appelait « sa fée », j'avais des fourches qui me ratissaient la poitrine. Quel con, ce cœur ! Pardon, Ophélie, pour tes innocentes oreilles, mais il n'y a vraiment pas d'autre mot : le cœur est con ! J'offrais au mien, avec Félix, l'occasion inespérée de racheter l'erreur qu'il avait commise avec Peter ; l'occasion de battre enfin à bon escient, d'être chouchouté, de vivre dans la béatitude. Eh bien non ! Mon cœur a fait la gueule ! Monsieur a boudé ! Obstinément ! J'ai d'abord voulu le raisonner, mais tu penses, il ne me l'a pas envoyé dire : « Le cœur a ses raisons que la raison ignore ! » Ensuite, j'ai essayé de le prendre par les sentiments : normalement, les sentiments sur un cœur, ça devrait marcher. Erreur ! Pas sur le mien ! Il est resté insensible

à toutes mes supplices, à tous mes arguments. Rien !
Pas un battement ! Pas un frémissement ! J'étais
furieuse contre lui. Et puis un jour, j'ai eu carrément
honte pour lui. Après huit mois de cohabitation chaste
avec Félix, huit mois qu'il a passés à jouer les maris
et les pères modèles sans en avoir aucune obligation
ni aucune autre récompense que les rares sourires
d'Agnès et la réapparition progressive des miens, huit
mois d'amour non pas désintéressé – car Félix restait
un homme tout en étant un saint –, mais d'amour à
la fois omniprésent et silencieux, j'ai eu honte de
l'inertie de mon cœur. Honte de mes réticences physiques qui en découlaient. Je me suis jugée malhonnête. Et pour me débarrasser d'un sentiment de
culpabilité qui commençait à empoisonner mes rapports avec Félix, j'ai décidé un jour de payer avec
mon corps la dette que j'avais contractée envers lui
et dont mon imbécile de cœur refusait de s'acquitter.
Au diable les vingt centimètres ! Au diable le plaisir !
Au diable...

Ophélie s'est assoupie sur sa tétine. Elle ne saura
jamais qu'un soir, Félix, remontant de sa librairie
avec la perspective habituelle de passer aux côtés de
Paule une soirée qui relèverait plus de la veillée
scoute que de l'orgie romaine, eut la surprise de
découvrir dans la pénombre de la chambre aux
rideaux tirés sa cheftaine déguisée en Messaline,
l'invitant à la rejoindre dans le lit où elle s'était déjà
étendue pour éviter une confrontation verticale. Avec
la prudence superstitieuse de ceux qui perdent à la
loterie depuis des années et qui n'osent croire à leur
chance, Félix demanda :

– Tu es malade ?
– Non... non !...
– Et Agnès ?
– Elle dort chez la concierge.
– Alors... tu veux vraiment ?
– Oui... Oui...

La ruée vers l'or ! Des vannes qu'on ouvre ! Le lancement d'une fusée ! Voilà comment on pourrait illus-
trer au cinéma ce qui se produisit alors dans la tête

de Félix. Malheureusement, ce qui se produisit dans son corps, ce fut la Berezina ! Une retraite dans le désordre !

La première fois, on plaisante. On minimise l'incident. On s'accuse à tour de rôle :

– C'est ma faute, je me suis conduite comme une idiote.

– Non, c'est la mienne : j'aurais dû te le dire avant.

– Me dire quoi ?

– Que ça s'use quand on ne s'en sert pas !

La deuxième fois, on soupire. On a honte. On a mal. On voudrait au moins être intelligent. Oui, au moins ça ! Sortir de l'ornière avec esprit. Avec panache. Avec hauteur. On voudrait pilonner le souvenir de cette piteuse prestation avec des mots canons, jusqu'à ce qu'il n'en reste plus rien. Trouver une phrase sublime, digne d'être inscrite sur la tombe de l'Extase inconnue et de ranimer la flamme de tous les défaillants du monde, recueillis pour la Saint-Zizi sous l'Arc de la Défaite. Arracher à ses entrailles traîtresses le cri d'un poète ou les paroles d'un dieu. Et finalement, qu'est-ce qu'on dit ?

– A quoi penses-tu ?

– A rien de spécial... Et toi ?

– A oublier ce qui n'a pas été. Ce qui aurait pu être. Ce qui ne sera jamais.

– Jamais ? Ça, tu n'en sais rien.

– Si, je sais : jamais !

Félix a répété « jamais » non pas avec tristesse, mais avec détermination. Il est clair qu'il se donnait un ordre : l'ordre de ne plus jamais toucher Paule. De ne plus jamais l'espérer. Et il s'était obéi. Et leur vie bizarre de faux couple avec un vrai enfant avait repris comme avant, jusqu'à ce que...

La tête d'Ophélie tout à coup pèse sur le bras de sa grand-mère : elle s'est alourdie du poids de son sommeil. L'opération « salaire de la peur » va pouvoir commencer. C'est le moment que Thérésa choisit pour débouler dans la pièce avec sa voix puissante, son énergie matinale et son compte rendu météorologique. Réveillée en sursaut, Ophélie hoquette et se met à restituer tout le lait que Paule lui a si patiemment fait absorber. Elle s'agite. Elle braille. Elle commence à haleter. Forte de l'expérience acquise au cours de ses trois maternités, Thérésa prend l'affaire en main et Ophélie dans ses bras.

– Ne vous inquiétez pas, dit-elle, mon aîné était pareil. J'ai l'habitude Je m'occupe de tout. Allez vous préparer.

Rassurée par le sang-froid et l'expérience de Thérésa, Paule s'autorise un moment de détente dans un bain moussant en écoutant la radio ; puis un moment de volupté en étalant sur son corps encore hâlé une huile parfumée avec au bout des doigts des souvenirs de Barth ; enfin un moment de coquetterie perfide en se maquillant de façon à paraître dix ans de moins et du coup d'en donner dix de plus à la grande Catherine avec laquelle elle a rendez-vous. Dans trente minutes exactement : juste le temps de s'habiller, de laisser ses consignes à Thérésa et de se rendre à pied aux éditions Marionneau.

A peine sortie de la salle de bains, Paule est assaillie par les hurlements d'Ophélie. Elle frôle la crise de nerfs. Thérésa lui a mis dans les bras la « Madame Crapaudin » – cadeau de Barth – qui la terrorise. Elle la manipule avec des gestes de femme pressée, robuste et rude, en chantant un fado déchirant. N'est pas Schéhérazade qui veut. Ni qui croit. Paule demande à Thérésa de sortir de sa penderie un jean et un pull afin de l'éloigner sans la vexer, et s'empare de la sultane. Le chuchotis remplace le fado. La main douce remplace la main ferme. Le gentil Monsieur Tourneboule remplace l'horrible Madame Crapaudin. Le calme revient. Thérésa aussi... avec les vêtements de Paule. Comme il n'est pas question pour celle-ci de lâcher son fardeau, la Portugaise maintenant habille la grand-mère ! La tâche est plus facile qu'avec la petite-fille, mais pourtant, elle ne peut cacher sa désapprobation en usant, comme elle en a l'habitude, des préceptes maternels :

– Ma mère disait : « Quand l'enfant est roi, les

parents finissent en mendiants, au pied de son trône ! »

Paule réprime son agacement : les sentences de ce genre, les principes éducatifs, les conseils pédagogiques, elle a déjà donné ! Ou plutôt, on lui en a déjà donné. A la pelle. De la naissance au départ d'Agnès. Jeune, inexpérimentée, scrupuleuse, elle était à l'écoute de tous les avis déversés par sa famille, ses amies ou les manuels spécialisés : « Mères, gardez-vous à droite ! Mères, gardez-vous à gauche ! » Manque de chance, votre rejeton se faufile au centre, trouve une ouverture inédite et vous met K.-O. ! La seule leçon qu'elle a tirée de celles, innombrables, dont on l'a abreuvée, peut se résumer ainsi : chaque enfant étant un cas particulier, aucune méthode ne peut être valable pour tous. Conclusion : il faut se contenter d'improviser. Faire ce que l'on peut – et non ce que l'on veut. Parer au plus pressé.

Présentement, le plus pressé, pour Paule, c'est de courir aux éditions Marionneau et d'y aborder la grande Catherine calmement. Avec l'esprit libre. Autrement dit sans avoir dans la tête l'idée qu'Ophélie est en train d'expirer entre des mains mercenaires ! Donc, le plus pressé, c'est d'embarquer le bébé avec son « braille-en-ville » – sac toujours prêt à l'emploi où sont entassés en vrac médicaments, couches et biberons – et de partir au plus vite sous le regard offensé de Thérésa.

Selon son habitude, Ophélie s'endort pendant le trajet et se réveille à l'arrêt, en l'occurrence dans le bureau de la grande Catherine, et hurle aux premiers décibels qui l'agressent, ceux produits par Carmen, le yorkshire qui entre parenthèses ressemble à celui de Lucien Blanquetti comme deux peluches sur un lit de célibataire ! Sa maîtresse, experte en jappements, traduit les siens aussitôt :

– Il défend son territoire !

Paule, experte en sous-entendus, traduit celui de son interlocutrice et y répond en descendant immédiatement à la comptabilité confier sa petite-fille à Laurence avec toutes les recommandations d'usage.

Quand Paule remonte, Carmen s'est tue. Mais pas Ophélie. Paule entend ses cris, amortis bien sûr, mais elle les entend. Suffisamment pour que lui parviennent, amortis aussi, les coups que lui assène la grande Catherine : Monsieur Marionneau est actuellement en pourparlers pour vendre sa « couveuse à talents » à une « usine à fric ». Bientôt, sans doute, les envahisseurs vont débarquer avec leur brain-trust, leur marketing, leurs best-sellers, tout leur charabia anglo-saxon pour gérer la belle littérature française ! Uniquement soucieux de rendement, ils ne tiendront compte ni des égards dus aux vétérans de la grande époque Marionneau, ni des engagements pris avec les jeunes poulains, ni des faveurs consenties à certains auteurs de la maison... aujourd'hui disparus...

Comme Paule ne réagit pas davantage à cette allusion limpide à Vanneau qu'au reste, la grande Catherine essaie un autre genre d'attaque :

– En plus, officiellement, vous ne travaillez ici que depuis cinq ans : ça ne vous fera guère d'indemnités.

– Je verrai bien ! Chaque problème en son temps. Pour le moment...

Paule désigne l'étage au-dessous, se lève, ouvre la porte, entend avec plus de précision les imprécations ophéliennes, s'élance dans l'escalier avec des ailes d'ange gardien et, dix secondes plus tard, pose sur la mouflette le regard soulagé d'Harpagon retrouvant sa cassette. Elle est aussi visiblement heureuse de récupérer son trésor que Laurence de le lui rendre. Quant au trésor, il ne tarde pas à manifester sa satisfaction de réintégrer le giron de sa propriétaire. La rugissante devient gazouillante. La grincheuse se fend d'un sourire. Laurence est épatée par ce changement à vue.

– C'est incroyable, la façon dont elle te regarde !

– Tu crois qu'elle me reconnaît ?

– Tu plaisantes ! Elle sait même qui tu es.

– Eh ben dis donc, c'est une surdouée : à six mois et en cinq jours, avoir compris que j'étais sa grand-mère...

– Pas sa grand-mère... sa bouée de sauvetage !

Drôle de bouée ! C'est ce que pense Paule en

s'échouant, accablée, sur le canapé de son salon, après y avoir découvert une montagne de paquets de toute forme et de tout volume : la commande du Bon Marché livrée en son absence et non déballée par Thérésa. A elle de se battre avec les cartons, les boîtes, les papiers gaufrés, les boules de remplissage, les bandes adhésives, les agrafes, les vis du petit lit à barreaux qui n'est pas monté... A elle de ranger les draps et les affaires d'Ophélie dans l'armoire et la commode en laqué blanc, la commode dans ce qui était son bureau à la place de sa table de travail, sa table de travail dans le salon à la place du canapé et le canapé... eh oui, où on le met, le canapé ? Paule est affalée dessus, anéantie par l'ampleur de la tâche qui l'attend et s'en voulant de l'être.

– Ma pauvre Ophélie ! Te voilà avec une bouée toute molle, toute flasque ! Mais ne t'inquiète pas ! Ça va passer. Je n'ai qu'à imaginer que Barth est là et qu'il me chante, en prenant son drôle d'accent antillais :

> *Mam'zelle croyez-en*
> *Un vieux mort oublié*
> *Quand on est vivant*
> *Il ne faut pas moribonder.*

Paule a fredonné la chanson en agitant les jambes maigrichonnes d'Ophélie pour marquer le rythme. Et Ophélie a eu un de ces éclats de rire fugitifs où affleure tout ce qui reste d'innocence au monde. Et Paule entonne à nouveau le refrain de Barth. Et Ophélie rit à nouveau. Et Ophélie en redemande. Et Paule en redonne. Et Paule rend grâce à Monsieur de Saint-Omer : il a raison, il ne faut pas moribonder.

Elle ne moribonde plus :

– Tu peux t'accrocher, Ophélie, la bouée est regonflée !

Paule nourrit la mouflette, la change, la berce, l'endort.

Elle moribonde de moins en moins. Précise, résolue, organisée, elle téléphone d'abord au docteur Carpentier et décide avec lui que mercredi prochain Ophélie sera hospitalisée afin de subir la série des tests qu'il réclame et d'en finir avec cette question de santé.

Tout de suite après, elle téléphone à Odile. Avant cette hospitalisation, elle pense que deux jours au bon air de la Normandie et de l'amitié seront aussi profitables à la petite fille qu'à elle-même. Odile en est bien d'accord et la félicite d'avoir choisi pour ce week-end de détente sa bruyante « Sabotière » plutôt que la sinistre villa « Mon rêve » de Madame mère.

Enfin Paule téléphone à son garagiste pour lui demander d'arrimer au siège arrière de sa voiture le siège baquet destiné à Ophélie. Opération à laquelle sa rare inaptitude aux travaux manuels l'a obligée à renoncer. Macho, pas mécontent qu'une femme reconnaisse la supériorité de l'homme dans le domaine de la clé à molette et du tournevis, le garagiste accepte de la recevoir. Mais pas après seize heures : c'est vendredi !

Paule jette un coup d'œil à sa montre : pas une minute à perdre ! Il faut qu'elle parte immédiatement avec sa voiture... et Ophélie coincée illicitement dans son couffin entre l'avant et l'arrière.

La mort dans l'âme, elle s'apprête à réveiller la moufflette, quand elle entend le bruit à peine perceptible d'une clé dans la serrure. C'est Thérésa qui, prise de remords d'avoir laissé à Paule « l'appartement en désordre » – charmant euphémisme –, vient lui proposer ses services pendant le temps qu'elle passe d'habitude chez Madame Desvignes ; laquelle est allée, comme souvent, au cimetière. Du moins à ce qu'elle prétend. Thérésa a des doutes à ce sujet, mais Paule lui fait comprendre que ce n'est pas vraiment le moment d'en discuter :

– Je serai de retour en principe dans une heure.

– Ne vous inquiétez pas ! Si vous êtes retardée, j'attendrai. Je ne laisserai pas la petite toute seule.

– Promis, hein ?

– Juré... sur la Madone !

Paule s'en va rassurée, détendue, contente : tout à

l'heure, elle va retrouver son appartement rangé ; ce soir, elle va oublier Ophélie dans les bras de Barth ; demain, elle va penser à Barth en s'occupant d'Ophélie. Elle lui fera découvrir le charme de Deauville et, sous l'écorce rude, celui d'Odile. Demain, elle va échafauder des rêves professionnels autour de la proposition renouvelée avec insistance de Gregory Vlasto. Demain...

Une heure plus tard, Paule rentre chez elle, affolée : le désordre est intact. Thérésa n'est plus là. Ni Ophélie.

CHAPITRE VIII

Ophélie emmenée en otage avec Thérésa...

Ophélie kidnappée...

Ophélie transportée d'urgence à l'hôpital des Enfants-Malades...

Ophélie étranglée, noyée, étouffée par Thérésa dans une crise de démence...

Les scénarios les plus invraisemblables défilent en accéléré dans la tête de Paule pendant qu'elle court en direction de la librairie de Félix. Pourquoi Félix ? Pourquoi pas la police ? Pourquoi pas téléphoner ? Allez donc chercher une explication rationnelle avec quelqu'un qui est pris de panique ! Elle n'a pas eu deux idées. Juste une : Félix. Par chance, elle était bonne. Il la rassure avant même qu'elle ait ouvert la bouche :

– Ophélie est à la pharmacie, entre les mains de Simone.

– Qu'est-ce qui s'est passé ?

– Après un combat acharné, Kid Grenouille a battu la Portugaise aux poings... et aux cris ! Mais, aux dernières nouvelles, la vaincue a seulement une blessure d'amour-propre qu'elle est partie soigner auprès de ses trois enfants qui, eux, marchent au doigt et à l'œil. Quant au vainqueur, je crains qu'il n'ait entamé un autre combat... avec Big Blouse Blanche !

Félix ne se trompe pas. Si Paule ne se fiait qu'à ses oreilles, sur le seuil de la pharmacie, elle pourrait se croire aux portes d'un abattoir. Et pourtant Ophélie se trouve au fond de l'arrière-salle de l'officine. Et pourtant elle est dans les bras de Simone qui, à bout d'arguments et de berceuses, est en train de lui chanter les mérites du polyoxéthilène-glycal associé au laury sulfoacétate de sodium – ce qui, sur l'air de *Dors, mon bel ange, dors*, est assez émollient. Et pourtant Simone a la voix douce. Et pourtant elle a donné quelques gouttes de calmant à Ophélie.

– À l'instant. Juste avant que vous n'arriviez, précise-t-elle à Paule en lui refilant sa petite-fille avec un visible soulagement.

– Ça n'a pas l'air d'être très efficace.

– Attendez ! Il faut compter un bon quart d'heure avant que le médicament n'agisse.

À la grande surprise de la pharmacienne, Ophélie lui apporte un démenti dans la minute qui suit. La scène qui s'est déroulée ce matin aux éditions Marionneau dans le bureau de Laurence se reproduit, suivant exactement le même topo : la grenouille s'accroche au doigt et au regard de Paule. Elle rejoint sa bouée en hoquetant encore, mais ne s'égosille déjà plus. Elle ronchonne, puis soupire, puis grommelle, puis borborygme, puis gazouille, puis sourit. Simone est formelle :

– Ce n'est pas le médicament qui l'a calmée. C'est vous.

– Je n'ai rien fait d'autre que ce que vous avez fait.

– Je sais bien. Mais je ne suis pas vous. Et elle le sent. Elle l'entend.

– Mais elle ne me connaît presque pas.

– Elle a peut-être des chromosomes qui lui ont parlé de vous.

– Dans ce cas, il faudrait également admettre qu'ils lui ont parlé de Félix, puisque lui aussi réussit à l'apaiser.

Simone ne rejette pas cette éventualité : elle vient de lire un livre passionnant d'une psychanalyste, Bernadette Anglet, où sont mentionnées les dernières découvertes sur les perceptions des nouveaunés et même des embryons dans le ventre de leur mère.

– Alors, conclut Simone, vous pensez bien que votre grande de six mois est capable de percevoir les ondes positives qui émanent de Félix... Peut-être mieux que vous !

Ces tout derniers mots ont été prononcés par Simone avec un rien d'aigreur. Paule les considère avec indulgence, comme un petit rot du cœur. Elle comprend que la pharmacienne, amoureuse de Félix... en pure perte, digère mal l'intérêt que celui-ci porte à Paule... en pure perte aussi ! Pauvre Simone ! Si Paule avait le temps, elle lui expliquerait que le cœur est con. Même celui des intelligents. Qu'il est maso aussi, qu'il va se fourrer dans des coups pas possibles, nuls, perdus d'avance. Qu'il joue les matamores devant le monde, mais qu'à huis clos il se laisse mener par le bout d'une fesse. Qu'il est sans cœur, le cœur, avec ceux qui le chouchoutent et lâche avec ceux qui le négligent. Et que, pour couronner le tout, il est entêté et orgueilleux : qu'il s'enferre dans ses erreurs. Pire : qu'il ne veut jamais les reconnaître. Et pour finir, elle lui conseillerait, à Simone, de faire avec ; parce que, d'abord, on ne peut pas le changer, ce con, et puis que, par moments, il ne l'est pas tout à fait et que ces moments-là... ça paie du reste !

Oui, elle lui dirait tout ça... si elle avait le temps. Seulement voilà, elle ne l'a pas. Elle n'aura même pas une seconde pour s'arrêter dans la librairie de Félix pourtant à l'affût derrière sa vitrine. Pensez donc ! Son appartement est un capharnaüm et il faut qu'elle le remette en état pour Barth... qui va ironiser sur sa maniaquerie. Il faut qu'elle se débarrasse, physiquement et moralement, de son personnage de grand-mère, avant d'entrer dans la peau et les pensées de l'amoureuse idéale pour Barth... qui ne va même pas s'apercevoir de ses efforts. Il faut surtout qu'elle endorme Ophélie pour sauvegarder l'humeur de Barth... qui ne se préoccupera sans doute pas de préserver la sienne...

Eh oui, c'est comme ça ! Et Paule refermant la porte de sa chambre sur le désordre qu'elle y a refoulé et sur Ophélie qui vient de s'endormir dans son lit tout neuf, Paule habillée, coiffée, maquillée avec soin, Paule éclairée de l'intérieur, Paule a le cœur qui bat.

Elle rejoint son poste de guet, le même que celui de Madame Desvignes mais de l'autre côté. Elle a une

pensée compatissante pour la vieille dame solitaire :
on plaindrait n'importe qui quand on est heureux !
Elle aime ces minutes où elle attend Barth ; où elle
l'imagine entrant dans la cour du petit immeuble
suranné, provincial qui allait si bien à Vanneau et qui
lui va si mal à lui. Comment sera-t-il déguisé
aujourd'hui ? En énarque ? En clodo chic ? En sportif
choc ? En saltimbanque ? Va-t-il venir à pied ? A bicyclette ? En taxi ? Dans une de ces mystérieuses limou-
sines aux vitres teintées ? Dans une guimbarde bonne
pour la casse ?

Rien de tout cela ! Il arrive dans une pétarade de
décibels à l'arrière d'une moto, conduite par un ange
noir, casqué, botté, minijupé, que Paule déteste tout
de suite. Avant d'en découvrir l'insolente jeunesse
sous sa chevelure blonde, longue et lisse. Avant de se
rendre compte que cet ange – pas du tout asexué
contrairement à la légende – n'est a priori ni bête, ni
vulgaire, ni mal élevé, n'a aucun autre défaut propre
à justifier son hostilité. Avant même de savoir qu'elle
s'appelle Laura Piasson-Liget – oui, oui, comme les
montres suisses ! – et que, désireuse de ne rien devoir
– ou presque – à ses parents, elle fait du baby-sitting
pour payer ses études de médecine.

La perle rare ! Vraiment rien à lui reprocher. Alors,
pourquoi cette antipathie spontanée ? La jalousie ?
Oui... évidemment... c'est ce qui tombe sous le sens.
Mais, outre que rien ne la justifie dans l'attitude et
dans le ton des deux arrivants, pourquoi Paule ne se
dépêche-t-elle pas d'éloigner Barth, de le récupérer
– s'il a besoin de l'être – dans un tête-à-tête triom-
phant ? Pourquoi s'attarde-t-elle inconsidérément en
multipliant les recommandations inutiles, puis en se
lançant dans une véritable conférence sur Ophélie.
Ses origines. Ses particularités. Son mode d'emploi.

Laura l'écoute avec une patience exemplaire. Barth
avec un agacement croissant qu'il finit par manifester
en interrompant Paule au milieu d'une phrase.

– Je ne t'ai jamais vue aussi bavarde ! Ce n'est pas
possible, tu attends que la grenouille se réveille.

Pan dans le mille de l'inconscient ! Paule accuse le coup en le récusant avec autant de vivacité que de platitude :

– Vraiment, ce que tu peux être bête !

– Alors... on s'en va ?

– Bien sûr qu'on s'en va.

Et ils s'en vont. Lui sifflotant *Et mourir de plaisir*. Elle en s'abstenant de fredonner *La Ballade des gens heureux*.

– On prend ma voiture ? demande-t-elle.

– Oui, si ça ne te dérange pas : j'ai retenu une table chez « les Raymondes ».

Deux homosexuels, drôles et chaleureux, qui tiennent un bistrot sur les quais non loin de l'hôtel où habite Barth. L'un, dit « la causeuse », règne sur la salle ; l'autre, dit « l'esclave », règne sur la cuisine. Barth et Paule affectionnent cet endroit où leurs discordances se sont toujours dissoutes dans les eaux apaisantes de la Seine, leurs complicités toujours ranimées à l'ombre des tours de Notre-Dame, leurs morosités toujours envolées dans le ciel immuablement bleu et rose de leurs hôtes. De clins d'œil en éclats de rire, ils ont fini l'un et l'autre par prêter un pouvoir magique à ce lieu.

Paule est touchée que Barth l'ait choisi aujourd'hui pour leurs retrouvailles après leur récent accrochage, mais elle appréhende que cette fois la magie n'opère pas. Il a les mêmes craintes. Mais il n'est pas l'homme de l'expectative. Il attend tout juste que « la causeuse » brune ait passé leur commande à « l'esclave » blonde, pour mettre les pieds dans le plat :

– Maintenant, tu vas me dire pourquoi, tout à l'heure, il a fallu que j'intervienne pour que tu quittes ton appartement alors que normalement, me semble-t-il, tu aurais dû être pressée de profiter de ta liberté avec moi.

– Oui, c'est vrai. Et pourtant je te jure que je me faisais une joie de notre soirée. Je m'y suis préparée comme une fiancée chinoise dans l'attente de son seigneur et maître.

Il se fend de deux pièces de collection : un sourire attendri et un compliment !

– Oui, j'ai remarqué. Le résultat est très réussi. Très encourageant...

– Merci !

– Alors, que s'est-il passé après ? Pourquoi traînais-tu chez toi ?

– J'étais inquiète de laisser Ophélie avec une baby-sitter que je ne connaissais pas.

– Moi, je la connais. Je connais ses parents. Je sais qu'elle est sérieuse et expérimentée. Sinon je ne te l'aurais pas amenée. Tu aurais bien dû le penser.

– Malheureusement, aujourd'hui même j'ai constaté que successivement Thérésa, Laurence et Simone, toutes les trois hyperqualifiées pour s'occuper d'un enfant, ne sont pas venues à bout d'Ophélie et qu'il a fallu...

– Que tu arrives, tel Zorro, pour que tout s'arrange comme par enchantement.

– Eh bien oui ! Je ne peux pas te dire le contraire : c'est comme ça !

– Et tu n'en es pas peu fière...

– Non... pas spécialement...

– Ah si ! Tu ne t'entends pas, mais ça crève les oreilles : « Regardez-moi ! Je suis la seule capable de calmer la sultane ! Je suis l'élue ! Je suis la favorite ! »

Le trait est assez caricatural pour permettre à Paule de ne pas s'en offusquer.

– D'abord, je ne suis pas la seule. Félix aussi réussit à maîtriser la petite.

– Ah oui... mais Félix, c'est un homme, il a le droit. Avec lui, tu veux bien partager tes lauriers, inégalement néanmoins, j'en suis sûr. Mais pas avec une femme. Là, il y a compétition. Donc, rivalité. Donc, jalousie.

Tilt dans les yeux de Paule... et dans sa voix :

– Jalousie ?

– Bien sûr ! Ce qui explique le jugement a priori défavorable que tu as porté sur Laura, alors que, dans un autre contexte, elle t'aurait sûrement semblé très sympathique. Je me trompe ?

Paule salue d'un bref ricanement cette manie qu'a Barth de demander s'il se trompe quand il est certain d'avoir raison. Pour obliger son interlocuteur aux aveux. Il insistera jusqu'à les obtenir. Alors, autant y passer tout de suite.

– Non, là ! Tu as raison : j'ai eu un réflexe de défiance envers Laura. Tu es content ?

– Je suis content que tu le reconnaisses. Mais que tu aies eu cette réaction idiote, non, je ne suis pas content.

– D'accord ! C'est idiot.

– Et particulièrement injuste, non ?

– Pourquoi particulièrement ?

– Parce que Laura est une fille particulièrement bien.

– En quoi ?

– Elle est amoureuse d'un sidéen.

Paule est tellement surprise qu'elle demande confirmation :

– Tu veux dire un garçon qui a le sida ?

– Oui. Qui a eu, plus exactement. Il est mort juste avant l'été.

– Elle a couché avec lui ?

– Oui.

– Sans savoir qu'il était malade ?

– Si ! En le sachant.

– Elle est folle !

– Pour nous qui convenions l'autre jour que la passion est une sorte de folie, oui, elle est folle... mais consciente. Ce en quoi elle est respectable. Elle a pris toutes les précautions indispensables, mais sans ignorer qu'elles n'étaient pas fiables à cent pour cent. Elle a subi des tests régulièrement et elle continue à en subir, n'ignorant pas non plus que le temps d'incubation de cette putain de merde de saloperie est à ce jour incertain.

La grossièreté chez Barth est exceptionnelle. Aussi exceptionnelle que les révoltes de cet oiseau des îles qui cultive sa frivolité et son fatalisme ataviques, au même titre que d'autres le plancton : comme éléments de survie.

84

D'où l'étonnement de Paule devant sa coulée de mots orduriers. Bienheureuse surprise qui estompe l'angoisse irréfléchie qui l'a traversée à l'idée qu'Ophélie était entre les mains d'une séropositive potentielle. Idée qu'elle a refoulée pour éviter que Barth ne l'oblige à reconnaître qu'elle était idiote et particulièrement injustifiée.

N'empêche que « le monstre » continue à rôder autour de leurs pensées.

Bien sûr, à cet instant, l'arrivée de « la causeuse » chaloupante et gloussante avec ses « deux brochettes débrochées sur lit de chiffonnade dépliée » manque un peu d'à-propos.

Il serait de bon ton de déplorer cette juxtaposition du tragique et du comique... Comme si la vie n'était pas faite de ces juxtapositions ! Comme si les images des journaux télévisés, reflets de la vie, ne nous en donnaient pas tous les jours des exemples ! Comme si jamais, sur le parvis des églises, un baptême ne croisait un enterrement !

Il serait bienséant d'afficher un air gêné, un sourire coincé et – encore mieux – de repousser son assiette en affirmant entre deux gargouillements d'estomac que « ça » vous a coupé l'appétit... Mais pas plus que l'hypocrisie la bienséance n'est au répertoire de Barth. Décontenancée au départ de leur aventure par sa façon d'être et de vivre sans aucun souci des convenances, Paule s'y est peu à peu habituée. La péremptoire baronne de Sanneseux-Fépas a fini par en apprécier le côté pratique. Parfois même, elle se surprend en flagrant délit d'incongruité. Comme maintenant, par exemple :

– J'ai faim, dit-elle. Ça ne m'est pas arrivé depuis... depuis la dernière fois que je t'ai vu.

– Evénement rare pour toi ! La responsable en est Ophélie, je suppose ?

– Pas seulement ! Elle. Toi. Nous deux. Le besoin pour moi de « nous deux ». L'impossibilité pour toi de « nous trois ».

Suit un silence qui paraît presque normal à Paule. Elle se l'explique par le fait que Barth et elle, tous deux grands amateurs des plaisirs de la table, n'aiment guère se gâter le palais en mêlant une conversation sérieuse à la dégustation de leurs mets. Mais en vérité, ce soir, Barth se tait parce qu'il n'a pas envie d'entamer une discussion qui, si elle tourne mal, risque de compromettre leur avenir – immédiat et lointain... Parce qu'il espère encore une solution, un arrangement, un miracle... Parce que, au Canada, il a détecté dans ses remparts naturels – consolidés par ses soins – quelques menues lézardes invisibles à l'œil nu... mais apparentes avec ses premières lunettes. Mais ça, Paule l'ignore. Et c'est en toute innocence que, dûment rassasiée, elle remet sur le tapis le sujet miné :

– A propos, je ne t'ai pas dit qu'Ophélie entrait à l'hôpital mercredi prochain pour un bilan de santé ultra-complet.

Bien entendu, pour Barth, pas question de manifester un faux attendrissement, une feinte curiosité, un simulacre d'intérêt. Juste une constatation réaliste :

– Une chance que je sois allé à Montréal chercher les papiers de ta grenouille pour la Sécu !

– Tu n'as quand même pas fait ce voyage uniquement pour ça ?

– Qu'est-ce que tu en penses ?

Elle n'ose y croire. Mais elle ose douter :

– Tu l'as fait pour ça ?

Il esquive à nouveau :

– A ton avis ?

– Je ne sais vraiment pas. Tu es capable de tout. Même du meilleur.

– Mais du pire aussi.

– Alors, pour le Canada, c'est quoi ? Le meilleur ou le pire ?

Trois réponses de Barth :

La première : un sourire... parfaitement indéchiffrable.

La deuxième : sous la table, une pression de ses jambes sur celles de Paule... parfaitement explicite.

La troisième : cette inconvenance... parfaitement exquise :

– J'ai l'impression qu'on va prendre le dessert au lit. Je me trompe ?

Une seule réponse vient à Paule. Mais pas sur ses lèvres. Au creux de ses reins.

CHAPITRE IX

– Ophélie, ma grenouille, ma princesse lointaine, mon lys, mon cactus... dépêche-toi un peu... sinon je vais t'appeler « mon omnibus » ! Tu ne l'aurais pas volé : un arrêt toutes les dix secondes et un centimètre de biberon à l'heure ! Allez ! Un petit effort ! Dans trois jours tu vas avoir droit à une révision complète... Et avant, je vais t'offrir un bol d'air normand, celui que je respirais à ton âge. Ça ne m'a pas mal réussi, non ? C'est vrai, quoi, elle tient bien le coup, ta grand-mère : trois heures de sommeil et allègre comme une crevette sortant de l'eau ! Eh oui ! trois heures : tu m'as réveillée à sept. J'étais rentrée à deux et me suis endormie à quatre ! Mais ne rouspète pas ! Je ne te reproche rien. Ce n'est pas ta faute... Pour une fois. Pas la mienne non plus ! Quoique... Oui... n'aie pas peur, je vais te raconter. Mais bois un petit coup... Oui... comme ça, tu es mignonne... mignonne...

Paule esquisse un bâillement. Elle tente une pause silence mais, en représailles, Ophélie la menace immédiatement d'une nouvelle grève de la tétine. Alors Paule repart, un peu moins allègre :

– Où en étais-je ? Ah oui ! Je sais : ma nuit ! Pendant deux heures, je n'ai pas arrêté de me retourner dans mon lit. Impossible de fermer l'œil. J'étais furieuse contre moi. J'avais été contente de retrouver Laura souriante, un livre à la main, montant la garde devant la porte ouverte de ta chambre... enfin, de la mienne ! Elle n'avait pas eu à intervenir. Tu n'avais pas bronché depuis mon départ. Elle est partie. Je me suis couchée. J'étais rassurée. Fatiguée. J'aurais dû plonger sans problème dans les bras de Morphée. Seulement voilà, je venais de quitter ceux de Barth et j'avais des souvenirs plein le corps. Et quels souvenirs... nom d'un chien ! Je ne sais vraiment pas ce qui nous a pris ! A croire qu'à la place des brochettes les Raymondes nous avaient refilé de l'ectasy ! Dieu sait qu'on a déjà eu Barth et moi quelques moments d'anthologie... Mais « ça », jamais ! C'était... un... comment définir « ça » ? C'était... c'était incroyable ! Oui, incroyable ! C'est le mot juste : jamais je n'aurais cru que nous étions capables de « ça ». Pas plus lui que moi ! Des fantaisies, par-ci par-là... oui ! Bon ! D'accord ! Des abandons... Des audaces même... je veux bien ! Mais pas « ça » ! De tels gestes... De tels mots... De tels paroxysmes ! Quand je pense qu'on a été jusqu'à... je me demande comment j'ai pu... Il fallait vraiment que je ne sois pas dans mon état normal... Et lui non plus... Forcément, lui non plus... « Ça », ça ne peut relever de la course en solitaire ! Pour grimper à ces hauteurs, il faut être encordés ! On n'est peut-être pas des passionnés, mais en tout cas, on fait bien semblant ! Je ne vois vraiment pas ce que les vrais passionnés peuvent faire de plus ! Et ressentir en plus ! Il m'a fallu un de ces courages pour me lever ! Pourtant, la tommette, ça n'incite pas au prélassement. Eh oui, Ophélie, ne me regarde pas comme ça : la tommette ! On était par terre, dans la salle de bains. On avait plané et on était retombés là, sans bien savoir comment. On n'en finissait pas d'atterrir. C'était rude. C'était doux. C'était froid. C'était brûlant. C'était... incroyable, je te dis ! Je n'arrivais pas à me détacher de lui. Ni lui de moi. Je n'arrivais pas à quitter « nous deux ». J'avais l'impression qu'on ne revivrait jamais « ça ». Lui, Barth, il est sûr que si. Pas toutes les fois, non. Et surtout pas en essayant. Parce que « ça », ça ne se commande pas. « Ça », ça ne se prépare pas. « Ça », ça vient ou ça ne vient pas. Mais quand c'est venu une fois, selon Barth, ça doit revenir. D'ailleurs, lui, il était beaucoup moins épaté que moi par notre prestation. Il a toujours pensé que j'en étais capable. Toujours pensé que j'étais une « luronne contrariée ».

Cette expression date de leur première rencontre.

Enfin... ce qu'elle a cru être leur première rencontre. En fait, lui l'avait déjà vue trois fois, sans qu'elle le voie. Elle lui avait tout de suite plu. Beaucoup plu. Et pour cause ! Elle correspondait exactement au seul type de femme qui l'attire vraiment et qui est très peu répandu : la mince qui peut bouffer n'importe quoi sans grossir ! Que voulez-vous ? Tous les goûts sont dans la nature : elle, elle ne pouvait pas aimer au-dessous du mètre quatre-vingts ; lui, pas au-dessus des cinquante kilos ! Mais ce qui compliquait le cas de Barth, c'est qu'il ne supportait pas les femmes perpétuellement au régime, les grignoteuses, les allégeuses, les affolées de la calorie. Non, il les voulait gourmets, gourmandes, torcheuses de plat et lécheuses de sauce. Il les voulait à la fois avec le ventre plat et la panse pleine. Inutile de vous préciser que ça ne se trouve pas sous l'aiguille d'une balance ! C'est simple, les statistiques sont formelles : cinq pour cent seulement de la population féminine répond à ce critère. Or Paule appartenait – et appartient toujours – à ces cinq pour cent là !

Il l'a repérée d'abord dans un restaurant de spécialités périgourdines. Déjà, le Périgord... ce n'est pas la direction recommandée aux accros de l'œuf dur-salade ! D'emblée, il a été très impressionné par le confit d'oie que Paule dévorait sans complexe. Mais il a été définitivement séduit quand elle s'est levée et qu'il a cherché en vain tout au long de sa longue silhouette le moindre soupçon de graisse.

Il l'a croisée à nouveau quelques mois plus tard dans un autre restaurant. Libanais, celui-là. Or, le Liban, vous le savez, c'est comme le Périgord. Question bouffe, évidemment ! Cette fois, quand il l'a reconnue, elle était debout devant la table réservée aux desserts. Ainsi il a eu une vue panoramique à la fois sur l'exiguïté de son tour de taille et le volume des pâtisseries au miel qu'elle avait mises dans son assiette. Dans un premier temps, il s'était amusé de la compatibilité rarissime entre le produit de l'abeille et la taille de guêpe ! Dans un second temps, plus sérieux, il s'était dit : « Celle-là, il me la faut ! » Malheureusement, ils étaient accompagnés l'un et l'autre et, en dépit de son esprit inventif, Barth ne trouva pas le moyen d'établir avec elle un contact discret. Fataliste, il pensa que le hasard, en mettant par deux fois cette sylphide sur son chemin, avait un projet les concernant, et donc qu'il s'arrangerait pour qu'ils le réalisent.

Et, en effet, le hasard entêté se pointa à Deauville, un samedi de mai dans la halle au poisson, devant l'étal d'Odile Hébert.

Paule était là, seule, à l'extrémité droite. Barth était là aussi. A l'extrémité gauche, flanqué de Rodolphe, l'homme à la crinière blonde de « Crins bleus » auquel le liaient amitié et intérêt.

Dissimulé derrière son complice, Barth enregistra cette image insolite : les deux mains fines de sa sirène remettant entre les mains rougeaudes de la poissonnière la dernière biographie d'Henri Troyat et le dernier essai politique d'Hélène Carrère d'Encausse. Deux livres qu'il avait lus et sur lesquels il l'entendit émettre des opinions qu'il jugea d'autant plus pertinentes qu'il les partageait.

Cette image renforça bien sûr son intérêt pour la représentante des cinq pour cent qui, à troisième vue, était de plus en plus à son goût.

Du coup, il estima qu'elle valait mieux qu'une drague banale – au demeurant susceptible de ne pas être couronnée de succès – et que sa conquête justifiait – et nécessitait sans doute – une approche plus subtile. Dans cette intention, il chargea Rodolphe, bon client d'Odile, de soutirer à celle-ci des renseignements sur sa conseillère culturelle.

C'est ainsi que, rejoignant Rodolphe après un tour de marché, il apprit l'identité, les activités et quelques traits saillants du caractère de Paule. Il apprit aussi qu'elle vivait à Paris, dans le VIe arrondissement. Seule, depuis que sa fille, injustement chérie, avait déguerpi sans laisser d'adresse, et que son « presque tout » – l'homme à mi-temps de sa vie – avait été emporté brutalement par un infarctus. Rodolphe avait gardé pour la bonne bouche le nom du cher disparu :

Victor Vanneau, le feu mari d'une de ses meilleures clientes ! Quelle aubaine pour Barth ! Le voilà en pays de connaissance. En quelques secondes, sa mémoire lui envoie la fiche signalétique du défunt :

Victor Vanneau : homme de lettres français.

Date de naissance : fluctuante selon les interlocuteurs – autour de 1923.

Considéré comme « l'écrivain à la plume d'or » par son éditeur Marionneau... et par sa clientèle – surtout féminine.

Appelé « le plumitif déplumé » par ses confrères, jaloux de ses tirages.

Marié pendant l'Occupation par devoir à un péché de jeunesse qui lui donna deux filles et involontairement deux sujets de roman : *La Glu* et *La Grosse Erreur*. Ses deux plus grands best-sellers.

Dans le salon de coiffure de Rodolphe, on se délecte des vulgarités et des confidences de Yolande Vanneau. Elle n'a qu'un sujet de conversation : Paule, l'unique objet de son ressentiment. Elle n'arrête pas de vitupérer contre « cette planche à pain qui a mis le grappin sur la planche à billets », « cette sainte nitouche qui n'est qu'une Marie-touche-moi-là », cette « dactylo qui se prend pour une muse » !

Elle pique une crise chaque fois qu'elle tombe dans les journaux sur une photo, prise au cours d'une cérémonie officielle, « du célèbre écrivain avec sa charmante égérie » ; chaque fois qu'elle découvre sur le chéquier de son mari les traces des libéralités royales dont il comble sa favorite ; chaque fois qu'au bout du fil un connard pas au courant – ou un perfide – lui dit : « Allô, Paule ? »

Armé de toutes ces informations, Barth était en position de force pour monter à l'assaut de « Miss cinq pour cent ».

Il l'aborda vers deux heures, sur un coin de plage, un peu au-delà de Deauville, presque désert, où elle bronzait presque intégralement.

Elle s'apprêtait à lire le manuscrit d'un jeune romancier anglais, en vue d'une traduction pour le compte des éditions Marionneau. Comme souvent, elle retardait l'instant de commencer sa lecture. De pénétrer dans l'univers d'un créateur.

Elle rêvassait : première phrase d'un roman. Premier regard sur l'Autre. Première impression : Rejet ? Réticence ? Adhésion totale ? Traduction onomatopéique : Beurk ! Bof... Ouais !

Elle en était là de ses divagations quand elle entendit un homme s'adresser à elle d'une voix chantante, avec une courtoisie peu courante de nos jours :

— Madame, je suis confus de vous déranger, mais verriez-vous un inconvénient à ce que je m'arrête un instant près de vous ?

Paule se redressa.

Premier regard sur l'Autre...

Première impression : « Ouais ! »

Deuxième impression : « Ouais ! Ouais ! Ouais ! »

Dans un mouvement réflexe, Paule s'empara du soutien-gorge de son bikini, qu'elle laissait toujours à portée de main. Mais l'homme interrompit son geste :

— Ne vous gênez pas pour moi, je suis homosexuel.

Paule eut autant de mal à cacher sa surprise que sa déception. Elle se réfugia derrière un léger doute :

— Si c'est vrai, pourquoi m'avez-vous abordée ?

— Pour bavarder, répondit Barth le plus naturellement du monde. Pour aller à la rencontre de quelqu'un.

— Pourquoi moi ? Pourquoi pas un homme ? Puisque...

— Quand il ne s'agit que de parler, je préfère les femmes.

— Il y en a d'autres que moi sur la plage.

— Personnellement, je n'ai vu que des épouses, des mères, des allumeuses et des nymphettes. Pas une femme libre.

— Qui vous dit que je le suis ?

— De toute façon, même si vous avez un mari ou un amant qui traîne quelque part, vous êtes pour le moment une femme seule, pas follement heureuse de l'être, un peu déboussolée, plus en quête d'une âme sœur que d'un corps frère... Encore que...

Surprise par ce diagnostic si juste, Paule ne répondit pas. Alors, il alla pêcher son assentiment avec cette question que, depuis, elle a entendue si souvent :

– Je me trompe ?

– Non, reconnut-elle spontanément.

Il est certain qu'avec un autre homme qui eût été un amant potentiel, elle aurait menti. Pour le moins, elle aurait contourné la vérité, louvoyé, minaudé, emprunté la litote, le sous-entendu, brouillé les cartes, pris des airs d'incomprise, de sphinge, d'offusquée ou d'outragée. Bref, tour à tour fuyante comme une anguille et encourageante comme une chatte, elle se serait pliée consciencieusement aux règles éternelles qui régissent les relations des hommes et des femmes quand ils sont candidats au jeu de l'amour et de ses environs. Mais là, avec cet homosexuel qui n'attendait rien d'elle et dont elle n'avait rien à attendre, pourquoi se serait-elle donné toute cette peine ? Pourquoi, pour une fois, ne pas se laisser aller ? Baisser la garde et ôter le masque ?

Paule l'avait fait sans hésiter. Elle s'était engagée dans ce tête-à-tête – qui ne risquait pas de devenir un corps à corps – avec le cœur nu. Elle avait découvert les voluptés de la franchise. Les vannes s'étaient ouvertes, libérant un bouillonnement de confidences. Lui, paradoxalement, à la faveur de ce déverrouillage, avait découvert une femme verrouillée. Une femme qu'il pressentait être, derrière ses verrous, non seulement différente de ce qu'elle paraissait, mais différente aussi de ce qu'elle-même croyait être. Pour résumer cette impression, il lui avait dit :

– Vous êtes une luronne contrariée.

– Quoi ?

– Vous ne savez pas ce qu'est une luronne ?

– Si, mais...

– Comme il y a des gauchers contrariés qu'on oblige à se servir de leur main droite, vous, vous êtes une luronne contrariée qu'on a obligée à vivre en « Madame Ducoincé ».

Cette fois, Paule s'insurgea contre le nouveau diagnostic. Partiellement. Et honnêtement. Elle ne croyait vraiment pas être une « Madame Ducoincé ».

Sinon elle ne serait pas là, les seins nus, à bavarder avec un inconnu affichant de surcroît des mœurs encore réprouvées par la morale. En revanche, elle acceptait la possibilité d'être une « luronne contrariée ».

Depuis cette première rencontre, il l'avait souvent appelée ainsi. Et hier soir encore, sur les tommettes de la salle de bains, avec cette fois une connotation légèrement égrillarde.

– Tu te rends compte, Ophélie ? Quel toupet ! Il est vraiment mal élevé, ce Barth ! Malappris... Malebête... Malin... Malicorne... Malhonnête... Mâle... Ah oui, ça, de la quintessence de mâle ! Il fallait d'ailleurs qu'il le soit à cent pour cent pour s'amuser à me jouer les homos grand teint, comme il l'a fait. Si encore il avait renoncé à sa petite comédie à la fin du premier jour... Mais non ! Ravi des résultats qu'il avait obtenus avec son stratagème, il a continué. Il m'a roulée dans la farine ! Note bien que je ne lui en veux pas... Du tout ! Grâce à cela nous avons eu très vite des relations privilégiées sans la moindre arrière-pensée... De ma part en tout cas. J'étais confiante, détendue, abandonnée, comme jamais je ne l'avais été. Et je suis tombée amoureuse... comme jamais non plus je ne l'avais été. Au point qu'un soir, moi qui estimais qu'une femme digne de ce nom ne devait en aucun cas faire le premier pas, moi qui étais beaucoup trop entière pour admettre – et même comprendre – la pratique conjointe des transports à voile et à vapeur, moi, la réservée, l'orgueilleuse, la timide, la passive... je me suis littéralement jetée au cou – façon de parler, bien entendu – de ce « sale pédé », comme Carmen sur Don José. La suite, tu la devines... Mais si ! A ton air arsouille, je suis sûre que tu la devines : le monstrueux et roboratif éclat de rire du « sale pédé »... devant ma honte et mes excuses... ses explications... mon ahurissement... mon soulagement... ma fureur... son plaidoyer... ma reddition... sa jubilation... mon espoir... notre plaisir... notre accord... notre commencement !

Ophélie, dans l'extase, a restitué une partie du lait qu'elle a absorbé. Mais paisiblement, sans effort et sans menace, semble-t-il, pour le moment, d'expulser l'autre partie. C'est déjà ça. Paule sait que pour préserver ce résultat, important mais fragile, elle ne doit pas bouger l'enfant, ou alors avec des précautions infinies. « Le salaire de la peur » va être encore au programme ! Heureusement que Barth part pour Deauville dans la Mercedes de Rodolphe. Il n'aurait pas supporté l'allure d'escargot qu'elle va devoir respecter sur la route. Il n'aurait pas supporté non plus cette odeur de lait caillé due aux trop-pleins incessants d'Ophélie. Il n'aurait pas supporté davantage une rage de dents, toujours possible, une crise de larmes, toujours certaine. Ni – ce qui est peut-être encore plus grave – l'incommensurable patience avec laquelle Paule, elle, supportait tout ça. Bref, il n'aurait supporté aucune des contraintes qu'impose aux adultes la cohabitation avec des enfants en général. Et avec Ophélie en particulier.

On dit que par nature l'être humain est essentiellement adaptable. Mais voilà, le comte Barthélemy de Saint-Omer n'est pas un être humain. Il est un oiseau. Il ne s'adapte pas. Au moindre obstacle, devant l'ombre d'une cage, il s'envole. A moins... à moins... qu'une paille ne se glisse soudain dans les rouages si bien huilés de la drôle de machine volante.

C'est ce qui vient de se passer : la grosse voiture de Rodolphe a été volée cette nuit. La petite est à la révision. Tous ses amis – et ceux de Barth – susceptibles de leur en prêter une ou de les véhiculer sont déjà sur les lieux de leur sacro-saint week-end. Or les deux hommes doivent être impérativement à Deauville à treize heures pour un rendez-vous d'affaires très important. Donc, il faut que Paule vienne les chercher au plus vite. D'abord Barth sur les quais – c'est à côté ; ensuite Rodolphe dans le XVIe – c'est sur le chemin de l'autoroute. Il faut, un point c'est tout. Il n'y a pas d'autre solution.

– Mais Ophélie..., lance Paule au bout du fil.
– Ah oui, c'est vrai, j'avais oublié !
– Oublié !

– Mais ce n'est pas grave ! Je vais téléphoner à Laura pour qu'elle revienne chez toi la garder.

Paule invente sur-le-champ une parade avec une assurance qui la surprend elle-même :

– Inutile de téléphoner ! Laura est partie ce matin à la première heure pour la Suisse, chez ses parents.

– Ah, merde !

– De toute façon, je n'aurais pas...

– Attends ! Pas de panique ! Tu n'as qu'à appeler Félix ou Simone.

– Partis également en week-end !

– Et Laurence ?

– Ses petites-filles ont la varicelle.

– Quelle chance ! Elle est sûrement chez elle ! Tu pourrais lui amener la grenouille.

– Pour qu'elle attrape ça en plus ?

– Bof... Autant en profiter... puisque dans trois jours elle sera hospitalisée !

– Barth !

– Ah... je plaisante !

– Je me le demande !

– Et Madame Desvignes ?

– Quoi ?

– Ta voisine !

– Elle marche très mal.

– Et alors ? Ophélie ne se déplace pas du tout.

– Enfin, Barth, tu es complètement fou !

– Bon ! Eh bien, qu'est-ce que tu veux ? S'il n'y a pas moyen de faire autrement, on va l'emmener, ta sultane ! On se débrouillera !

– Mais...

– Allez ! Dépêche ! Je t'attends ! Salut !

Paule raccroche, asphyxiée par une grande bouffée de tristesse : comme elles sont loin, les tommettes de la salle de bains !

CHAPITRE X

Aucun doute : la tribu des Bougredebigre, invisible et omniprésente, a décidé ce samedi matin de prendre Paule pour cible !

Ils ont dû la repérer grâce à la longue-vue du diable, juste après son coup de téléphone avec Barth. Ils se sont dit : « Tiens ! Voilà une femme désemparée : c'est le moment de foncer sur elle. On va bien s'amuser ! »

Ils sont partis en escadrille serrée avec leur arsenal de mauvaises farces et ont atterri en douce dans son appartement. Histoire de se faire la main, ils ont commencé à exécuter leurs tours les plus traditionnels, ceux que tout le monde connaît. Je cite pour mémoire : Cacher un objet dans un endroit où l'on est sûr de ne pas l'avoir posé. Casser un lacet de soulier qui normalement aurait encore dû tenir une bonne quinzaine. Déclencher la sonnerie du téléphone, pour une erreur ou un importun, alors qu'on est en train de se savonner dans la baignoire. Mélanger les tubes dans la salle de bains de façon qu'on se tartine le visage avec un dépilatoire ou qu'on se rase avec un dentifrice...

Paule a eu droit à tout ça avant de claquer la porte de son domicile... en laissant à l'intérieur son seul trousseau de clés, celui où elle s'obstine à réunir les clés de son appartement et celles de sa voiture ! Et ce, en dépit des conseils de Barth qui lui a prédit « qu'un jour, avec ce système-là, il lui arriverait un pépin ! ».

Et voilà ! Le pépin est arrivé ! Aujourd'hui ! Pour la première fois depuis vingt ans ! Les Bougredebigre tiennent vraiment la forme ! Et ils ne sont pas près de la lâcher ! Tout au long de la journée, ils harcèlent Paule avec leurs tracasseries. Jugez plutôt :

10 h 10. Paule se retrouve donc sur son palier avec son sac de ville qui, croyez-moi, n'est pas une minaudière ; son sac de voyage et celui d'Ophélie où elle a entassé, dans l'un comme dans l'autre, n'importe quoi, n'importe comment ; le braille-en-ville du bébé, rempli à ras bord de tous les « au-cas-où-d'urgence », un paquet de couches ; un volumineux colis contenant un engin « qui-cuit-tout-à-la-vapeur » rapporté du Viêt-nam comme cadeau pour sa mère, au grand agacement de Barth qui lui avait signalé qu'au B.H.V. on trouvait les mêmes et moins cher ; à la main le manuscrit envoyé par Gregory Vlasto ; et enfin, dans ses bras, bien entendu, Ophélie oubliée par les Bougredebigre... mais pas pour très longtemps !

10 heures 10 minutes 2 secondes. Paule, ayant pris conscience de son étourderie – et de ses conséquences –, égrène sur tous les tons un chapelet de mots de Cambronne et se demande – comme si c'était le moment ! – de quelle façon, avant que le fameux général ne popularise cette grossièreté libératoire, les bonnes gens exprimaient leur dépit ou leur colère.

10 heures 10 minutes 15 secondes. Paule sonne à la porte de Madame Desvignes... après les Bougredebigre ! Sa voisine s'est réveillée avec un lumbago et lui demande d'appliquer sur ses lombes un peu de ce baume du Tigre, souverain contre les douleurs, qu'elle lui a ramené, également du Viêt-nam. Toujours sous les lazzis de Barth, qui d'une part l'a accusée de spolier, avec ses achats extra-muros, la population laborieuse du XIIIe arrondissement ; et qui d'autre part lui a rappelé que « ce genre de petite "merdouillerie", dont elle est coutumière, finissait toujours par lui attirer des grands "merderons" ! ».

Comment refuser un si menu service à une semi-handicapée qui de surcroît a la gentillesse de garder le double de vos clés ?

Barth saurait, lui. Mais Paule, non. Elle sait seulement, elle, se résigner avec le sourire et agir avec une rapidité foudroyante.

Comme dans un film en accéléré, elle déboule dans la salle de bains-capharnaüm de Madame Desvignes. Débusque le pot de pommade. Le ramène dans le salon-musée. Dépose Ophélie par terre. Couche la vieille dame sur son divan. Retrousse sa chemise de nuit. Pense aux tommettes de la salle de bains de Barth. Etale le baume. Assure qu'il ne faut pas masser mais le laisser pénétrer lentement. Réclame ses clés qui sont... suivez le guide : dans la boîte qui est dans le secrétaire, qui est fermé avec une clé qui est dans le placard à pharmacie, qui est fermé avec une clé qui est dans le vaisselier... qui, lui, est ouvert ! Gagné ! Paule prend ses clés. Ramasse Ophélie. Plante la vieille dame, les fesses à l'air. Repense aux tommettes. S'en va. S'enfuit. Installe la grenouille dans le siège baquet que celle-ci inaugure avec une curiosité heureusement muette. Enfourne les bagages dans le coffre. Met son moteur en marche (oui, sans ratés !). Vérifie son niveau d'essence (oui, ça va). Sort la 205 de l'emplacement étroit qui lui est réservé (oui, sans anicroches !). Est-ce possible ? Les Bougredebigre seraient-ils allés jouer ailleurs ? Non ! Elle ouvre la porte cochère de l'immeuble : une voiture stationne devant !

Coup de klaxon. Coup de gueule. Coup d'œil à la montre. Coup au cœur. Coup d'accélérateur. Couloir d'autobus. Coup de sifflet. Coup de charme. Coût : six cent vingt francs !

10 h 40. Arrivée aux pieds de Barth qu'elle éclabousse en serrant de trop près le trottoir. Dans la perspective de son rendez-vous important, il a ajouté à l'élégance de son costume en gabardine beige le raffinement de chaussures bicolores – fauve et blanc à l'origine – et qui sont désormais uniformément léopard. Il hoche la tête en homme qui ne dit rien parce qu'il y aurait trop à dire. Jette son bagage sur la banquette arrière. Saute dans la voiture. Claque la portière.

10 h 43. Premier grognement d'Ophélie, soucieuse de rappeler sobrement son existence. Paule se retourne et plonge la main dans le braille-en-ville d'où elle sort le hideux mais bien-aimé Monsieur Tourne-boule qui remplit aussitôt son office. Néanmoins, Barth s'impatiente pendant que Paule, suite à sa torsion du tronc, ressent une légère contracture dorsale.

– Démarre, bon sang ! Tu as vu l'heure ! Qu'est-ce qui s'est passé ?

Paule explique :

Un : les clés. Barth : « Depuis le temps que je te le dis ! »

Deux : le pommadage de Madame Desvignes. Barth : « Si tu écoutais ce que je te dis ! »

Trois : la porte cochère bloquée. Barth : « Je te l'ai assez dit que c'était un immeuble pourri ! »

Quatre : la contravention. Barth : « Je te l'ai pourtant dit de te méfier à cet endroit-là ! »

11 h 10. Paule s'arrête devant l'immeuble de Rodolphe. Il est là, fidèle à son image de marque : bleu des santiags à la casquette d'étudiant américain, en passant par les lunettes-hublot, le saphir de l'oreille, le lapis-lazuli de la chevalière, la soie du foulard, le triple fil du cachemire et le cuir de son jean. Bleu comme son label professionnel : « Crins bleus ». Une seule fausse note rompt l'harmonie de ce camaïeu azuréen : les joues du coiffeur qui sont vert colère. Rodolphe tient une laisse, bleue, cela va de soi, dans chaque main. Au bout de l'une, une valise à roulettes, marron, hélas ! – Vuitton oblige ! – et au bout de l'autre, un labrador... noir – personne n'est parfait ! – auquel il a donné le même nom qu'à son salon. Ce qui lui permet, chaque fois qu'il l'appelle, d'offrir une publicité gratuite à son négoce.

11 h 15. Problème à trois données :

Un : la valise de Rodolphe ne tient pas dans le coffre.

Deux : Paule refuse que le chien soit à portée des menottes d'Ophélie.

Trois : le chien, imprévisible en voiture, doit voyager à portée des caresses de son maître.

Solutions :

Un : Barth tasse son bagage malléable sur ceux de Paule dans le coffre en pestant une fois de plus contre le « cuit-tout-vapeur ».

Deux : il s'installe sur la banquette arrière entre le siège baquet d'Ophélie et la valise de Rodolphe !

Trois : à l'avant, le labrador vexé se plie entre les jambes de Rodolphe comme un vulgaire chihuahua.

11 h 55. Rodolphe ouvre sa vitre toute grande :

– Mon chien a besoin d'air... surtout dans un petit espace.

Paule referme la vitre commandée électriquement de sa place :

– Ma petite-fille n'est pas en état de supporter l'air.

Ophélie confirme d'un éternuement. Priorité est laissée à l'enfance. Rodolphe console son chien de cette injustice :

– C'est la vie, mon pauvre vieux : les plus gentils sont toujours les victimes des autres !

Paule a une décharge d'adrénaline :

– Tu sais ce qu'ils te disent, les autres ?

Ophélie coupe la réponse sous la langue de Rodolphe avec un hurlement subit. Renseignement pris dans le rétroviseur par Paule, l'enfant n'a pas obéi à un sens précoce de la repartie, elle a simplement perdu son culbuto magique. Paule souffle à Barth le moyen de maîtriser ce drame naissant :

– Ramasse son Monsieur Tourneboule, il est tombé par terre.

– Il est affreux !

– Elle l'adore !

– Pourquoi ne lui as-tu pas apporté la grenouille que je lui ai offerte ?

– Elle ne l'aime pas !

– Elle n'a aucun goût : ma Madame Crapaudin est superbe !

– Qu'est-ce que tu veux ? Même chez les petites filles, le cœur est con !

Encore un coup des Bougredebigre ! Jamais sans eux deux adultes sains de corps et d'esprit n'en seraient venus à discuter des charmes respectifs d'un culbuto et d'une peluche ! Et jamais surtout un dialogue aussi anodin n'aurait débouché sur un véritable règlement de comptes.

Barth, conscient de cette absurdité, ramasse en silence Monsieur Tourneboule. Au bout de vingt secondes, Ophélie, ravie, le jette à nouveau par terre, puis le réclame avec éclat. Barth repêche le culbuto. Le redonne. Attend – pas longtemps – qu'il soit ré-éjecté. Le re-re-pêche. Le re-re-donne. Ça y est ! Le jeu est lancé. Barth, comprenant que le silence est à ce prix, s'y soumet. Il se contente d'expulser son agacement en déclamant comme un tragédien une phrase de Courteline qu'il a déjà citée dimanche dernier à son demi-frère, à propos de son rejeton : « Le plus clair des effets de la présence des enfants dans un ménage, c'est de rendre complètement idiots de braves parents qui sans eux n'auraient été que de simples imbéciles ! »

12 h 05. Rodolphe se met à crier :

– Arrête ! Arrête ! « Crins bleus » va être malade !

Le temps de garer la voiture sur le bas-côté de la route, le labrador est malade. Le temps de constater les dégâts – *de visu* comme *de olfactu* – et Ophélie se met à hurler, abandonnée par Barth qui, hors de la voiture et hors de lui, essaie de puiser dans une respiration yoga le calme qui lui est nécessaire pour combattre les malignités des Bougredebigre.

12 h 20. Le chien apparemment rétabli, Rodolphe visiblement énervé, Barth exagérément souriant, Ophélie ostensiblement triomphante dans les bras de sa grand-mère, Paule discrètement grimaçante sous la menace de plus en plus présente d'une contracture dorsale, la voiture sommairement nettoyée et embaumant l'« Heure bleue » de Guerlain, le prévisible parfum de Rodolphe, la fine équipe repart... mais dans un ordre différent : à l'arrière, Paule, avec, sur les genoux, Ophélie emmitouflée comme pour une expédition polaire et, devant les jambes, la valise de Rodolphe. A l'avant, Barth au volant ; le labrador le nez à la portière grande ouverte ; Rodolphe, l'œil fixé sur l'aiguille bleue de sa montre.

– On ne sera jamais à Deauville à l'heure. Il faut prévenir Kronoku.

Kronoku est le surnom que Barth a donné au commanditaire japonais de Rodolphe, obsédé de la ponctualité et du rendement.

– C'est avec lui que vous avez rendez-vous ? demande Paule.

– Ben oui, répond Rodolphe, Barth l'a convaincu qu'il fallait décorer mon salon de Montréal dans le même style que ma succursale de Deauville.

– Tu as un salon à Montréal ?

– Je vais l'avoir, puisque Barth m'a déniché un endroit super...

– Lors de son dernier voyage au Québec, je suppose ?

– Evidemment !

Les Bougredebigre doivent bien rigoler en voyant la tête de Paule. Elle qui avait fini par se persuader que Barth avait traversé l'Atlantique uniquement pour lui ramener les indispensables papiers d'Ophélie...

12 h 40. Rodolphe rentre dans la voiture après avoir téléphoné à Kronoku. Celui-ci, fidèle à sa réputation, lui a accordé un retard de trente minutes. Pas une de plus.

– On doit y arriver, dit Barth.

– Il faut qu'on y arrive, rectifie Rodolphe.

– En vie, de préférence, ajoute Paule, les yeux rivés sur le compteur de vitesse.

Le long silence qui suit pèse une tonne de peur et d'irritation. Histoire de détendre l'atmosphère, Barth lance sa recommandation favorite dans toute situation difficile :

– N'oubliez pas qu'en plus, il pourrait pleuvoir !

Cinq minutes plus tard, il pleut. En rideau. Rodolphe est obligé de remonter sa vitre. Presque aussitôt, la voiture est envahie par une odeur spécifique. De celles que l'on feint d'abord d'ignorer et dont très vite chacun soupçonne son voisin d'être responsable. Paule met fin à ce suspense olfactif :

104

– C'est Ophélie, annonce-t-elle. Il va falloir la changer.

– Pas question ! Pas le temps ! répondent en chœur les deux hommes.

– C'est ce qu'on va voir ! leur rétorque Ophélie... dans le seul langage qui soit à sa disposition : le cri.

Comme ces messieurs n'ont pas l'air de comprendre, Ophélie insiste dans une tessiture plus aiguë. Paule traduit en simultané :

– Elle ne supporte pas d'avoir les fesses souillées.

Ophélie confirme et signe.

Barth met la radio très fort.

Ophélie crève le mur du son.

« Crins bleus », affolé, se met à aboyer.

La bataille des décibels bat son plein (c'est bien le cas de le dire !) dans une fragrance de champ d'épandage. L'épreuve est rude pour les oreilles et les nez des occupants de la 205. Ophélie en sort une fois de plus gagnante : Barth s'arrête sur une aire dite de repos et qui devient pour eux une aire de cauchemar.

Paule sort de la voiture courbée en avant pour protéger le bébé de la pluie. Elle ne peut pas se redresser. Barth vient à son secours avec un parapluie trouvé dans le coffre, derrière le « cuit-tout-vapeur », et bien sûr le braille-en-ville.

Le labrador, lui, se déplie sans difficulté et, grisé par l'air pur, part en flèche en direction du petit bois avoisinant.

Rodolphe s'élance à sa poursuite et glisse sur le sol détrempé. Question à mille francs : les Bougredebigre vont-ils ajouter une foulure à la liste de leurs méfaits ? Non ! Le figaro se relève sans une égratignure... mais avec un camouflage de boue et de feuilles mortes sur son bel ensemble bleu ! Il est indemne mais complètement ridicule ! Vite ! Vite ! Un caméscope ! Il faut à tout prix garder les images qui vont suivre. Elles seront le témoignage d'un de ces mauvais moments de l'existence qui deviennent au fil du temps les meilleurs des souvenirs. Ils les commenteront plus tard à leurs amis :

– Là, regardez, c'est Rodolphe ! Oui ! C'est lui qui tient le parapluie au-dessus d'Ophélie pendant que Barth est en train de la changer. Tenez ! Là, c'est plus clair : Ophélie est allongée, fesses au ciel, radieuse, sur une des tables prévues pour les pique-niques ensoleillés. Paule est à côté. Regardez ! Elle est agrippée des deux mains à la table et elle indique à Barth les manœuvres à exécuter pour l'opération « fesses au sec sous la pluie » ! Elle avait mal, la pauvre ! Et lui, il était d'une maladresse ! Mais regardez-le donc ! Son air éperdu... et écœuré ! Il vient d'enlever la couche sale d'Ophélie et la tient au bout des doigts en attendant les directives de Paule. Malheureusement elle n'a pas eu le temps de les lui donner. Vous allez voir ! Ne ratez surtout pas ça ! Le chien rapplique ventre à terre. Il happe la couche et saute sur Rodolphe, pour la lui offrir ! Du mauvais côté, bien entendu. On a ri !

Déformation de la mémoire. Ils ne riront que beaucoup plus tard.

Présentement, ils regagnent la voiture, trempés, accablés, haineux. Sauf Ophélie qui, par le truchement cette fois d'un regard malin, dit clairement :

– Chacun son tour d'être dans la merde !

13 h 16. Après un nouvel arrêt pour un second coup de téléphone à Kronoku dont Rodolphe a obtenu un suprême délai d'un quart d'heure, la voiture redémarre. Avale les kilomètres. Grignote les grosses cylindrées. Néglige les panneaux indicateurs. Défie la maréchaussée. Traite le permis à points par-dessus le pneu. Fend les trombes d'eau. Plus Deauville se rapproche, plus Barth appuie sur l'accélérateur, comme un jockey sur les flancs de sa monture au vu du poteau d'arrivée. Enfin, il lève le pied pour aborder l'embranchement sur Pont-Lévêque... Ouf ! Plus que neuf kilomètres... Plus que cinq... Plus que deux... Plus qu'un... Plus que trois cents mètres avant le carrefour qui commande l'entrée de Deauville : le feu est au vert ! Plus que cent mètres : le feu passe à l'orange. Ils y sont : le feu est au rouge. Une Clio y est aussi. Barth s'arrête dans le coffre de la Renault ! Son conducteur en descend avec un sourire fataliste : il est assureur-conseil ! Les Bougredebigre ne reculent devant rien ! L'accidenté, qui connaît son constat à l'amiable sur le bout de la pointe Bic, est du genre à vous mesurer l'égratignure au millimètre et les clauses de réserve à l'aune ! Du genre aussi à se moquer éperdument que vous ayez un rendez-vous urgentissime, un bébé qui crie, un chien qui s'agite, des lombaires en capilotade et un Kronoku déjà prêt à porter ses yens – et ses dollars – à des concurrents qui, eux, seront sérieux et ponctuels !

Rodolphe voit s'envoler son rêve américain : Montréal-New York-Los Angeles-Miami... Son sang d'ambitieux se met à bouillonner dans ses veines de paysan normand. Il décide de mettre le cap sur le Soleil-Levant. Seul. A peine en a-t-il prévenu Barth que, gadouilleux et crotté, il cingle vers le Normandy avec la détermination d'un coureur olympique en espoir de médaille d'or.

13 h 55. Le constat à l'amiable est terminé. L'assureur-conseil est ravi : grâce à ce choc bienheureux, pour lui, il va pouvoir remplacer aux frais de la princesse son vieux pare-chocs pourri et ses deux ailes arrière, embouties par sa faute depuis belle lurette.

A l'intérieur de la 205, on dresse le constat du constat :

– J'ai perdu mon bonus, dit Paule.

– J'ai perdu Kronoku, lui répond Barth.

– Il va falloir trouver un garagiste, au moins pour changer les phares.

– Il faut absolument que je remette la main sur le Japonais.

– Mon dos ne s'est pas amélioré.

– Le temps non plus.

– Odile doit s'inquiéter.

– Rodolphe est sûrement fou de rage.

– Tu me déposes chez les Hébert et je te laisse la voiture.

– Non ! Tu me déposes au Normandy et je te téléphone ce soir.

14 h 05. Paule franchit la grande grille rouillée, toujours ouverte, et le chemin caillouteux qui mène à « La Sabotière », la maison d'Odile. En fait, celle de ses parents, après avoir été celle de ses grands-parents et de ses arrière-grands-parents. Une bâtisse en brique posée sans grâce entre deux prairies plantées de pommiers. Elle évoque par sa conception primaire les dessins des enfants en bas âge. Son seul intérêt aux yeux d'Odile est de pouvoir, grâce à ses trois étages, lui garantir une relative indépendance, tout en gardant un œil sur le reste des occupants de la maison.

– Ici, dit Paule à sa grenouille coassante, tu vas voir, c'est le havre de paix.

C'est compter sans les Bougredebigre...

Paule klaxonne. Une fois. Deux fois. Trois fois. Sans résultat. Elle s'extrait douloureusement de la voiture avec une pensée compatissante pour Madame Desvignes. Frappe à la porte avec le heurtoir, rouillé aussi. Une fois. Deux fois. A la troisième fois, Odile vient lui ouvrir, visiblement déçue de la voir.

– Ah, c'est toi ?

– Eh bien, oui !

– Excuse-moi ! Je croyais que c'était le médecin.

– Le médecin ?

– Mon père vient d'avoir une énième attaque.

– Grave ?

– J'espère !

Aveu dont le cynisme est en droit de choquer n'importe qui. Sauf ceux qui savent, comme Paule, ce qu'a été Emile Hébert pour Odile : un père borné qui n'a rien compris à sa vocation pourtant évidente d'écrivain. Un père intolérant qui a repoussé le jeune professeur de lettres avec qui elle a vécu pendant deux ans en état d'hypnose passionnelle. Un père insensible qui s'est ouvertement réjoui quand elle s'est retrouvée avec sa fille de dix-huit mois et la promesse de son fils dans le ventre, seule, désespérée, démunie, épuisée. Un père intraitable qui n'a accepté de la recueillir que pour mieux l'exploiter, en l'employant comme commise à sa poissonnerie et comme bonne à tout faire à « La Sabotière ». Un père cruel qui, ayant découvert le roman qu'elle avait réussi à écrire en quatre ans, la nuit, l'a brûlé dans le fourneau de la cuisinière.

Ça, moins encore que le reste, Odile ne le lui a pardonné. Il a eu beau, peu après, à la suite d'une hémiplégie, devenir un vieillard pitoyable et elle parallèlement devenir la patronne à la poissonnerie comme à « La Sabotière », il est resté le père haï.

Il le reste au-delà de la mort. Et Odile n'entend pas qu'on lui prêche le pardon des offenses.

— Ta chambre est prête, dit-elle à Paule. Installe-toi avec la petite. Il faut que je remonte auprès de ma mère. Je vais t'envoyer Félix pour t'aider.

— Félix est là ?

— Oui, il a débarqué ce matin. Coincé aussi !

— Le dos ?

— Non ! Les huissiers !

— Félix !

— Il t'expliquera. Je te laisse. Je te verrai plus tard.

15 h. Paule est assise sur une des chaises Henri IV de la grande salle à manger, devant la table non desservie où tout à l'heure Emile Hébert s'est écroulé en buvant son ultime verre de calvados. Elle se sent déplacée dans la maison d'un mort avec sa petite lombalgie ; gênée de son immobilité au milieu des allées et venues de chacun ; honteuse de monopoliser les services de Félix qui a déjà monté sa valise, endormi Ophélie, organisé sa journée.

15 h 10. Dans la 205, conduite par Félix, Paule apprend qu'il a pris rendez-vous pour la voiture à dix kilomètres de là, chez le roi du dépannage : le « Pé Beuziot » et, pour son dos, chez la voisine de celui-ci, une rebouteuse-magnétiseuse dont la réputation s'étend bien au-delà du département : la « Mé Bourdin », dite « la Bourdine », dite encore « la barbue », surnom qu'elle doit à trois poils au menton, partant de trois nævi (dans son cas, le terme de grain de beauté serait mal venu). Selon qu'on la reléguait au rang des charlatans ou qu'on l'élevait à celui des bienfaiteurs de l'humanité, on évoquait à propos de cet ornement pileux le trident du diable ou la Sainte-Trinité.

Félix est de ceux qui croient au pouvoir de « la Bourdine », à la condition expresse qu'il s'exerce sur des gens qui y croient aussi. Et autant qu'elle. Autrement dit : don du ciel, peut-être ; mais influence du psychisme, sûrement. « Tant crie long Noël qu'il vient » : les marchands d'espoir qui fleurissent à notre époque sont tous un peu les héritiers de Villon.

15 h 15. Félix laisse Paule devant le jardin de « la Bourdine » tout au début du hameau et s'en va à l'autre bout chez le garagiste. Au milieu des massifs de fleurs bien ordonnés et des allées bordées de buis fraîchement taillés, Paule découvre non pas les traditionnelles faïences représentant les nains de Blanche-Neige, une cigogne ou un chat, mais des statuettes de la Vierge, de sainte Barbe et d'autres saints qui n'ont pas atteint le vedettariat céleste, Dieu seul sait pourquoi ! Question d'attaché de presse, sans doute.

Dans la salle d'attente, c'est Dieu Lui-même qui vous accueille... en poster, entouré de toute une série de photos où « la Bourdine » est à côté de « Lui ». Après tout, les fans des stars posent bien auprès de leurs idoles, pourquoi « la Bourdine » n'aurait-elle pas posé auprès de la sienne... à Lourdes... à Rome... à Ploërmel... à Saint-Jacques-de-Compostelle. Pour un peu on ne s'étonnerait pas de tomber sur une photo dédicacée : « A Clémence Bourdin, avec mon affectueux souvenir. Signé : Jésus. »

Deux personnes attendent. L'une est une femme d'une cinquantaine d'années, au regard d'une rare acuité. Paule a l'impression de l'avoir déjà vue. Mais où ? Mais quand ? Occupée à fouiller dans sa mémoire, elle ne reconnaît qu'à retardement l'autre personne. C'est, au monde, celle qu'elle n'aurait pas voulu rencontrer : Lucien Blanquetti !

Les Bougredebigre ne lui auront vraiment rien épargné aujourd'hui !

– Chère petite madame ! Quelle heureuse surprise !
– Ça alors ! Mais qu'est-ce que vous faites là ?
– La même chose que vous, je suppose.

– Vous souffrez du dos ?

– Non, du genou. Une chute stupide au golf.

– Ah... vous jouez au golf ?

– Miniature !

– Ah...

– Vous êtes ici sans votre petite-fille ?

– Non. Elle est chez les amis qui me reçoivent.

– Ça vous donne quand même un peu de liberté.

– Pas vraiment.

– Le temps d'un déjeuner demain, non ?

– Non, malheureusement.

– D'un dîner, alors ?

– Non, pas davantage.

Au grand soulagement de Paule, « la Bourdine » apparaît dans l'encadrement de la porte. Curieux mélange d'adjudant-chef et de chanoine ! Elle appelle le premier arrivé. C'est bien Blanquetti. Mais il laisse son tour à la cliente et reprend *in petto* son offensive, dans un frétillement de moustache :

– Peut-être préféreriez-vous que je vous emmène prendre un drink au casino ou au bar de la plage ?

– Non, je vous assure.

– Une douzaine d'huîtres à Trouville ?

– Non...

– Oh ! Je sais ! Une crêpe à Honfleur ?

– Non, n'insistez pas, je vous en prie.

– Vous savez que je vais finir par croire que je vous déplais.

– Non... mais...

– Mais quoi ? Je vous fais peur ?

– Non ! Vous me faites chier !

Jamais, au grand jamais, Paule n'a dit une chose pareille à quiconque. Homme ou femme. Même au faîte de la colère la plus noire. Certes, comme tout le monde, elle a eu envie de le dire. Elle a rêvé de le dire. Mais en étant persuadée que personnellement elle en serait toujours incapable ; qu'*in extremis* le fantôme de la baronne de Sanneseux-Fépas se dresserait devant elle et l'empêcherait de prononcer de tels mots. D'infliger un tel affront à son prochain. Eh bien, elle se trompait. Elle l'a bel et bien dit. Sans bavure. Sans difficulté. Et le pire est qu'elle ne le regrette pas. Ah, ça non ! Il ne l'a pas volé, ce con ! Parfaitement, ce con... excité comme une puce... ou plutôt comme un maso à la vue d'une cravache.

– Oh ! J'adore qu'on me résiste ! Vous êtes la femme qu'il me faut ! J'ai envie de vous. Vous sentez comme j'ai envie de vous ?

Avec l'intention évidente de donner à Paule un probant élément de réponse, il veut saisir sa main... Trop tard ! Elle la lui a déjà aplatie sur la joue.

Paule s'attend à une réaction de dépit ou de fureur. Hélas non ! Blanquetti n'est ni furieux ni dépité. Il est... il est... Elle hésite à le croire : il est comme ce type qu'elle a vu dans un film porno, prêt à ramper sur une planche à clous pour lui lécher les pieds !

Elle l'insulte.

Il l'encourage à recommencer. Il croit – ou il feint de croire – qu'elle est la complice de ses fantasmes. Plus elle le repousse, plus il approche de l'extase. C'est à proprement parler le cercle vicieux ! Il ne manquait plus que ça ! C'est la première fois que ça lui arrive. Et il faut que ce soit aujourd'hui. En pleine campagne. Sous l'œil du Christ ! Aujourd'hui où, handicapée, elle ne peut ni s'enfuir ni shooter dans le vif du sujet ! Elle ne peut que parler, le plus doucement possible, comme à un malade :

– Monsieur Blanquetti, soyez raisonnable... Calmez-vous... Sinon je vais être obligée d'appeler Madame Bourdin à mon secours.

Le nom de la magnétiseuse a les meilleurs effets sur l'exalté fonctionnaire. Il est comme exorcisé. Ses démons le quittent. Il redevient lui-même. Dame ! Il ne faut pas trop en demander.

– Excusez-moi, je me suis un peu laissé aller. Mais c'est votre faute, aussi : vous êtes tellement torride !

– Torride, moi ?

– Je veux absolument vous revoir, Paule.

– Mais moi, je ne veux pas, Monsieur Blanquetti.

– Pourquoi ?

– Parce que je ne joue pas aux mêmes jeux que vous.

112

– Je crois que je n'aurai aucun mal à vous les apprendre.

– Je n'en ai pas envie.

– Dans ce cas, je ne suis pas sectaire, je m'adapterai aux vôtres.

– Non ! Je n'ai pas envie de jouer avec vous. Du tout. A rien.

– Mais enfin... pourquoi ?

– Il vaut mieux que vous n'insistiez pas.

– Ah si ! J'insiste ! Je veux savoir.

– Vous voulez vraiment savoir ?

– Ah oui ! Ça, je suis curieux.

– Eh bien, Monsieur Blanquetti, sachez que vous cumulez cinq choses qui sont pour moi rédhibitoires chez un homme : une perruque, une moustache, deux dents en or, des mollets de coq et une haleine de mangeur d'ail.

Maso dans sa vie sexuelle, Blanquetti serait plutôt macho dans le quotidien. Quand on est une femme, on ne tire pas sur un homme debout. Couché, oui ! Mais pas debout ! Il est vexé. Ulcéré. Suffoqué. Envoyé au tapis.

Un ! Deux ! Trois ! Quatre... Il se relève... mais pour se diriger vers la sortie sans attendre les soins de « la Bourdine ». Elle ne pourrait d'ailleurs rien pour lui. La blessure d'amour-propre dont il souffre ne se soigne qu'avec l'élixir du docteur Revanche, et encore... Même ainsi traitée, il en ressentira longtemps des élancements.

Sur le pas de la porte, Blanquetti ouvre déjà le flacon de la potion apaisante :

– Vous me le paierez, dit-il. Et cher !

Toute à son soulagement d'être débarrassée de son tourmenteur, Paule ne s'inquiète pas de la menace. A la réflexion, elle trouve cette histoire plutôt drôle... et instructive. Maintenant, elle saura que ça n'arrive pas qu'aux autres... ou que dans les films ! Elle imagine la tête de Félix quand elle va lui raconter ! Et celle de Barth ! Elle sourit... Enfin un peu de répit...

Elle prend un magazine. Le feuillette distraitement. Soudain, ses yeux s'accrochent au titre d'un article.

Elle cherche le nom du signataire. C'est une femme : Bernadette Anglet. La psy dont Simone lui a parlé. Déclic de la mémoire : Paule sait maintenant où elle a vu la femme au regard perçant qui attendait avec Blanquetti : à la télévision. Dans un débat sur la psychanalyse des nourrissons.

CHAPITRE XI

Depuis que Paule a déposé Barth hier devant le Normandy, au terme de leur voyage apocalyptique, il s'est volatilisé : pas d'appel de lui chez Odile. Pas de réponse à ceux de Paule chez Rodolphe.

Habituée à ce genre d'éclipses en général dues chez lui à des accès d'hypolibertémie (chute du taux d'indépendance dans son sang), Paule ne s'en est pas inquiétée, sûre qu'il réapparaîtrait sans prévenir, à un moment ou à un autre, comme si de rien n'était.

Et, de fait, il réapparaît le dimanche après-midi, devant la grille de « La Sabotière », au volant d'une voiture de location. Mais pas comme si de rien n'était.

– Paule n'est pas là ? demande Barth à Odile, accourue à son coup de klaxon.

– Non, elle est allée déjeuner chez sa mère avec ses deux paquets cadeaux : Ophélie et le cuit-tout-vapeur.

– Elle y est encore ? A cinq heures !

– Non, après elle avait rendez-vous chez « la Bourdine ».

– L'illuminée !

– Ne dis pas ça ! Paule l'a trouvée hier tellement efficace qu'elle y est retournée aujourd'hui avec Ophélie.

– Pourquoi ? « La Bourdine » soigne aussi les sangsues ?

– Elle a, paraît-il, un pouvoir apaisant.

– Tu n'y crois tout de même pas, toi ?

– En tout cas, une psychologue pour enfants s'y intéresse. Une certaine Bernadette Anglet qui s'est installée dans la région et que Paule se propose de consulter pour Ophélie.

Un soupir ironico-réprobateur de Barth :

– Elle n'est pas sortie de l'auberge !

Réponse ironico-provocatrice d'Odile :

– Toi non plus !

– Ah si ! Moi, j'ai déjà un pied dehors, et si Paule continue comme ça, j'aime autant te dire que je ne tarderai pas à avoir les deux.

– Il vaudrait mieux le lui dire à elle.

– Je suis revenu à Deauville uniquement pour ça.

– Tu en étais donc parti ?

– Oui, figure-toi... un quart d'heure après y être arrivé !

Oui ! Un quart d'heure ! Le temps d'apprendre par Rodolphe, furieux, que Kronoku s'était envolé dans son avion personnel en direction de Genève ; de s'enquérir des horaires d'avion en partance pour cette ville et de louer la voiture qui l'avait conduit à Orly dans le délai souhaité.

– Pourquoi n'as-tu pas téléphoné à Paule de l'aéroport ?

– Pas eu le temps !

– Et de Genève ?

– Pas eu envie !

– Pourquoi ?

– Le Japonais m'a imposé un régime sucré-poivré que j'ai très mal supporté.

En clair, Kronoku, suave, avait estimé que ce cher Rodolphe, si talentueux, « si délicieusement français », manquait encore de maturité pour s'exporter et qu'en conséquence ce serait lui rendre un mauvais service que de lui offrir une succursale à Montréal. Ensuite, doucereux, il avait avoué « à son grand regret » que les résultats des salons, parisien et deauvillais, « ne correspondaient pas à ses espérances » et qu'il ne pourrait se permettre de poursuivre une collaboration, enrichissante, certes, mais pas sur le plan financier. Enfin, carrément sirupeux, il avait fixé – au prix de quel effort ! – la limite de sa patience au 15 janvier suivant : si, à cette date, le label « Crins bleus » n'avait pas réussi à s'imposer de façon évidente sur le marché de la bouclette, il liquiderait l'affaire, la mort dans l'âme, bien entendu.

Sorti de l'amer sirop Kronoku, Barth était tombé au bout du fil sur l'acide piquette de Rodolphe. Mis au courant de la situation alarmante mais pas désespérée, le coiffeur avait accusé Barth de lui avoir fait rater leur rendez-vous deauvillais avec Kronoku « à cause de sa vie privée » ; de l'avoir mal défendu à Genève « parce qu'il avait l'esprit ailleurs » ; et de ne pas avoir encore trouvé l'idée géniale susceptible de promouvoir « Crins bleus », parce qu'« on » lui usait les méninges avec d'autres problèmes.

A l'évidence, les accusations de Rodolphe visaient Paule via Ophélie.

Barth les a ruminées dans son lit toute la nuit et, sous l'éclairage trompeur de l'insomnie, les a trouvées totalement justifiées. Sous le soleil matinal, elles n'étaient plus qu'un peu exagérées. Néanmoins, les actions de Paule étaient à la baisse.

– Ont-elles remonté ? demande Odile.

– Elles fluctuent. Entre moins deux et plus trois !

Moins deux, c'était vers midi en débarquant de Genève. A sa grande surprise, à l'aéroport, il avait croisé Laura Piasson-Liget, que la veille, juste avant leur départ pour Deauville, Paule lui avait annoncé comme déjà partie chez ses parents en Suisse. La baronne de Sanneseux-Fépas, qui ne mentait jamais, lui avait donc menti pour garder sa mouflette !

Barth en avait été exaspéré au point de butiner un peu autour de Laura.

– Avec l'idée de coucher avec elle ? demande Odile.

– Ah non ! répond Barth, catégorique. Jamais sans prévenir !

– Alors pourquoi ?

– Pour savoir si éventuellement j'en aurais envie.

– Et alors ?

– Ben... c'est là que la cote de Paule est remontée à plus trois ! Et que j'ai foncé sur Deauville pour avoir avec elle une explication définitive, le plus vite possible.

– Tu veux l'attendre ici ?

– Non, il faut que je voie Rodolphe. Dis-lui qu'elle m'appelle chez lui dès qu'elle rentrera.

Paule rentre vingt-cinq minutes plus tard. En une heure, elle compose vingt fois le numéro de Rodolphe. Vingt fois elle entend l'horripilante sonnerie du « pas libre ». La vingt et unième fois, elle tombe sur le répondeur. A Odile qui attend près d'elle, Ophélie endormie dans ses bras, elle annonce calmement :

– Une nouvelle éclipse !

Les deux amies, d'un commun accord, renoncent provisoirement à la conversation qu'elles souhaitent avoir. Elles préfèrent la remettre à plus tard, dans le calme de la maison endormie.

Peu avant minuit, elles se retrouvent dans la cuisine de « La Sabotière », de part et d'autre de la grande table de chêne.

– C'est toi qui commences ou c'est moi ?

Un instant, elles ont dix ans. Ou douze. Ou quinze. Ou dix-sept. Elles sont dans la chambre de l'une ou de l'autre. A « La Sabotière » ou à la villa du docteur Astier. Ou sur la plage. Ou dans la cour de récréation. Ou sur les bords de la Touques. De toute façon, loin des oreilles indiscrètes : elles ont tant de choses à se dire ! Des choses futiles, graves, révoltantes, drôles, incroyables et surtout secrètes... si secrètes qu'elles finissent par s'inquiéter : « Tu jures que tu ne le répéteras pas ? – Croix de bois, croix de fer, si je répète je vais en enfer ! » Rassurées par cette pure formalité, elles parlaient, babillaient, bavardaient, causaient... Danaïdes de la confidence, elles ne cessaient de vider leurs cœurs qui ne cessaient de se remplir. Pressées de s'écouter, pressées de se livrer, il en était toujours une pour demander à l'autre :

– C'est toi qui commences ou c'est moi ?

Ce soir, Odile vient de ressortir cette phrase assoupie depuis longtemps dans le tiroir où l'on range les « tu te rappelles quand on était jeunes ? ».

– Commence, toi, dit Paule.

– D'accord ! Ce sera moins long que toi.

En vérité, Odile ne veut pas que ce soit long. Sinon, bien sûr, elle aurait à dérouler des kilomètres d'histoires, d'observations, de joies et de peines refoulées. Mais rien de bien nouveau. Tandis que Paule, elle, a de l'inédit à moudre. Alors Odile condense les faits et réduit les commentaires. Ce ne sera pas la grand-messe des infos de vingt heures. C'est le flash de minuit :

Sur le mariage de son fils qui au bout de trois ans montre déjà de sérieux signes de fatigue, elle dit :

– Les couples d'aujourd'hui c'est comme les machines à laver : ça se déglingue de plus en plus vite.

Sur sa fille qui est maintenant plus douée pour jouer *La Veuve joyeuse* que *Mère Courage*, elle dit, reprenant une expression de sa mère :

– Les mites ne risquent pas de se mettre dans ses cotillons !

Sur la dévouée Marie-Jeanne qui n'arrive pas à comprendre que les petits-fils de sa patronne, une Normande de souche comme elle, puissent s'appeler Amédi et Balou d'Abadiouf et sa petite-fille, Mey-Chen Hébert, elle dit :

– On ne peut pas lui en vouloir : ses sabots ne peuvent pas rattraper le T.G.V. !

Sur sa mère qu'elle a surprise en flagrant délit d'indifférence, plongée dans ses sacro-saints mots croisés devant la dépouille de son mari, elle dit :

– Elle aurait beaucoup plu à Maupassant !

Sur ses trois petits-enfants – les deux noirs et la jaune – qui lui ont demandé ce matin « quand est-ce qu'ils seront blancs comme Ophélie ? », elle dit :

– Ils sont pourtant de la même race, celle des innocents : sublime et tyrannique !

Sur la poissonnerie, enfin, à laquelle fort opportunément sa belle-fille vietnamienne a adjoint la vente de spécialités asiatiques, « made in "La Sabotière" », elle dit :

– Le pâté impérial au secours de la sole normande !
Fable moderne.

Odile arrête là son tour d'horizon. Paule le juge satisfaisant... à l'exception toutefois d'un léger oubli :

– Et toi dans tout ça ?

– Je me shoote aux contes de fées dont je suis l'héroïne comblée.

– Tu ferais mieux de les écrire !

– Ça fait justement partie de mes contes de fées.

Ecrire ! Le rêve d'Odile, le rêve brûlé vif par son père ! Le rêve sans cesse exhumé puis à nouveau inhumé par des circonstances contraires. Le rêve, pourtant pas insensé, pourtant accessible. Paule en a toujours été persuadée et n'a cessé d'espérer qu'un jour Odile pourrait le réaliser. Ce jour-là n'est-il pas arrivé ? La belle-fille d'Odile semble avec le temps avoir pris le poids nécessaire pour la seconder. Sa mère et Marie-Jeanne, libérées des soins constants réclamés par le père Hébert, vont être plus disponibles : ne pourrait-elle pas concilier à présent devoirs familiaux et aspiration personnelle ?

– J'en ai bien l'intention, dit Odile.

Des années et des années de feinte résignation sont venues crever dans cette phrase et lui donnent des allures de défi. La joie sincère de Paule n'en est pas freinée pour autant.

– J'en suis vraiment contente pour toi !

Dans un geste de reconnaissance, Odile prend les deux mains de Paule au-dessus de la table, les serre très fort, puis les lâche presque aussitôt : les moments d'attendrissement de la Normande sont toujours brefs et suivis en général d'une brusque plongée dans le réalisme. C'est le cas à présent :

– Malheureusement, toi tu ne vas pas pouvoir concilier, comme moi, devoirs et rêves.

Paule fronce le sourcil, hésitant sur le sens de cette phrase.

– Tu veux dire quoi au juste ?

– Qu'il va te falloir choisir entre Barth et Ophélie.

– Enfin, Odile, ne me parle pas de choix ! Pas toi ! Comment veux-tu que j'abandonne un petit bout de chou qui n'a plus que moi ?

– Ce n'est pas ce que Barth te demande.

– Si ! Le confier à une étrangère équivaudrait à l'abandonner !

Odile se lève et va appuyer son front sur le haut de la haute cheminée. De dos, elle lance à Paule par-dessus son épaule :

– Alors, confie-la-moi ! Moi je ne suis pas une étrangère.

Réflexe de Paule : refus net et immédiat. Après seulement viennent les justifications... filandreuses.

– Je ne vais pas t'imposer cette charge, juste au moment où...

– En dehors de moi, il y a quatre femmes dans la maison. Elles pourraient garder Ophélie à tour de rôle, et moi superviser le tout.

– Si c'était une enfant ordinaire... oui... peut-être... Mais hélas... et puis ta mère... n'est plus toute jeune... Marie-Jeanne est un peu rustique... Quant à ta fille et à ta belle-fille... elles ne sont déjà pas très maternelles avec leurs gosses...

– Je pense qu'à cinq on devrait quand même pouvoir maîtriser le problème !

– Je t'assure que tu ne te rends pas compte...

Odile se retourne, revient à la table, s'y arc-boute sur ses deux poings fermés et va chercher avec son regard celui de Paule.

– Je me rends compte que Barth a raison, dit-elle sèchement. Tu disjonctes complètement avec ta mouflette !

Ce reproche venant d'une femme comme Odile qui s'est sacrifiée si longtemps à sa progéniture, sans récriminations, ébranle forcément Paule. Elle commence à se défendre, pour la forme, puis se laisse peu à peu convaincre de mettre Ophélie en pension à « La Sabotière ». Avant de céder complètement, elle sollicite encore une approbation :

– C'est vraiment ce que tu ferais, toi, à ma place ?

– Si c'était pour garder un Barth dans ma vie, oui, sans hésitation.

Paule, en souriant, accuse une fois de plus son amie d'avoir un faible pour l'oiseau des îles. Odile ne l'a jamais nié... tout en reconnaissant avec lucidité les inconvénients inhérents à ceux qui, comme lui, ne sont pas des modèles de série.

– Pour les hommes c'est comme pour les appartements, dit-elle à Paule, le « hors normes » a toujours été très cher. Le problème est de savoir pour toi s'il vaut ce qu'il coûte, en déception et en énergie.

– Ça dépend des moments.

– Et... en ce moment ?

– L'idée de le perdre m'est insupportable.

– Alors, fais ce qu'il faut pour le garder. Sinon...

– Sinon quoi ?

Cette fois, c'est Paule qui force Odile à la regarder.

– Sinon, il pourrait chercher ailleurs.

– C'est ça qu'il t'a chargée de me transmettre cet après-midi ?

– Disons que... il ne m'a pas vivement recommandé de te le cacher. Ni de te cacher qu'il avait rencontré malencontreusement ce matin à Orly Laura Piasson-Liget et qu'il s'était senti... vulnérable... un instant. Juste un instant...

Un instant qui va jouer parfaitement le rôle d'avertisseur. Attention, danger ! Préparez le barda de la combattante : un moral d'acier, une indulgence à toute épreuve, des compliments en bandoulière, des sourires de rechange pouvant s'adapter à n'importe quelle situation et, bien entendu, la tenue de campagne : descendant jusqu'aux chevilles et fendue jusqu'aux cuisses !

C'est ainsi armée que Paule, répondant à la très aimable invitation téléphonique de Barth, va le rejoindre chez Rodolphe le lendemain matin... après s'être assurée néanmoins que le secteur ophélien est calme.

Le secteur barthien l'est tout autant. L'adversaire se prélasse dans ce qui fut leur « champ d'amour ». Selon une tactique bien connue, Barth attaque le premier pour éviter d'être attaqué :

– Je suis désolé pour le contretemps d'hier soir. Le chien de Rodolphe a décroché le téléphone. On ne s'en est aperçu qu'au moment de partir. Et il était trop tard pour que je t'appelle.

– Ne t'inquiète surtout pas ! Le chien d'Odile avait lui aussi décroché l'appareil et tu n'aurais pas pu me joindre !

Barth apprécie visiblement cette esquive.

– Bien joué ! s'écrie-t-il en tendant à Paule des bras quémandeurs. Tu mérites une récompense.

– D'accord ! répond-elle, faisant semblant de ne pas comprendre ses intentions. Comme récompense, raconte-moi ta soirée.

– Bien volontiers ! s'écrie-t-il, faisant semblant, lui, de ne pas être déçu.

Et sûr de marquer un point, il ajoute :

– J'ai passé ma soirée avec la femme du grand-père d'Ophélie.

Paule met bien deux secondes à décoder :

– La femme de Peter ?

– Oui, Anna Murray elle-même !

Elle était venue à Deauville seule, pour assister à une vente de yearlings. Elle y a fait la connaissance de Rodolphe, traîné là par une de ses clientes. Elle l'a trouvé très sympathique et lui a proposé de la rejoindre au casino le soir même. Le coiffeur a immédiatement lancé Barth sur cette piste qui lui semblait digne au moins d'être étudiée. Le « hors normes », bien sûr, au seul nom de l'ancienne rivale de Paule, s'est précipité. Il ne le regrette pas. Sa soirée a été très joyeuse et peut-être très fructueuse. Madame Murray l'a déjà invité dans leur propriété vaudoise, située non loin d'un établissement où son mari va de temps en temps... reprendre des forces. Comme en ce moment, justement. Barth compte y aller la semaine prochaine, pour y « travailler », bien entendu. Ce qui consistera à s'infiltrer dans le réseau des relations du couple Murray, à y séduire des personnes influentes susceptibles de rendre des services à d'autres personnes, de sa connaissance celles-là, qui seront prêtes de leur côté à ne pas se montrer ingrates. C'est ce genre d'activités qui a permis à Barth de s'intituler sur sa carte de visite, avec un rien de provocation, « entremetteur de luxe ». Déjà hier, grâce à Nanou – Madame Murray –, il a rencontré quelqu'un qui pourrait lui être éventuellement très utile, entre autres pour Rodolphe.

– Une femme, précise-t-il, avec la très nette intention de titiller la curiosité de Paule.

– Qu'est-ce qu'elle fait ?

– C'est une « mandarine ».

– Mandarine ?

– Féminin néologique de « mandarin » : personne qui exerce un pouvoir absolu dans son domaine.

– Et quel est son domaine ?

– La presse féminine américaine et ses satellites européens.

– Ce n'est pas Helga Schuller, par hasard ?

– Si ! Comment la connais-tu ?

– Par la rubrique « potins mondains » de différents magazines.

– Tu as vu sa photo ?

– Sans doute, mais je n'ai pas fait très attention. A quoi ressemble-t-elle ?

– A un S.S.

– Ah bon ? Elle est... virile ?

– Non ! Sadique !

– Comment le sais-tu ?

– Tous ses bijoux sont en forme de fouet et de chaîne de vélo !

– C'est de la provocation.

– Non, une bande-annonce.

Barth croyait bien avec cette révélation réveiller les mânes de la baronne de Sanneseux-Fépas, voir sa mine horrifiée et entendre ses exclamations indignées. Eh bien non ! Que voit-il ? Un visage de petite fille éblouie par un cadeau du père Noël ! Et qu'entend-il ? Ceci :

– Que c'est drôle comme coïncidence ! J'ai rencontré hier le même genre de spécimen !

Le portrait de Blanquetti par Paule et le récit de leur affrontement chez « la Bourdine » sous le poster de Jésus-Christ enchantent Barth... et l'inspirent !

Ah ! Cher Lucien ! Ah ! Chère Helga !

Quel dommage ! Vous ne saurez jamais de quelles appoggiatures subtiles vous avez enrichi le traditionnel duo pour pipeau et triangle joué dans sa partition classique par deux instrumentistes en pleine possession de leurs moyens ! A l'instar des bien-portants qui apprécient mieux leur santé en voyant un malade,

Paule et Barth transcendent leur saine libido en évoquant les complications des vôtres !

Il leur est plus doux de retrouver le paradis par les mêmes moyens – innocents et conçus pour – qui jadis l'ont fait perdre à Adam et Eve... après avoir imaginé les arcanes que vous êtes obligés d'emprunter pour arriver à un résultat analogue, quoique pas comparable.

Paule et Barth s'émerveillent du pouvoir magique de leurs corps nus ; des étincelles qui jaillissent sous leurs doigts ; des feux qui s'allument sous leurs bouches ; des gouffres qui s'ouvrent sous leurs souffles. Sans truquages ! Sans accessoires ! Sans artifices ! Rien dans les mains ! Rien dans les bottes ! Tout dans la peau... et dans le cœur !

Notez qu'ils ne vous critiquent pas. Ils ne vous plaignent pas non plus. Ils seraient plutôt prêts à vous remercier de leur avoir permis de s'élancer sur le tremplin du diable pour exécuter leur saut de l'ange. Mais en vérité, ils vous ont complètement oubliés au fil de leur lente escalade.

Malheureusement, la descente est plus rapide.

En atterrissant, Paule bute sur la pendule en haut de laquelle Ophélie, exsangue, en statue du commandeur, l'interpelle : « Alors, grand-mère indigne, on se prélasse pendant que je trépasse ? » Comme éperonnée par les aiguilles qui indiquent douze heures quarante-cinq, Paule pique des deux vers la salle de bains.

A cent lieues de sa motivation, Barth s'inquiète sincèrement :

– Ça ne va pas ? demande-t-il en haussant le ton à cause des bruits d'eau.

– Si ! Mais tu as vu l'heure ?

– Oui ! Ce n'est pas grave ! Ils nous attendront. Ils ont l'habitude avec moi. Ils ne font jamais de soufflé !

– Qui, « ils » ?

– Mon frère et ma belle-sœur !

– Tu déjeunes chez eux ?

– Nous déjeunons.

– Mais je ne peux pas, moi.

– Pourquoi ?

– A cause d'Ophélie !

– Qu'est-ce qu'elle a ?

– Rien... mais elle dormait quand je suis partie ; maintenant elle doit être réveillée et Odile est au marché avec les autres.

Sans être vraiment affolé, Barth s'émeut tout de même un peu :

– Elle est toute seule ?

Heureusement, Barth ne voit pas Paule hausser les épaules. Malheureusement, il perçoit très bien son ton condescendant :

– Non, elle n'est pas seule : Madame Hébert est là.

– J'ai mal entendu. Tu veux fermer les robinets et répéter ?

– Attends ! J'arrive !

Il attend. Elle arrive, déjà tout habillée. Elle répète ce qu'elle a dit. Il raisonne tranquillement

– Si Madame Hébert est avec Ophélie, où est le problème ?

– Ce serait trop long à t'expliquer.

Paule se penche pour l'embrasser. Elle se retrouve fermement ceinturée contre lui.

– Voyons, mon ange, tu sais bien que je ne vais pas te laisser sortir sans savoir où est ce fichu problème. Si tu ne veux, ou tu ne peux me le dire, je vais chercher, moi.

Et il cherche, avec une apparente bonne volonté. Finalement, il ne le trouve que dans la tête de Paule qui, non contente d'imaginer le pire, s'obstine à imaginer que personne d'autre qu'elle ne peut le surmonter. Pas plus Madame Hébert que Laura, ni que toutes celles qui s'approchent de « sa » progéniture :

– Attention ! s'exclame-t-il, propriété privée. Grand-mère méchante ! Je me trompe ?

– Oui, pour une fois, tu te trompes.

– Alors, prouve-le-moi et viens avec moi à Beuvron.

– Pas aujourd'hui.

– Je suis désolé, Paule, mais comme tu es pressée je vais être obligé de recourir à l'ultimatum : c'est aujourd'hui ou jamais. Je te donne une minute pour répondre.

– Ce n'est pas la peine, j'ai déjà décidé.

– C'est-à-dire ?

– Si, à l'issue de son hospitalisation, le bilan de santé d'Ophélie ne révélait rien de grave, je la mettrais comme tu le souhaites chez une mamybis.

– Promis ?

– Juré ! Odile a eu la gentillesse de se proposer. Et j'ai accepté.

L'explosion de joie de l'oiseau des îles est telle qu'elle réduit en poussière rose la nébuleuse grisaille qui embrumait la décision de Paule.

La perspective de ses lendemains qui vont chanter sans « l'intruse » fait envisager à Barth son aujourd'hui solitaire avec plus d'indulgence. Certes, il aurait aimé que Paule l'accompagne à Beuvron, qu'elle déguste avec lui un des nombreux trésors de la cave d'Ulysse, une des dernières inventions culinaires de Pénélope ; qu'elle inaugure avec lui la nouvelle piscine chauffée qu'ils ont installée dans l'ancienne grange ; qu'elle participe à la parodie de conseil d'administration auquel son frère et lui vont se livrer, prétexte pour eux à échanger entre deux éclats de rire des idées au sujet de la fabrique de jouets qu'ils ont héritée de leurs parents, dont Ulysse est l'efficace gestionnaire et Barth l'inventif coopérant. Oui, il aurait bien aimé : ç'aurait été une de ces délicieuses parenthèses de la vie où l'on prend le temps de le voir passer. Mais bon ! Ce n'est que partie remise... Alors, Barth laisse Paule s'échapper sans plus de récriminations : il ne va pas se montrer mauvais joueur alors qu'il a gagné !

Paule retrouve la perdante, vociférante et trépignante... dans la chambre du mort où l'inconsciente Madame Hébert l'a emmenée, avec l'espoir de la calmer en soufflant et rallumant devant elle les flammes des cierges funéraires !

Paule est bien contente d'être revenue. Bien contente que sa mouflette s'apaise assez vite dans ses bras. Bien contente d'aller la promener dans la vieille poussette d'un des petits-enfants de la maison, sur les sentiers de campagne qu'elle a arpentés jadis avec Odile. Bien contente de s'asseoir au bout d'une heure sur un talus, bordant un pré à vaches. Bien contente de voir la moufflette s'endormir, de veiller sur son sommeil, en chassant les mouches, en couvrant ses jambes avec son gilet, quand le soleil disparaît. Bien contente ! Bien contente ! Bien contente !

Jusqu'au moment où Paule a mal aux fesses, où elle a froid, où les mouches l'emmerdent et où elle s'ennuie à périr !

Jusqu'au moment où elle pense qu'elle pourrait être avec Barth dans un de ces divans profonds pleins d'odeurs légères, ou dans une piscine chauffée, ou même sans lui, n'importe où dans le royaume des adultes si injustement décrié ! Tiens ! Ne serait-ce qu'à son bureau en train de travailler sur le manuscrit que Gregory Vlasto lui a confié et qu'elle n'a pas eu encore le temps d'ouvrir !

Le soir, dans sa chambre de « La Sabotière », seule avec l'exigeante Ophélie, Paule, si près et si loin de Barth, prend distraitement le manuscrit. Mais elle s'y accroche aussitôt qu'elle en découvre le titre, abusivement de circonstance : *La Raison du moins fort...*

CHAPITRE XII

– Allô, je suis bien chez Monsieur et Madame Murray ?

– Oui, madame.

– Je voudrais parler à Monsieur de Saint-Omer, s'il vous plaît.

– Certainement, madame. Ne quittez pas.

Paule, au bout du fil, entend le bruit d'une conversation relativement proche puis, après quelques instants, la voix, assez sèche, de Barth :

– Allô, qui est à l'appareil ?

– Quelqu'un qui s'ennuie terriblement de toi.

– Ah ! C'est vous, Madame Desvignes... Je pense que vous me téléphonez pour me donner les résultats de l'enquête ?

– Tu veux me rappeler à un moment où tu seras seul ?

– Non, pas du tout. Je vous écoute. Mais je vous demanderai d'aller à l'essentiel. Je suis assez pressé.

– Bon ! Alors, je résume ?

– S'il vous plaît !

– Intolérance au gluten. Allergie aux protéines du lait de vache et fragilité des bronches.

– Rien de grave, en somme ?

– Non, le docteur Carpentier était content. Néanmoins...

– Dans ces conditions, vous allez pouvoir envisager le transport du colis à « La Sabotière » dans les meilleurs délais.

– Il faut quand même attendre un peu. Les derniers examens ont eu lieu cet après-midi. Je vais chercher Ophélie demain matin.

– Eh bien, disons dimanche. Ça fera deux jours et,

comme je serai là-bas, nous pourrions rentrer dans votre voiture à Paris ensemble.

– Mais, Barth, ce n'est pas possible ! Il faut compter au moins une semaine pour voir comment la mouflette va réagir à son nouveau régime.

– Mademoiselle Odile Hébert pourra très bien suivre l'affaire sur place.

– Obligatoirement moins bien qu'à Paris où le docteur Carpentier...

– Pardon de vous couper, Madame Desvignes, mais je n'ai pas le temps de discuter : mes amis m'attendent pour aller à Genève.

– A Genève ?

– Nous allons dîner chez les Piasson-Liget.

– Les Murray les connaissent ?

– Non, justement !

– Mais...

– Bien sûr ! Comptez sur moi pour présenter votre bon souvenir à Laura.

– Qu'est-ce qu'elle fait là, celle-là ?

– Elle attend, comme moi, que vous ayez réglé le litige en cours.

– Mais, Barth, ça ne dépend pas de moi !

– Ah si ! Vous avez pris des engagements. Il ne tient qu'à vous maintenant de les tenir. Et si vous ne les tenez pas...

– Barth !

– J'espère donc à dimanche ! Au revoir, chère madame !

Epreuve de force !

Chantage déloyal !

Deuxième ultimatum en quatre jours !

Egoïsme dépassant les limites autorisées par le code du savoir-vivre !

Insensibilité caractérisée !

Tels sont les chefs d'accusation reprochés à Barthélemy de Saint-Omer et qui lui valent d'être condamné par le juge Paule Astier à une peine de relégation à vie... néanmoins compressible en cas de très bonne conduite et commuable à tout moment en relations strictement amicales.

L'accusé ne pourra interjeter appel de ce jugement qui prendra effet à la seconde même de son énoncé : le jeudi 24 septembre à dix-neuf heures quinze.

Et voilà ! Le juge est soulagé : il était temps de mettre fin aux agissements d'un individu sans foi ni loi qui abusait de son ascendant sur une femme jusque-là sans défense !

Le juge est content de lui : il ne s'est laissé influencer ni par les coups de gueule ni par les pleurnicheries de l'avocat de la défense : le célèbre Maître Condecœur ! Il n'a pas retenu comme circonstances atténuantes le fait que Monsieur de Saint-Omer n'est pas un homme, mais un oiseau. Pas un modèle de série, mais un hors normes !

Le juge pavoise ! Et, pour fêter sa victoire, le juge va se taper des cerises à l'eau-de-vie ! En attendant de se taper le premier mec qui va passer à portée de sa main ! Tiens ! Celui qui vient de sonner à sa porte ! Cochonne qui s'en dédit !

Manque de chance, ce n'est pas un mec, c'est Flora Desvignes ! Elle ne vient pas prendre des nouvelles d'Ophélie. Elle vient d'en avoir par Félix, qui les tenait de Simone Bellarian, qui les tenait du docteur Carpentier lui-même. Amis de Radio-Potins, bonjour !

L'animatrice-vedette de la station, Flora Desvignes, poursuit dans le salon de sa charmante voisine sa fameuse émission : « A bâtons rompus, pas toujours sur le dos de quelqu'un ! »

– Votre amie Laurence, commence-t-elle, a pris cet après-midi un congé exceptionnel pour cause de désespoir. Elle est venue ici pour pleurer dans votre giron et, comme vous n'étiez pas là, je l'ai invitée à s'épancher dans le mien !

Paule devine tout de suite qu'il s'agit des deux petites-filles de Laurence – sa seule raison de vivre depuis son veuvage. Des jumelles de douze ans, dont l'innocente Laurence aimait à vanter l'étonnante maturité. Par jugement, la double irresponsabilité parentale ayant été reconnue, elles ont été confiées peu après leur naissance à la garde de leur grand-mère. Un nouveau jugement, demandé récemment par leur génitrice – la bru de Laurence –, vient de laisser aux deux fillettes la possibilité de choisir entre la dévouée Laurence et leur mère... qui vit depuis un an en concubinage notoire avec un tenancier de bar toulonnais, proxénète à ses heures. Evidemment, les deux gamines n'ont pas hésité une seconde : ciao Sarcelles ! salut Toulon ! Les sirènes de la Méditerranée, promettant bikini et « vraies distractions de jeunes filles », n'ont eu aucun mal à couvrir la voix du cœur qui parlait de devoir, de tablier et de marelle !

L'exemple de ces deux écervelées mène en droite ligne Flora Desvignes à la rubrique des faits divers. Elle en extrait quelques-uns, parmi les plus sordides :

La malheureuse rentière, étranglée par son petit-fils avec un bas de soie, à seule fin de lui dérober son bas de laine !

Le pépé paralytique, mort de faim et de froid dans une grange attenante à la ferme dont il avait fait donation à ses petits-enfants !

Le patriarche d'une famille nombreuse vivant dans une solitude si complète que ce sont des voisins qui ont découvert son corps en décomposition, un mois après qu'il se fut suicidé !

La mémé malvoyante, à qui sa petite-fille chérie a extorqué une signature au bas d'une lettre qu'elle lui a présentée comme étant une pétition sans importance et qui était en fait une « décharge en cas d'euthanasie »...

A l'énoncé – non exhaustif – de ces horreurs, Madame Desvignes affiche la même volupté que Frankenstein à la vue du sang. Toutefois, elle y ajoute aujourd'hui une touche d'amertume qui lui est inhabituelle. Paule en comprend vite la raison :

– J'ai appris ce matin par hasard, dit la vieille dame, dans le carnet du jour du *Figaro*, que j'étais depuis un mois pour la vingt-septième fois arrière-grand-mère !

– Vingt-sept fois ! s'écrie Paule qui n'a jamais vu ni

entendu un bambin chez sa voisine de palier. Ni un adolescent. Ni un jeune couple.

– Oui, vingt-sept fois ! C'est très facile à calculer : j'ai eu trois fils qui ont eu chacun trois enfants qui ont eu chacun trois enfants. Ça fait vingt-sept !

– Et personne ne vient vous voir ?

– Si ! Mes trois fils qui établissent un roulement pour surveiller mon état de santé et vérifier que je ne suis pas en train de dilapider leur héritage avec un gigolo.

L'idée de la respectable Madame Desvignes en proie à des étreintes mercantiles, parfumées au baume du Tigre, ne peut susciter chez Paule qu'un scepticisme courtois qui se lit sur son visage.

– Vous ne croyez pas, hein, que j'ai un gigolo ?

– Pas vraiment.

– Vous avez raison ! J'en ai quatre !

– Quatre !

Curieusement, la distinguée Madame Desvignes a soudain un rire de vieille pute.

– Parfaitement, quatre. Deux veufs. Deux divorcés. Quatre qui m'ont aimée « du temps que j'étais belle ». Mon dernier carré : les quatre dernières personnes à qui je peux dire encore : « Tu te souviens ? » Quatre qui ont assez d'argent pour ne pas guetter le mien !

– Je ne les ai jamais vus.

– Ils se déplacent encore moins facilement que moi. Alors, c'est moi qui vais les voir. A tour de rôle.

– C'est donc ça vos pèlerinages au cimetière ?

– Tout juste ! En vérité, je vais leur rendre visite dans leur confortable résidence du troisième âge. Je les appelle mes « Hesperide's lovers ». Ce sont eux ma famille. C'est grâce à eux que je survis. Pensez-y, ma petite Paule ! Je n'aime pas beaucoup votre métèque mais, pour votre avenir, il vaut quand même mieux miser sur lui que sur Ophélie.

– Pourquoi me dites-vous ça ?

– Parce que malgré ma proliférante descendance il n'y a qu'à vous, une étrangère, que je peux transmettre ce que je sais !

Aussitôt après le départ de la vieille dame, Paule reçoit un coup de téléphone d'Odile. Elle non plus ne demande pas des nouvelles d'Ophélie. Elle vient aussi d'en avoir. Mais elle, par Barth !

– Il t'a appelée de Suisse ? demande Paule.

– Juste après t'avoir eue. Il m'a tenu au courant de... votre différend. Il voulait savoir ce que j'en pensais, en tant que mère et en tant que femme. Et quand il a su, il a insisté pour que je te le répète.

– Ce n'est pas la peine, je sais ce que tu penses. Tu me l'as déjà dit, l'autre jour, dans la cuisine de « La Sabotière ».

– Exact ! J'ajoute simplement deux choses. La première : plus longtemps tu garderas Ophélie auprès de toi, plus ce sera dur pour toi de t'en séparer. La seconde : le coup de téléphone de Barth m'a prouvé qu'il tient à toi plus que tu ne le penses et sans doute plus qu'il ne le pense lui-même. A mon avis, ça mérite considération.

Bien entendu, ce con de cœur, déjà revigoré par les propos de Flora Desvignes, se requinque encore davantage avec le témoignage d'Odile. Il réclame la révision du procès. Le juge s'accorde une suspension de séance :

– Et toi, comment ça va ?

– J'ai commencé à écrire !

– Ah ! Quelle chance ! Ça part bien ?

– Comme du lait qui déborde !

– C'est un roman ?

– Ça sera.

– Tu as déjà le titre ?

– ... Euh... non !

– C'est quoi comme sujet ?

Question attendue. Réponse toute prête. Servie sans bavure :

– Ecoute, Paule, je te le promets, tu seras la première à qui je parlerai de ce bouquin... Mais seulement quand il sera terminé. Si déjà j'arrive à le terminer. Avant, je t'en supplie, ne me pose plus aucune question ! Laisse-moi rêver... ou désespérer... seule !

C'est une aventure, un pari, un combat entre moi et moi. Je veux que personne ne s'en mêle. Il faut que tu le comprennes.

Justement, Paule a du mal à comprendre. Et pour cause : elle a partagé la vie de Victor Vanneau qui, lui, appartenait à la race des écrivains « communicatifs ». Ceux qui ont besoin de s'écouter penser et qui à chaque page noircie sollicitent l'avis – c'est-à-dire l'approbation – de leur entourage. Bien sûr, elle sait que certains des confrères de son grand homme couvaient au contraire leurs œuvres dans le mystère total. Elle regrette bien qu'Odile ait l'air d'appartenir à cette catégorie-là. Elle aurait aimé suivre de bout en bout cet accouchement littéraire tant de fois différé et y participer un peu – ne serait-ce que par ses encouragements ! Pour être très honnête, elle estime même que ce privilège amical lui revenait de droit : un premier roman est presque toujours autobiographique et elle est prête à parier que celui d'Odile n'échappera pas à cette règle. Or Paule a été impliquée dans tous les épisodes de la vie de son amie. Elle doit donc normalement faire partie de son livre. En sa qualité de témoin, ne pourrait-elle pas se rendre utile ? En sa qualité de personnage, ne mérite-t-elle pas d'être mise au courant ? De savoir si elle va retrouver d'elle un duplicata fidèle... ou une image déformée par le prisme de la création ?

Paule se sent à la fois frustrée et flouée. Elle tente de l'expliquer à Odile mais, dès les premiers mots, celle-ci la coupe :

– Excuse-moi, Paule, je ne peux pas m'attarder. J'ai promis à Barth de le rappeler, si possible avant qu'il ne passe à table... chez les Piasson-Liget.

– Il s'inquiétait donc tant que cela de ma réaction ?

– Eh oui !

Ce con de cœur exulte ! Encore un petit effort et il va obtenir le non-lieu ! Le juge hésite. Il finit par opter pour le sursis :

– Dis à Barth que je ne prendrai ma décision définitive que dimanche matin.

Deux jours ! Paule a deux jours pour choisir entre

Barth et Ophélie. Car au bout du compte, sans hypocrisie, c'est bel et bien de ce choix-là qu'il s'agit.

Le lendemain matin, l'oiseau des îles part gagnant. Indiscutablement Paule a été influencée par l'histoire de Laurence, les confidences de Flora Desvignes, l'intervention d'Odile. Et aussi, toujours sans hypocrisie, par la franchise de Thérésa qui s'est écriée en la voyant sortir de la salle de bains fraîche et pimpante :

– A la bonne heure ! On vous retrouve depuis que la petite n'est plus là ! Avec elle vous ne vous ressembliez plus de nulle part !

Mais à l'hôpital la moufflette regagne presque tout le terrain, avec le concours bénévole de l'infirmière qui la remet à Paule en lui disant :

– Regardez ce bout de chou, comme elle est heureuse de vous revoir !

Sur les marches de l'hôpital, dans les bras de Paule, c'est en Félix qu'elle trouve un allié de poids. Félix venu jouer les saint-bernard, comme il y a vingt-cinq ans, à Londres, avec toujours le même rêve en tête et toujours aussi – hélas ! – ces vingt centimètres qui lui manquent ! En son honneur, Ophélie joue l'orpheline reconnaissante avec des sourires proprement irrésistibles. D'ailleurs, Félix n'y résiste pas. Paule non plus. Sur le chemin du retour dans la voiture, elle déballe ses perplexités :

– Tu sais, c'est terrible de se sentir responsable d'une vie !

– Pas d'une vie ! De six !

– Comment six ?

– La vie d'Ophélie, celle de Barth, la tienne : ça fait trois. La mienne, celle de la femme qui m'espère et du bébé qu'elle prévoit : ça fait six.

Le ton mi-figue, mi-raisin de Félix justifie la question de Paule :

– Tu plaisantes ou quoi ?

– Pas du tout !

– Tu « fréquentes », comme dirait ma mère ?

– Effectivement ! Je « fréquente » une femme bourrée de fric, de complexes, de déceptions, de générosité... et de somnifères ! Une femme qui m'a sorti in extremis d'un dépôt de bilan auquel la crise allait m'acculer et que j'essaie de sortir d'un bilan affectif très déficitaire.

– Tu la connais depuis longtemps ?

– Depuis très longtemps de loin. Depuis trois mois de plus près.

– Pourquoi ne m'en as-tu jamais parlé ?

– Parce que tu la connais et que tu ne la portes pas dans ton cœur. Et elle non plus.

Paule, qui en général suscite aussi peu d'antipathie qu'elle en éprouve, cherche immédiatement la femme en question parmi le clan Vanneau. Elle lance à tout hasard le nom de la fille cadette de l'écrivain. Celle qui la détestait le plus :

– Annabel Vanneau ?

– Bien vu ! Sauf qu'elle est en train de divorcer et qu'elle s'appelle encore Annabel Montpeyroux.

– Le promoteur ?

– Oui. Il construit des maisons et il détruit des vies.

– Et toi tu répares ?

– Pour le moment, je colmate.

– Qu'est-ce que tu attends pour faire davantage ?

– Figure-toi que mon con de cœur attend la décision du tien.

– Mais Félix...

– Ne perds pas ton temps à discuter avec lui ! Moi, il y a plus de vingt-cinq ans que je l'engueule... et tu vois le résultat !

Oui, Paule voit : un homme adorable, prévenant, tendre, patient... qui fait soudain bien de l'ombre aux brillances de Monsieur de Saint-Omer.

Mais au fil de la journée les gens et les choses lui redonnent son éclat et insensiblement mais inexorablement poussent Paule dans sa direction.

Il y a d'abord l'incontournable Flora Desvignes qui, comme Thérésa, la félicite sur sa mine reposée et qui ajoute :

– Je ne voudrais pas vous affoler mais, vous savez, les années avec enfant pour les femmes, c'est comme les années de guerre pour les hommes : ça compte double !

Dans le même ordre d'idées, il y a Simone Bellarian à qui elle vient d'acheter « un petit somnifère léger » et « un petit complexe vitaminé ». La pharmacienne la met en garde :

– Paule ! N'entrez pas dans le circuit calmant-remontant, ça va finir par une déprime !

Et puis Laurence, qui entre deux sanglots se permet en grande aînée de la prévenir :

– Ne perds pas de temps, crois-moi, à partir de quarante ans ça va plus vite parce que ça va en descendant !

La grande Catherine la tire dans le même sens mais d'une autre façon en lui annonçant :

– Monsieur Marionneau passe définitivement la main le 31 décembre. Comme prévu, vous êtes sur la liste des licenciés. Si ça peut vous consoler, moi aussi !

Le samedi, les coups d'éperon se renouvellent.

Il y a au courrier du matin la lettre de Gregory Vlasto qui la rappelle gentiment à l'ordre : « Chère Paule, je crains que vos "activités annexes" ne vous aient obligée à traduire *La Raison du moins fort*... un peu hâtivement. Je vous demande donc si vous auriez le temps d'apporter à votre mot à mot les corrections qui à tête reposée vous paraîtront, j'en suis sûr, aussi nécessaires qu'à moi. D'autre part, je me sens de plus en plus fatigué. Et donc de plus en plus pressé de savoir si mon fauteuil de P.-D.G. doit vous espérer. Et si oui, quand ? »

Il y a également Madame mère qui, en bonne Normande, a fait les comptes : entretien d'Ophélie plus soins d'Ophélie, multiplié par absence de Sécurité sociale, moins manque à gagner, multiplié par chômage galopant, multiplié par goût du travail, égale : folie de refuser un emploi inespéré. Total auquel Paule ajoute mentalement : impossibilité de garder Ophélie.

Il y a enfin la mouflette qui travaille contre elle-même tout au long de la journée, en remettant sans arrêt – et maintenant sans raison – son ancien disque, composé du répertoire intégral de « la grande-duchesse de tout-m'est-dû ».

Alors, forcément, le dimanche matin...

– Allô, Barth... J'arrive !

CHAPITRE XIII

Paule vient de livrer à « La Sabotière » Ophélie avec son mode d'emploi, son braille-en-ville, son Monsieur Tourneboule et seulement une partie de ses vêtements, étant convenu qu'elle apportera le reste – si tout va bien – dans une semaine... à moins que d'ici là, bien sûr, il n'y ait un problème et qu'Odile ne l'appelle. Avec le répondeur et l'interrogateur à distance, elle est joignable à chaque instant.

Bien que cette idée la rassérène, elle se félicite d'avoir préféré finalement retrouver Barth ce soir à Paris plutôt que tout de suite à Deauville. C'est bête à dire mais elle aurait été un peu gênée de passer directement des menottes de l'une aux bras de l'autre, un peu comme une femme adultère pourrait l'être de passer sans transition du lit de son mari à celui de son amant. Ces quelques heures en terrain neutre ne seront pas inutiles à Paule pour que s'estompe l'image de sa mouflette. Pour le moment elle s'est inscrite sur son pare-brise dès le départ de « La Sabotière » et elle n'arrive pas à l'en déloger.

– Allons ! Fiche-moi la paix, Ophélie ! Ne me regarde pas comme ça ! Je n'ai vraiment pas besoin de ton œil réprobateur pour me sentir coupable. Barth te le dirait : comme certains fabriquent du cholestérol en ne commettant que peu d'excès, moi je fabrique des scrupules en ne m'écartant que très peu de la morale. Je m'y efforce en tout cas. A vrai dire, je fais ce que je peux avec les gènes et le caractère qui sont les miens ; avec un âge qui est le mien et avec les circonstances qui me sont imposées. Bien sûr, si j'avais l'âme d'une sainte, le corps d'une matrone et la tête d'une gargouille... Si je n'avais pas Barth dans ma vie, si je n'y tenais pas autant ou si lui était exactement le contraire de ce qu'il est... Si je n'avais pas besoin de travailler ; si on ne m'offrait pas une chance professionnelle à saisir dans l'immédiat... Si j'avais la vie devant moi, comme je l'avais quand ta mère est née... bien sûr ! Si... si... si... il n'y aurait pas de problème : je serais ta bouée. Tu serais ma raison de vivre. Malheureusement – ou heureusement ? – j'ai d'autres raisons de vivre... incompatibles avec toi. Tu es l'innocent obstacle. Pauvre mouflette ! Pourvu qu'Odile ne soit pas trop rude avec toi et que son roman ne la rende pas trop distraite ou impatiente ! Pourvu que ses trois petits-enfants ne hurlent pas trop près de ton berceau ! Pourvu que sa mère ne confonde pas tous tes médicaments ! Pourvu que Marie-Jeanne veille à ce que le chien ne monte pas jusqu'à ta chambre ! Pourvu qu'« ils » pensent à fermer ta porte ! Non ! C'est idiot ! Pourvu qu'« ils » la laissent ouverte... afin de t'entendre au cas où tu aurais encore un de ces horribles spasmes qui m'ont terrorisée... Sinon tu étoufferais... pour de bon...

Paule est sur le pont d'Oissel, à mi-parcours entre Deauville et Paris, quand cette pensée tombe directement de sa tête sur son plexus :

– Ah non ! Non ! Non ! Ophélie ! Pas ça ! Je ne me le pardonnerais jamais. Je ne le pardonnerais jamais non plus à Barth. C'est vrai que tu n'es pas ma raison de vivre. Mais tu pourrais être ma raison de ne plus exister. Ce ne sont pas des mots en l'air, tu sais. Ce sont des mots qui ont germé dans la terre de mon enfance. Des graines semées par mon père... que lui-même avait récoltées chez le sien. Eh oui, je sais bien, ça nous remonte à la guerre de 14 ! Que veux-tu, j'ai du Verdun dans mes veines ! C'est quand même moins nocif que de l'héroïne ! Même Barth que ça fait rigoler et qui n'est pas un parangon de passéisme le reconnaît. D'accord, en ce moment ça m'empoisonne un peu la vie. Mais tu n'y peux rien et moi non plus : Verdun, ça fait aussi partie de mes paramètres ! De toute l'œuvre de Victor Hugo, mon grand-père, le docteur Charles Astier, n'avait retenu qu'un seul vers mais qu'il répétait tout le temps : « L'œil était dans la tombe et regardait Caïn. » Sa citation préférée était : « On n'est heureux et fort que dans l'enceinte de sa conscience. » Et le seul écart de langage qu'il se soit autorisé à la table familiale se résumait à cette question menaçante : « Et l'âme, bordel ? » Il faut que je me débrouille aussi avec ça. Sans quoi, là non plus il n'y aurait pas de problème : le 14 septembre dernier je t'aurais laissée repartir de chez moi avec Keran et son saxo, et je n'aurais plus jamais pensé à toi. Seulement voilà, il y a Verdun ! Il y a le grand-père Charles ! Il y a Caïn ! Alors, moi, j'ai ma putain de conscience qui va continuer à se bagarrer avec mon con de cœur !

C'est vertement exprimé, mais c'est justement vu.

Paule sent bien que l'affaire n'est pas close, qu'elle n'a plus Ophélie sur le dos mais qu'elle l'a toujours dans la tête. D'ailleurs, son premier souci en arrivant à Paris est de téléphoner à « La Sabotière ». Mal lui en prend. Odile lui balance un communiqué de guerre dans le genre de ceux qu'envoient les quartiers généraux quand la situation est désespérée mais qu'il faut rassurer l'arrière : « Tout va bien. Rien à signaler. » En plus, Odile lui conseille vivement de ne l'appeler qu'une fois par jour. Et à un moment déterminé : à neuf heures du matin. Pour couronner le tout, elle a prétendu que les pleurs perçus par Paule étaient ceux de l'aîné de ses petits-fils ! Comme si une oreille grand-maternelle pouvait confondre les sons émis par un géant de cinq ans avec ceux déchirants d'une poupée de six mois !

En dépit d'un bain lénifiant, d'une série de respirations relaxantes, d'une cassette de Frank Sinatra garantie antistress et d'un zeste de fatalisme démobilisant, Paule accueille Barth avec la conscience hérissée d'épines. L'œil perçant de l'oiseau des îles les détecte aussitôt aux traits crispés de Paule et au bout de baiser qu'elle lui octroie à la place de l'impétueuse accolade qu'il escomptait. Il ne laisse pas une seconde le malaise s'installer :

– Je suis désolé, dit-il, je suis venu en coup de vent, comme promis, mais je ne vais pas pouvoir rester : j'ai rendez-vous dans un quart d'heure.

Séance tenante, la moitié des épines plantées dans la conscience de Paule emménagent dans son cœur :

– Un rendez-vous avec qui ?

– Une ancienne maîtresse.

Les épines restantes rejoignent les premières. Barth précise :

– Que je n'arrive pas vraiment à oublier.

Les épines s'enfoncent. Barth conclut :

– Quel dommage qu'elle n'ait pas voulu m'épouser le 23 septembre dernier !

C'est uniquement l'œil de Paule qui envoie sa réponse :

– Bravo ! J'ai marché ! Tu as gagné, une fois de plus ! Et le pire est que je suis aux anges !

Enchanté par ce message muet et pourtant si explicite qui entérine leur complicité, Barth poursuit le jeu :

– Une fille épatante qui a le cœur à l'envers dès qu'elle me voit et qu'à cause de cela j'appelle... j'appelle ?

– Dagoberte ?

– Exactement ! Tu la connais ?

– Comme si tu l'avais faite ! Tu veux que je te l'imite ?

– Ah oui ! J'adorerais.

Et voilà ! C'est reparti ! Paule se transforme en une Dagoberte conforme en tout point à l'attente de Barth : impatiente, elle se colle à lui et fond de plaisir en le respirant goulûment ; coquette, elle se décolle de lui mais halète de curiosité en s'informant de son séjour helvétique ; experte, elle bée d'admiration en l'écoutant. Barth, lui, transformé en méga-coq, se pousse de la crête.

Primo, il a séduit Anna Murray qui lui a promis d'amener dans les salons de Rodolphe toutes ses amies anglo-saxonnes – en majorité vedettes médiatiques – de passage à Paris ou à Deauville.

Dagoberte applaudit.

Secundo, il a séduit Helga et a conclu avec elle un marché très avantageux pour lui : la promotion de « Crins bleus » dans les journaux féminins qu'elle contrôle contre... Contre ?

Intriguée, Dagoberte donne sa langue au chat.

– Contre Blanquetti !

Dagoberte se pâme.

Tertio, il a séduit Peter Murray... qui a séduit les Piasson-Liget... qui ont invité Kronoku en personne, depuis longtemps séduit par l'inimitable précision de leurs montres. Avec tous ces éléments, il a forcément séduit le Japonais qui le premier a reparlé de la succursale de « Crins bleus » à Montréal et a même envisagé la création d'un autre salon à Genève.

Quarto...

Pour le quarto, Barth quitte ses plumes et redevient lui-même.

– J'ai séduit aussi Laura... qui, elle, ne m'a pas séduit.

– Tiens !

– Pour une raison dont je viens seulement de prendre conscience.

– Laquelle ?

– Elle ne saura jamais jouer à Dagoberte.

Cette fois c'est bien Paule qui se rue dans les bras de Barth. Serrée de toutes ses forces contre lui, elle l'entend murmurer très bas, comme à lui-même :

– Il n'y en a pas beaucoup qui sauraient.

Il est temps que les gestes prennent le relais des mots. Que les corps traduisent les émotions des cœurs. Les mains largement ouvertes de Paule viennent se poser sur le buste de Barth. En prennent possession. L'explorent. Remontent vers le cou : paumes de velours et griffes de chat. Barth, mâchoires crispées, étreint le vide. Paule lui enlève sa cravate et commence à ouvrir sa chemise avec une lenteur qui en temps normal leur rappellerait tout de suite celle avec laquelle Rita Hayworth enlevait ses gants dans *Gilda*. Mais heureusement, ils ne sont pas « en temps normal », ils sont hors du temps et de l'espace, dans une galaxie où l'humour se meurt. C'est pourquoi, au premier bouton... Barth tressaille. Au deuxième bouton... il tressaute. Au troisième bouton... le téléphone sonne ! Paule sursaute et s'immobilise. Juste avant de se lever. Barth la retient par les poignets.

– Ne réponds pas.

Elle se dégage d'un geste nerveux

– Tu es fou ! C'est peut-être Deauville !

Elle n'entend pas dans son dos le soupir agacé de Barth : elle est déjà à l'affût de la voix d'Odile.

– Allô ! Allô !... Quoi ?... Pauvre con !

Elle raccroche et annonce à Barth ce qu'il avait déjà compris :

– C'était un détraqué !

– Comme toi ! Dans un autre genre. Mets le répondeur ! Il va rappeler.

– Je ne peux pas... Si c'était Odile...

– Elle te laissera un message.

– Il faudra que j'écoute pour le savoir. Ça me dérangera tout autant.

Barth renonce à discuter : les zakouski érotiques de Paule l'ont mis en appétit et il n'est pas question pour lui de rester sur sa faim. Déjà que les agapes risquent d'être retardées. Dame ! Les ambiances amoureuses ont ceci de commun avec les soufflés qu'elles ne supportent pas le réchauffé : quand elles sont tombées il vaut mieux passer à un autre plat. Avec des ingrédients nouveaux. Pourquoi pas un peu de piment ? Une pincée ? Ah oui ! Ça semble être une bonne idée. Paule ferme les yeux. Elle s'éloigne de « La Sabotière ». A la deuxième pincée elle est revenue pour ainsi dire à son point de départ. A la troisième pincée... les Bougredebigre – ce ne peut être qu'eux ! – déclenchent la sonnerie du téléphone. Le même scénario que précédemment se reproduit. Toutefois avec trois variantes. La première : quand Paule détale comme un sprinter à la détonation du starter, au lieu de soupirer, Barth dit : « Merde ! » et il enfonce son poing dans les coussins du canapé. La deuxième : ce n'est pas le détraqué que Paule entend au bout du fil, mais Madame Desvignes : elle a égaré son magazine de télévision et aimerait savoir quels sont les programmes de la soirée. Et Paule les lui donne. Lentement. Pour qu'elle puisse bien les noter. Tous ! Ceux des six chaînes ! À toutes les tranches horaires ! Jusqu'à deux heures du matin... en prévision d'une insomnie toujours possible ! La troisième : au lieu d'attendre le retour de Paule sur le canapé du salon, Barth est allé s'installer dans la chambre. Après avoir eu cette idée que mettre le couvert dans un autre lieu constituerait un renouveau fort opportun dans leur situation... et, par là même, augmenterait ses chances d'assouvir enfin sa fringale – par miracle intacte. Celle de Paule se révèle bien apaisée. Comme on le dit dans sa Normandie natale : « Quand le saint est "remuché" [replacé dans sa niche], la fête est passée ! » Ce qui signifie grosso modo : après l'heure, c'est plus l'heure ! Qu'il s'agisse de prier. De festoyer. Ou de faire l'amour.

L'idée de Paule aurait plutôt été d'attendre tranquillement que l'heure revienne en bavardant autour d'un verre et de quelques crevettes, frétillantes encore quand Odile les lui a données avant de partir « en échange d'Ophélie », avait-elle pensé, vu qu'à ce moment-là son humour était relativement vivace. Tout bien pesé, elle fait l'impasse sur les crevettes et tente le bavardage. Dans sa précipitation, elle l'amorce par une question particulièrement inepte :

– Pourquoi t'es-tu déshabillé ?

– Devine !

– Je voulais dire...

– Ne dis rien ! Viens !

– J'aimerais mieux...

– Dagoberte, elle, serait déjà dans mes bras.

Alors... si Dagoberte s'en mêle ! Si Dagoberte, elle, est branchée sur le courant continu... Si elle est, elle, un scout de la sexualité avec tatoué sur les fesses : « Toujours prête », si elle n'a jamais, elle, son saint – ou ses seins – « remuché »... parfait ! Allons-y ! Avanti ! Le genre : plus vite on commence, plus vite on aura fini ! Ce n'est pas l'amour-MacDo. C'est

146

l'amour-sandwich. Encore que l'expression soit impropre dans la mesure où leur échange ne comporte aucun sentiment et dure moins de temps qu'il n'en faut pour dévorer un jambon-beurre. Parler de « coït-Coca » serait dans un certain sens plus convenable. Cette appellation que Paule n'a pas contrôlée plaît bien à Barth. Quoique... il pinaille :

– Le mot « Coca » évoque quelque chose de pétillant qui ne s'accorde pas vraiment à notre prestation.

– Tu as raison. « Coït-Vittel » serait plus approprié.

– Oui... Ou « coït-déca ».

– Beaucoup mieux ! Du café sans caféine : c'est pile ça !

– Grande première pour nous ! Il faut fêter ça ! Qu'est-ce que tu m'offres ?

– Crevettes-Pouilly ? Ça te va ?

– Merveilleux !

Barth fait en sorte que ça le soit : tantôt pitre outrancier, tantôt charmeur délicat mais toujours inventif, il improvise une comédie d'amour très réussie qu'il intitule lui-même : « oral de rattrapage ». Dans le double rôle de partenaire et de spectatrice subtile, Paule montre autant de talent que lui. Quelle belle entente ! Ce serait vraiment dommage que... que le téléphone sonne, par exemple...

C'est dommage, en effet.

Paule court répondre dans sa chambre au bout du couloir.

Il se poste dans l'entrée pour l'écouter.

Ouf ! Ce n'est pas Odile ! Mais c'est Laurence... Grand-mère modèle, désœuvrée, inconsolable, crucifiée depuis le départ de « ses » jumelles, elle prête ses propres sentiments à Paule, privée d'Ophélie. Et comme Paule n'est ni désœuvrée, ni inconsolable, ni crucifiée, qu'elle a encore dans la bouche la saveur des crevettes-Pouilly et dans l'oreille le rire de Barth, elle se sent soudain transpercée par le regard d'Ophélie comme Caïn par celui d'Abel. C'est agacée à l'avance par l'incompréhension de Barth qu'elle quitte la chambre pour le rejoindre. Seulement voilà,

147

il a compris. Il s'est volatilisé discrètement en laissant ce message : « Avec tous les chauds et froids de ce soir, j'ai attrapé un petit rhume de cœur. J'espère que ce ne sera pas grave. Je suis parti le soigner... avec Dagoberte. »

CHAPITRE XIV

Le lendemain matin, nouveau message, cette fois sur une carte de visite très officielle : « Le comte Barthélemy de Saint-Omer est heureux de vous informer que Dagoberte a enrayé son rhume de cœur. Malheureusement, une rechute étant toujours possible, il lui faut éviter à tout prix les sautes de température. »

Ce message était accompagné d'un ravissant bonsaï signalé par une étiquette de fleuriste comme « d'une nature délicate réclamant un entretien vigilant ». Barth tel qu'en lui-même est reçu cinq sur cinq par Paule telle qu'en elle-même...

En conséquence, elle accepte que ses rencontres le soir avec Barth se passent en dehors de chez elle, loin de tout moyen de communication avec « La Sabotière ».

L'oiseau des îles déploie des trésors d'ingéniosité et de charme pour que ces rencontres soient aussi variées que chaleureuses. Il y a quelque mérite car dans la journée Ophélie, de loin, regagne des points sur lui.

Lundi. Au téléphone, Odile s'en tient comme la veille à un laconisme qui se veut rassurant mais qui est pour Paule une mine d'inquiétude. Elle raccroche avec un pressentiment qu'elle reconnaît à la réflexion peu fondé, mais qui n'en est pas moins taraudant. Depuis que l'on répète aux femmes qu'elles sont plus intuitives que les hommes pour ne pas leur dire ouvertement qu'elles sont moins intelligentes, elles se croient volontiers dotées d'un sixième sens, pourvoyeur d'intuitions cent fois plus fiables que les plus solides des raisonnements. Il y a chez chaque femme une voyante qui sommeille. Celle de Paule ne manque

pas de se réveiller à cette occasion. Et quelle vitalité !
Pas une heure sans prémonition ! Toujours la même
au demeurant : « Ophélie a besoin de moi ! »

Mardi. Après le coup de téléphone matinal aussi
peu alarmant que celui de la veille, la prémonition
bat son plein et Paule a toutes les peines du monde à
ne pas rappeler la Normandie dans l'après-midi.

Mercredi. La prémonition est aggravée par un rêve
qui a réveillé Paule au milieu de la nuit, cœur
cognant : Ophélie lui tendait des bras élastiques qui
s'allongeaient... s'allongeaient... et qu'elle n'arrivait
jamais à saisir. La clé de ce songe est si évidente que
même un homme la comprendrait... et que cette fois,
dans l'après-midi, elle retéléphone à Odile. Elle tombe
sur sa mère toujours aussi peu loquace :

– Odile n'est pas là ?
– Non, elle a dû s'absenter.
– Pour combien de temps ?
– Ah ça... Tu avais quelque chose à lui dire ?
– Non, je voulais savoir comment allait Ophélie.
– Comme d'habitude.
– Elle mange mieux ?
– Pareil !

En tout cas, la prémonition, elle, est bien nourrie.

Jeudi. A neuf heures du matin, Odile affirme à Paule
que la nuit a été calme sur l'ensemble du front de
« La Sabotière ». Seulement, elle le lui dit avec la voix
pâteuse en prenant son café... elle qui depuis toujours
se lève avec les poules. Alors vous pensez... la prémonition prospère. Par voie de conséquence, le moral de
Paule s'affaiblit. Elle, qui sous la pression de Barth a
pris rendez-vous avec Gregory Vlasto afin de lui rendre une réponse positive, se sent déjà beaucoup plus
hésitante. Arrivée devant le bureau de la secrétaire,
elle est littéralement aimantée par le téléphone. Elle
s'en empare. Compose le numéro de « La Sabotière »... compte douze sonneries... est sur le point de
renoncer... quand Marie-Jeanne décroche enfin et lui
donne la raison de son attente :

– Je suis toute seule et Ophélie braille tellement
qu'on n'entend rien.

– Qu'est-ce qu'elle a ?

– Rien, elle braille.

– Mais pourquoi ?

– Parce qu'elle est une braillarde... comme toutes les filles ! Mais vous inquiétez donc pas ! On va la mater, votre loupiote ! Elle n'aura pas le dernier mot !

Mater sa mouflette ! Et de quelle manière ? En la battant ? En l'abrutissant de calmants ? En la laissant hurler jusqu'à l'étouffement ?

À côté de ces visions d'horreur un fauteuil de P.-D.G. paraît bien dérisoire... Pour le principe, Paule sollicite auprès de Gregory Vlasto un nouveau délai avant de se décider. Agacé par ces atermoiements – et surtout leur cause –, il le lui refuse. Cependant, comme il tient beaucoup à elle, il lui promet de ne s'engager définitivement avec quelqu'un d'autre qu'après s'être assuré qu'elle, Paule, n'a pas de regrets. Au cas où elle en aurait, il lui donnerait la priorité. Contente de ce sursis, elle se jette à l'assaut de Barth sous l'armure de la voluptueuse Dagoberte. Moyennant quoi, il oubliera – provisoirement – que ce sursis ressemble à une reculade... comme deux gouttes de lait !

Vendredi. Sous l'influence d'un deuxième rêve aussi chargé d'angoisse que le premier, Paule déverse une pluie de questions sur Odile. Celle-ci, en s'y dérobant sous prétexte « qu'elles ont tout le temps de parler demain », rend encore plus crédible la prémonition. Si bien que vers cinq heures elle rappelle « La Sabotière ». Cette fois, elle tombe sur Dan, la belle-fille d'Odile qui – naïveté ou perfidie ? – rassasie sa curiosité : elle est de garde parce que la mère d'Odile et Marie-Jeanne sont épuisées par le ramdam d'Ophélie ; que Juliette, pourtant si paresseuse, aime encore mieux s'occuper de la poissonnerie avec son frère que de rester à la maison.

– Mais Odile ? crie presque Paule dans l'appareil.

– Odile ? Elle est comme tous les après-midi à Honfleur, dans la maison de son futur éditeur, pour écrire son livre au calme !

Paule a envie de sauter sur-le-champ dans sa voiture et de décommander Barth. Mais il a retenu une table – leur table – chez « les Raymondes »... Mais ils se séparent demain, elle pour aller en Normandie, lui à Montréal... Mais elle a, de ce côté-là aussi, une mauvaise prémonition... Alors, elle reste !

Samedi matin. Paule dépose Barth à Orly. Il emporte dans l'avion la bénédiction de Kronoku, la reconnaissance de Rodolphe, son billet de retour pour jeudi et les souvenirs d'une semaine idyllique avec Paule.

Les mêmes souvenirs accompagnent Paule sur l'autoroute de l'Ouest. Mais alors qu'ils sont pour Barth porteurs d'optimisme, ils génèrent pour elle une tristesse infinie.

A « La Sabotière », elle se rend compte tout de suite en retrouvant Ophélie pourtant endormie que sa prémonition n'était pas tellement fallacieuse. Madame Hébert, qui la reçoit pendant que les autres sont au marché, reconnaît avec un sens inné de la litote que « la moufflette pousse moins facilement que le chiendent » mais que « sans son absence d'appétit et son manque de sommeil, elle ne serait pas plus désagréable qu'une autre ! ».

– Et les rougeurs qu'elle a dans le cou ? demande Paule.

– Tiens ! C'est nouveau, de ce matin.

– Et pourquoi ses mains sont enveloppées dans des bandes Velpeau ?

– Elle est tellement nerveuse qu'elle se griffait le visage.

– Vous ne lui donniez pas son sirop calmant ?

– Oh ! Que si ! Je l'ai même fini, juste avant ton arrivée.

– Les deux bouteilles ?

– Oui, il faudrait aller en racheter pour ce soir.

– J'y vais !

Dix minutes plus tard, après un détour par la pharmacie, Paule est dans la halle au poisson, devant l'étal d'Odile. C'est un week-end calme. Les prévisions météorologiques et les réalités économiques pareillement sombres n'ont pas incité les citadins à prendre leur cocktail favori : air pur et vapeurs d'essence.

Odile peut abandonner ses rares clients à ses enfants et à sa belle-fille pour aller dans le bistrot le plus proche bavarder avec Paule. Elles y commandent deux cafés. Paule prend le sien avec un croissant. Odile avec du faux sucre.

– Tu fais un régime ?

– Oui, j'ai perdu deux kilos grâce à Ophélie. Ça m'a donné l'envie de continuer.

– Je pourrai te la prêter de temps en temps, si tu veux, quand tu auras encore du poids à perdre !

En balistique, on pourrait baptiser cela « balle sifflante à tête chercheuse ». Cette balle n'a aucun mal à trouver Odile qui pose sa tasse. S'accoude à la table et fonce dans la discussion :

– Donc, tu as l'intention de reprendre Ophélie.

– Je pense que ça ne t'ennuie pas trop ?

– Personnellement, non ! Elle est beaucoup plus fatigante et accaparante que je ne l'imaginais. Mais pour toi, oui, ça m'ennuie. Enormément. Au point que je suis prête...

– A la regarder dépérir entre deux pages de ton roman et à m'appeler – à heure fixe – pour me dire que tout va bien ?

– Tu aurais préféré que je te perturbe à chaque instant avec mes propres inquiétudes ?

– Ah, ça oui ! J'aurais pu au moins...

– Rien ! A distance tu ne pouvais rien faire. Et si tu étais venue, tu n'aurais rien pu faire non plus ! Tu aurais été aussi impuissante que moi, ma mère, Marie-Jeanne ou Dan.

– Je n'en suis pas persuadée.

– Tu pèches par orgueil !

– Merci ! Barth me l'a déjà dit.

– Ah ! Tu vois !

– Je vois qu'Ophélie va plus mal au bon air de la campagne qu'à l'air vicié de Paris et que je ne peux pas, en mon âme et conscience...

En dépit du bref ricanement qu'a provoqué chez Odile cette expression redondante, la petite-fille de Charles Astier, l'homme de Verdun, persiste et signe :

– Parfaitement ! En mon âme et conscience, je ne peux pas la laisser ici.

– Essaie encore une semaine. Ophélie va peut-être s'acclimater. Et cette fois, je te le promets : je te tiendrai rigoureusement au courant de son état de santé.

– Non... C'est reculer pour mieux sauter.

Le refus est arrivé avec un rien d'hésitation qui permet à Odile d'insister :

– Réfléchis encore vingt-quatre heures. Tu te décideras demain.

Là encore, la réponse de Paule tarde à venir. C'est pendant ce minuscule silence que son attention est attirée au-delà de la façade vitrée du café par une image qui lui apparaît comme un signal du destin. Brusquement, elle se lève en disant à Odile, sans même la regarder :

– Je reviens !

Puis elle s'élance hors du bistrot et rejoint de l'autre côté de la rue Bernadette Anglet en train de farfouiller dans une besace posée sur le capot d'une voiture, la sienne, à côté de deux paniers à provisions surchargés.

– Je peux vous aider ?

La psychologue se retourne sur Paule et fronce le sourcil en personne qui a déjà vu cette tête-là quelque part. Paule ne la laisse pas chercher. Elle se présente, lui rappelle leur fugitive rencontre dans la salle d'attente de « la Bourdine » et, à son grand étonnement, s'entend répondre :

– C'est curieux, pas plus tard qu'hier, Madame Bourdin m'a parlé de vous... et de votre problème.

Le signal clignote de plus belle.

– Pardon de vous importuner... mais j'ai une décision à prendre. Très importante. Très grave même. Et très vite. J'aurais voulu votre conseil. Votre aide.

Le débit haché de Paule, sa voix à la limite de la brisure, la fixité de son regard ont quelque chose de pathétique qui touche la psychologue.

– Si vous me retrouvez mes clés de voiture, dit-elle, et si vous êtes libre, je vous emmène.

Paule lève les yeux en direction du café. Elle voit

Odile en sortir, lui indiquer par signes qu'elle a compris ce qui se passait, puis s'en aller d'un pas rapide vers le marché en croisant les doigts de la chance au-dessus de sa tête. Paule, elle, trace discrètement une croix au creux de sa main ; ce qui correspond à une espèce de fax envoyé à l'ange gardien chef de la tribu des Chouchougnet. Elle ne doute pas que celui-ci le reçoit puisque dans la seconde qui suit ses yeux tombent sur un poireau à la queue duquel une clé est suspendue. Elle la tend à Bernadette Anglet qui, fidèle à sa promesse, lui donne immédiatement son adresse.

– Allez chercher la petite. Et venez, je vous attends.

Située non loin de la maison de « la Bourdine » sur un chemin de terre non signalé, la propriété de la psychologue n'est soupçonnable que par un portail en bois, vert feuillage, dont l'ouverture électronique paraît insolite dans cet univers campagnard. Au bout d'une allée tracée exclusivement par le passage répété des voitures s'élève une curieuse bâtisse sans style, flanquée sur le côté droit d'une tour non moins curieuse, massive, largement vitrée sous son chapeau pointu d'ardoises. Désignant cette partie haute, Bernadette explique à Paule sur le perron où elle l'accueille avec Ophélie toujours endormie :

– Je vous ai vue arriver de mon « mirador ».

– C'est pratique.

– Très ! Et beaucoup moins laid de l'intérieur, vous pourrez vous en rendre compte. Nous y allons. La tour est ma résidence personnelle. Le reste est la résidence des autres. Et celle de mon fils.

– Ah ? Je ne savais pas que...

– C'est à cause de lui que je me suis lancée à corps perdu dans les études de psychologie et que je me suis retirée ici... pour le soigner.

– Il souffrait de quoi ?

La psy profite du premier couinement d'Ophélie pour ne pas répondre et inviter Paule à la suivre à l'intérieur de la tour aménagée en duplex. En bas, une pièce d'archives où sont rangés avec un ordre rigoureux livres d'étude, dossiers personnels et privés ; à l'étage supérieur, le « mirador », avec ses murs arrondis, troués de larges fenêtres cernées en haut par des volumes aux reliures raffinées, en bas par des albums de B.D. Le mobilier est succinct : une grande table de ferme, promue bureau fonctionnel. Y est accolé un fauteuil qui roule, qui pivote, qui monte, qui descend et dont le dossier est basculant ; chef-d'œuvre de commodité conçu par la psy. En face, deux fauteuils sûrement confortables puisque deux chats angoras blancs y ont élu domicile. Plus loin un canapé en rotin qui n'a eu droit qu'à leurs griffes !

C'est là que la psy examine sommairement le corps chétif de la grenouille au coassement menaçant ; prétexte pour elle à tester les réactions de sa grand-mère. Indiquant à celle-ci des rougeurs aux pliures des bras et des jambes du bébé, en plus de celles du cou, elle lui demande :

– Il y a longtemps qu'elle a cet eczéma ?

– Non ! Elle ne l'avait pas dimanche dernier, quand je l'ai confiée à mon amie.

– A quelle heure a-t-elle pris son dernier biberon ?

– Je ne sais pas : elle dormait à l'heure où moi j'avais l'habitude de lui donner.

– Vous en avez un dans votre voiture ?

– Oui, je ne me déplace jamais sans.

– Allez le chercher. Je vais la rhabiller pendant ce temps-là.

– Vous ne voulez pas que je le fasse ?

– Normalement, je devrais pouvoir me débrouiller.

A quelques mètres de sa voiture, Paule voit arriver vers elle une paysanne claudicante qui pourrait être le clone de Bernadette, en un peu plus vieux et en beaucoup plus rustique. Elle est en fait sa sœur Cécile, présentement bouleversée par un incident domestique qui vous a avec elle des airs de cataclysme.

– C'est épouvantable ! dit-elle. Un des chatons de « la grise » a réussi à grimper sur le toit et il n'ose pas en redescendre. Venez vite !

Sans même demander son accord à Paule, elle l'entraîne sur les lieux de la catastrophe, de l'autre côté de la maison, essayant de justifier son affolement.

– Vous comprenez, s'il arrivait quelque chose à cette petite bête, ce serait un drame. Pas tellement pour Frédéric qui, lui, a son noiraud. Ni pour François qui a sa tigrée. Mais pour Christelle qui commence tout juste à s'attacher à « la grise », ce serait terrible ! Heureusement qu'ils déjeunent tous les trois chez « la Bourdine » !

Venant de déboucher sur la prairie située à l'arrière de la maison, Cécile rectifie :

– Ah ben non ! Lui, il est resté ici.

Lui, c'est un jeune homme que Paule aperçoit de dos et de loin en train de peindre devant un chevalet avec un chat noir soudé à son épaule.

– C'est votre neveu ?

– Oui ! C'est notre Frédéric. Notre premier.

– Votre premier quoi ?

– Notre premier rapatrié.

– Rapatrié ? D'où ?

– D'ailleurs.

– Et François, et Christelle en sont deux autres ?

– Oh ! Christelle n'est pas au bout du chemin.

Pressée de revenir auprès d'Ophélie, Paule retient à regret sa curiosité. Elle grimpe à l'échelle déjà en place, déloge de la gouttière le chaton gris apeuré, le remet entre les mains reconnaissantes de Cécile, puis la quitte précipitamment pour prendre le biberon dans sa voiture et remonter dans le mirador.

Quand elle y parvient, six ou sept minutes se sont écoulées... et Ophélie, seulement à moitié rhabillée, a déjà décollé en direction du pot au noir ! Plus intéressée qu'impressionnée par la puissance de ses réacteurs, Bernadette la tend à sa grand-mère avec un calme souverain :

– Au moins, comme ça, dit-elle, nous voilà dans le vif du sujet !

Devant cette femme qui a usé science et patience pour arracher son fils – et d'autres – à leur difficulté d'être, Paule fait sans complexe la démonstration de son empirisme. Moitié Schéhérazade, moitié derviche tourneur, elle se met à longer la pièce circulaire en s'arrêtant de fenêtre en fenêtre pour commenter le paysage, tant à l'attention de la sultane vrombissante qu'à celle de la psychologue, silencieuse.

– Tu vois, Ophélie, comme c'est bien étudié. D'ici, on peut surveiller tout ce qui se passe à l'extérieur sans que personne s'en doute. Au moindre bruit, au moindre cri, on peut intervenir. On peut même accomplir son tour de guet assis dans ce fauteuil. Je vais te montrer.

Joignant le geste à la parole, Paule s'installe sur le siège-bus et entame un nouveau circuit, auquel cette fois la psychologue va se mêler. Ophélie ne tarde pas à amorcer sa phase de décélération.

– Regarde là, Ophélie, c'est le fils de la gentille dame qui nous reçoit et qui écoute les bêtifiages de ta grand-mère avec indulgence.

– Et avec encore plus d'intérêt que toi, continue Bernadette en s'efforçant d'imiter le ton monocorde et chantant de Paule.

– Il s'appelle Frédéric. Il est en train de peindre... mais je ne vois pas quoi.

– Un chat !

– Vous voyez d'ici ?

– Non, mais il ne peint que des chats... avec parfois quelque chose autour.

– Il en a un superbe sur l'épaule.

– C'est Félix, son favori.

– Ah ! Félix, c'est drôle !

– Pour un chat noir, ce n'est pas follement original.

– Bien sûr, mais ça m'amuse parce que mon meilleur ami s'appelle aussi Félix et qu'il est le seul à pouvoir apprivoiser Ophélie.

– Tiens !

Poussée par la psy, Paule lui explique qui est Félix et quels rapports ont été et sont les leurs, sans cesser de s'adresser bien entendu à la sultane, dont les récriminations à présent intermittentes laissent prévoir un atterrissage prochain sur la planète des anges.

Pendant une de ces accalmies, Bernadette essaie de la reprendre à Paule à titre expérimental. Expérience concluante : Ophélie sur-le-champ rallume ses réacteurs, obligeant sa grand-mère à une nouvelle visite guidée des lieux aux effets lénifiants.

Peu à peu les deux femmes se découvrent les symptômes d'une amitié naissante, si évidente qu'elles n'éprouvent pas le besoin de se l'avouer.

Enfin Ophélie, tout moteur éteint, condescend à accepter le biberon que sa grand-mère lui propose, permettant à Bernadette d'exposer ses conclusions en termes clairs, accessibles à la profane qu'est Paule :

– D'une part, dit-elle, l'intolérance au gluten qui a été déjà détectée et, d'autre part, l'eczéma qui vient d'apparaître signalent à coup sûr chez Ophélie un terrain allergique. Or si les allergies ne sont pas automatiquement provoquées par des troubles psychiques, elles sont toujours renforcées par eux et souvent réveillées.

– Et, selon vous, Ophélie souffre de troubles psychiques ?

– Le contraire serait étonnant avec la disparition brutale de sa mère et, en plus, celle de son père. Elle est terrorisée... et vous la rassurez.

– Pourquoi moi ? Un hasard ?

– Bien sûr que non ! Les bébés ont très tôt plusieurs repères : d'abord la voix et l'odeur ; deux choses que vous devez avoir en commun avec votre fille.

– Pour la voix, j'en suis sûre.

– Pas seulement la voix. Les intonations et les mots.

– Effectivement, j'ai remarqué qu'Ophélie était plus sensible à certains qu'à d'autres.

– Ceux que sa mère devait employer. Comme elle est sûrement sensible à vos gestes – ceux qui la concernent bien entendu – qui sont ceux que vous aviez avec votre fille et que votre fille a reproduits avec la sienne.

– Vous croyez ?

– En général on berce, on change, on tient son enfant comme soi-même on a été bercée, changée, tenue.

– Si c'était vrai, ça expliquerait aussi pourquoi Ophélie accepte les soins de Félix qui s'est occupé de sa mère à son âge.

– Ça pourrait... mais peut-être aussi que ce Félix a quelque chose qui lui rappelle son père.

– La barbe !

– Pardon ?

– D'après la seule photo que j'ai, mon gendre inconnu portait une barbe comme son frère, et comme Félix.

– C'est un peu mince comme indice de ressemblance, mais c'en est un quand même. Et je ne serais pas étonnée, s'il réapparaissait...

– Qui « il » ?

– Eh bien... votre gendre !

– Ah oui !

– Vous n'avez pas pensé qu'il pouvait réapparaître ?

– J'avoue que...

Justement Paule n'avoue rien. Rien de ses dérobades systématiques devant l'idée d'une réapparition d'Agnès. Rien de l'essentiel : ce cordon ombilical qu'elle croyait de bonne foi à tout jamais enfoui et que la présence d'Ophélie, forcément chargée de réminiscences, n'en finit pas de déterrer.

Bernadette voit la vérité de Paule sous le camouflage de ses mots ; aussi bien que Paule perçoit la compréhension de la psy sous sa discrète ironie :

– Peut-être avez-vous davantage pensé à un éventuel retour de l'autre barbu : l'oncle d'Ophélie ?

– Oui... quelquefois.

– Alors, vous pouvez sûrement me dire si vous seriez contente qu'il reprenne la petite.

Cette fois, Paule répond sans attendre, prouvant ainsi qu'elle s'est déjà posé la question :

– Si c'était maintenant, oui. Si c'est dans trois mois ou plus, non.

– Parce que vous seriez trop attachée à Ophélie ?

– Oui... Et aussi parce que plus tard, ce serait trop tard. Le mal serait fait. Irrémédiablement.

– Sur le plan de votre vie privée ?

– Bien sûr !

– J'en suis moins certaine que vous.

– On voit bien que vous ne connaissez pas l'homme qui est à lui seul ma vie privée.

– Je le connais.

Pendant le silence ahuri de Paule, la psychologue a le temps de préciser :

– Par personne interposée.

– Quelle personne ?

– Secret professionnel ! Désolée. Je peux seulement vous dire que j'en ai assez entendu parler pour comprendre vos perplexités.

– Dans ce cas, que me conseillez-vous ?

– La décision n'appartient qu'à vous. Mon rôle se borne à vous fournir les éléments de réflexion suivants : Ophélie n'est pas une enfant gravement malade. Ni handicapée. C'est une enfant à problèmes. Perturbée, traumatisée, malheureuse. Votre éloignement ne mettrait pas sa vie en danger. Mais votre présence auprès d'elle améliorerait son état de santé actuel et futur.

– Autrement dit, sans moi, elle ne meurt pas. Avec moi, elle vit mieux. C'est ça ?

Bernadette acquiesce de la tête. Paule conclut :

– En somme, avec elle, j'aurai des regrets. Sans elle, j'aurai des remords.

– Ça me paraît assez bien résumer la situation.

– Mais, hélas ! ça ne la résout pas.

La psychologue pose amicalement sa main sur les cheveux de Paule et emprunte ce conseil au Cid :

– Laisse faire le temps, ta vaillance... et ton roi !

Paule sourit.

– Mon roi est au Canada. Il revient jeudi. Si je suis seule, il sera Merlin l'Enchanteur. Si Ophélie est avec moi, il sera... Il ne sera rien du tout. Il partira.

La main de la psychologue quitte la tête de Paule pour celle de la chatte blanche qu'elle se met à caresser d'un geste machinal accompagnant sa réflexion. Elle s'éloigne de quelques pas et lance par-dessus son épaule :

– Et si vous me l'envoyiez, votre énergumène, pour que j'essaie de négocier une coexistence pacifique ?

Jamais Paule n'aurait osé suggérer une telle démar-

161

che. Il est même probable qu'elle n'y aurait jamais pensé, tant elle lui semble saugrenue.

– Vous feriez ça !

Bernadette se retourne, amusée par cette exclamation admirative, et minimise l'importance de sa proposition :

– Vous savez, après les cas que j'ai rencontrés, celui de votre oiseau des îles n'a pas de quoi m'affoler !

Evidemment ! Mais cet argument de bon sens n'enlève rien à la reconnaissance qu'éprouve Paule et qu'elle n'arrive pas à exprimer :

– Vous êtes... vous êtes...

La psychologue tranche dans le vif des remerciements :

– Ne cherchez pas, je suis quelqu'un qui a faim et qui voudrait bien déjeuner.

Paule, confuse, se lève aussitôt, se confond en excuses, finit de rhabiller Ophélie à la hâte et s'engouffre dans l'escalier à la suite de Bernadette et des deux chattes blanches passées dans un frémissement de moustaches de la douillette torpeur à l'allégresse ludique. Arrivées dans le jardin, elles prennent d'assaut les deux jambes d'un homme que Paule identifie à son chat sur l'épaule comme étant le fils de Bernadette avant même que celle-ci ne fasse les présentations.

Frédéric regarde à peine Paule. Il n'a d'yeux que pour Ophélie... qui n'a d'yeux que pour lui. Béate, elle tend sa petite main vers lui.

Plus précisément vers son visage. Plus précisément vers son menton. Plus précisément...

Eh oui, il a une barbe !

CHAPITRE XV

– Ophélie, attention ! Je te l'ai déjà dit ! Je t'ai ramenée à Paris. Tu es chez moi. Tu vis avec moi. Tu n'es plus une invitée de passage qu'on supporte en fonction de son départ prochain. Non ! Tu es ma petite-fille et je t'élève. Alors maintenant, je commande et tu obéis. Tu ne gigotes pas ! Tu me laisses enfiler les moufles que Laurence a eu la gentillesse de te fabriquer dans une des dernières combinaisons en soie de son trousseau. Regarde ! Rien de commun avec les moignons en Velpeau qu'on t'avait collés à « La Sabotière » ! C'est vrai, non ? Ah ! Tu vois, tu es d'accord. Bernadette a raison : les concessions étaient admissibles, à la rigueur, dans ma période Caïn, quand je me sentais coupable. Mais à présent, c'est fini ! Je ne suis plus coupable. Je suis seulement malheureuse. Eh bien, à tout prendre, je préfère. Je n'ai plus le derrière entre deux chaises. Je l'ai sur une seule. Pas rembourrée il est vrai, mais quand même, la position est plus confortable. Comme ça au moins, je vais avoir l'esprit libre pour discuter avec Barth ce soir. Plus exactement pour l'écouter parler. La balle est dans son camp. Depuis hier. Depuis qu'il a entendu tes cris en m'appelant d'Orly à son retour de Montréal. Depuis qu'il a lâché dans l'appareil un « meeerrrde » sourd et pesant : une vraie bouse de dépit !

Comme prudemment ils ont décidé d'un commun accord que cette entrevue de la dernière chance aurait lieu dans le territoire de Barth, Paule a mobilisé Félix chez elle au service d'Ophélie. Donc, quand elle entend la sonnette, elle croit que c'est lui. Mais non ! C'est Madame Desvignes. Elle tient entre ses mains

noueuses et baguées un nouveau Monsieur Tourneboule, flambant neuf, destiné à remplacer le vieux,
pelé mais tant chéri, qui a été bouffé sauvagement par
le chien de « La Sabotière ». Incident minime aux
conséquences disproportionnées : en effet, Paule,
revenant de chez la psychologue, avait réagi devant
la dépouille déchiquetée de Tourneboule comme si
vraiment elle était la présidente de la Société protec-
trice des culbutos ! Si encore Odile avait exprimé
quelque regret, engueulé son clebs, promis un autre
totem, peut-être que Paule se serait calmée. Mais, au
contraire, Odile avait déclaré tout net à son amie
qu'elle commençait à « yoyoter ». Et Paule aussi sec
avait embarqué Ophélie dans sa voiture. Bien sûr, cet
enlèvement était déjà programmé plus ou moins
consciemment et il aurait eu lieu de toute façon, mais
incontestablement « l'affaire Tourneboule » l'a précipité.

Ophélie, fidèle à un type de culbuto, comme certaines femmes le sont à un type d'homme, a tout de suite
le coup de foudre pour son nouveau compagnon, d'un
rouge plus vif que l'ancien et beaucoup plus doux au
toucher.

— Le corps est en cachemire, explique Flora Desvignes, une de mes anciennes robes de chambre, et sa
tête est en satin, un chemisier de Thérésa.

Décidément, avec Laurence et sa combinaison,
Thérésa et Madame Desvignes forment un joli trio de
chiffonnières du cœur.

— Je suis vraiment très touchée, commence Paule.

La vieille dame esquive les remerciements d'un
haussement d'épaules et, tournant le dos à Paule,
prend à pas menus la direction de la sortie. Sur le
palier, elle s'informe avec une indifférence très mal
feinte :

— Ce n'est pas ce soir que vous devez rencontrer
votre ouistiti ?

— Eh oui ! Peut-être pour la dernière fois.

— Sûrement pas ! Il ne va pas rompre.

– C'est vous qui le dites !

– Non ! Ce sont mes tarots et ils ne se trompent jamais.

– Vraiment !

– Vous n'y croyez pas ?

– En temps normal, non. Mais en ce moment, comme tous les gens un peu déboussolés, je suis prête à croire n'importe quoi.

– Ça tombe bien.

– Pourquoi ?

Madame Desvignes fouille dans la poche de son gilet de laine. En sort un tube de beurre de cacao, deux trombones, une gomme, un mouchoir et enfin ce qu'elle cherchait : une chevalière en bois dans laquelle est inséré un trèfle à quatre feuilles, taillé dans une pierre verte qu'honnêtement elle s'empresse d'avouer « en toc extra-pur ».

– Mettez-la à votre doigt ! C'est une bague porte-bonheur. Elle n'a aucune valeur... en dehors de son pouvoir bénéfique que j'ai déjà souvent vérifié.

– Alors, ne vous en séparez pas.

– Vous en avez plus besoin que moi. Surtout ce soir.

– Hélas ! Je crains qu'elle ne suffise pas à...

– Essayez-la ! Vous ne risquez rien ! Si elle se révèle inefficace, demain vous me la rendrez.

– D'accord !

Au moment où les deux voisines vont se séparer, Félix arrive avec une nouvelle inespérée : certes, il n'a pas trouvé la nurse suisse au prix de Taïwan, mais presque ! Une jeune fille de vingt-deux ans : donc pas une gamine ; l'aînée de six enfants qu'elle a partiellement élevés : donc compétente ; émigrée clandestine, consciente de la précarité de sa situation : donc peu encline à sortir ; Mauricienne : donc parlant un français très convenable. Bref, la perle à des prix... défiant la concurrence urssaffée. Madame Desvignes jubile :

– C'est la bague ! C'est la bague ! s'écrie-t-elle en regagnant aussitôt son appartement avec une discrétion si inhabituelle que Paule la considère également comme magique !

En fait, Malika – tel est le nom de l'oiseau rare – est une de ces expatriées courageuses dont les mères hors foyer se refilent l'adresse sous la parka.

Celle de Malika a été fournie à Félix par Annabel Vanneau, qui la tenait d'une de ses bonnes amies, à seule fin de montrer au libraire que, grâce à lui, elle devenait meilleure, puisqu'elle était maintenant capable de voler au secours de l'ancienne maîtresse de son père qu'elle avait naguère tant haïe. Ce geste et sa motivation ont beaucoup touché Félix. Bien sûr ! l'influence bénéfique que vous exercez sur un être et la gratitude qu'il vous en manifeste vous valorisent. Et vous flattent. Or, de la vanité à l'amour il n'y a qu'un pas que ce con de cœur ne rechigne pas à franchir. Celui de Félix n'y est pas encore tout à fait décidé, mais il ne faudrait pas grand-chose : juste un encouragement de Paule, une volonté clairement exprimée par elle de le voir fonder un foyer en dehors d'elle. Paule en est parfaitement consciente. Pourtant ce feu vert, elle ne le lui donne pas. Elle maintient le feu orange. Que voulez-vous ? Les femmes les plus honnêtes se dessaisissent difficilement d'un joker. Surtout avant d'affronter une partie hasardeuse comme celle qui va opposer Paule à Barth dans quelques instants.

Elle s'y achemine avec le calme que confère une détermination inébranlable. Malheureusement pour elle, Barth a collé sur la porte de sa chambre ce petit écriteau : « Si vous êtes une luronne, plus vraiment contrariée, entrez ! »

Et Paule entre, déjà moins sereine. Traverse le petit couloir-penderie qui mène à la chambre. Pénètre dans le nid de l'oiseau des îles, aussi confortable que désordonné. Sa présence s'y décèle par l'odeur de son aftershave récemment utilisé. Il est sûrement là mais reste invisible ; Paule se dirige vers le lit défait. Au moment de soulever la couverture, elle entend le déclic d'un magnétophone et tout de suite après la voix enregistrée de Barth. Sa voix ensoleillée des bons jours.

– « Salut, ma Popaule ! Si tu savais à quel point je suis content de te revoir, tu serais épatée ! Tu penses ! Je le suis moi-même : je dois vieillir. Jamais tu ne m'as manqué autant que pendant ces quatre jours. Alors, tu imagines ma joie dans le taxiphone d'Orly quand je t'ai entendu me dire... exactement tout ce que j'attendais... »

Ici, Barth a laissé un court silence, prévoyant peut-être que Paule aurait besoin de cette pause pour éponger ses larmes avec un Kleenex. Après quoi il repart allegro vivace :

– « Tu sais, dans le fond je suis moins immature que je ne veux m'en donner l'air : je me rends très bien compte des efforts que tu as dû faire pour t'éloigner un peu d'Ophélie et te rapprocher beaucoup de moi. Je ferai tout ce qui est en mon pouvoir pour que tu ne le regrettes pas : déjà, en prévision de ta liberté retrouvée, je nous ai concocté un programme de rêve. D'abord, bien sûr, on va se marier. Mais ça, c'est pour l'anecdote. Ensuite – vive la tradition, madame ! – nous allons partir en voyage de noces. Où ça ? A Saint-Barth ! Pèlerinage païen à la moitié de mes racines ! Nous irons sur la plage où j'ai été conçu et, en souvenir de cette exquise folie maternelle, nous en commettrons mille autres en ne concevant, nous, qu'un beau bonheur, né à terme, plein de santé, dont nous nous dirons en parents extasiés : "Ç'aurait été vraiment dommage qu'il ne vive pas celui-là !" »

Le Kleenex de Paule est maintenant détrempé et Monsieur de Saint-Omer continue le goutte-à-goutte de son délicieux venin :

– « Ah ! je suis bête ! J'ai oublié de te dire qu'à Saint-Barth nous aurons à notre disposition la maison paradisiaque et la domesticité divine de cette diablesse d'Helga Schuller. Comment ? Pourquoi ? Simple ! Ayant conclu – fort bien – mes affaires canadiennes plus tôt que prévu, j'ai fait un saut à New York après y avoir pris rendez-vous avec la mère Fouettard... qui a été avec moi une véritable mamy-patte de velours. La preuve en est qu'elle a accepté de nous commanditer – oui, je dis bien "nous", toi et moi –, donc de nous commanditer un tour de la planète en autant d'étapes que nous le souhaitons. En échange de quoi nous lui fournirons des reportages pour ses magazines. J'en serai le photographe. Toi, la rédactrice... et le modèle ! Oui, ma chère, je l'ai persuadée sans difficulté que ses lectrices en ont ras la ride de ne voir dans les magazines que des supernanas, décourageantes de beauté et de jeunesse, et qu'elles seraient sûrement ravies de contempler une fois de temps en temps une femme – excuse-moi ! –, d'un modèle plus courant qui représenterait pour elles un modèle enfin accessible. Cette idée lui a semblé lumineuse. Elle a jugé d'après les photos de toi que je lui ai montrées – j'en avais tout à fait par hasard dans mon portefeuille ! – que tu avais exactement le "look" souhaité pour être la globe-trotteuse de cette série qui s'appellerait "Le monde vu par Madame Tout-le-Monde". Image à laquelle tu peux correspondre pour ceux qui n'ont pas la chance de te connaître aussi bien que moi. Je me trompe ? Non ! Je ne me trompe pas. Alors, je continue. J'ai presque fini. »

Heureusement ! Paule est en train d'étouffer dans son troisième Kleenex deux envies contradictoires : celle d'implorer l'arrêt immédiat de cet enregistrement pernicieux, et celle d'en écouter la suite avec délectation.

– « J'ai inscrit à notre programme : Saint-Pétersbourg et ses somptueuses survivances ; la Bavière et ses royales baroqueries ; la Hollande et ses champs de tulipes... et de peinture ; l'Ecosse et ses fantômes ; Séville et sa Semaine sainte ; enfin, en avril, Montréal... et son luxueux salon "Crins bleus" que nous inaugurerons en grande pompe ! Tu as remarqué, bien entendu, que j'ai sélectionné en priorité des lieux que je connais – un peu – et que tu as souvent manifesté l'envie de découvrir à travers ce que je t'en ai dit. Pour mémoire je te rappellerai – après Sacha Guitry, hélas ! – que "rien n'est plus beau qu'un Vermeer que l'on montre à la femme que l'on aime". Personnellement, je me permettrai d'ajouter : à condition d'être sûr que cette femme-là va partager votre admiration. Avec toi, de ce côté-là, je n'ai rien à craindre. Alors... à nous tous les Vermeer de la terre ! Toutes les découvertes, tous les émerveillements ! Tous les rires ! Et tous les silences ! C'est le moment ou jamais de partir à leur rencontre : il nous reste tout juste assez d'étés et d'automnes pour nous tricoter une longue écharpe de souvenirs... en vue de nos lointaines veillées d'hiver ! Je sais que je ne t'ai pas habituée à autant de violoncelle, mais Dagoberte m'a affirmé que parfois tu n'y étais pas insensible. Elle se trompait ? »

Le magnéto s'arrête. Barth attend que les sanglots de Paule en fassent autant pour sortir de la salle de bains voisine et s'accoter, mains dans les poches, au chambranle de la porte de communication :

– Eh oui ! Voilà à peu près ce que je t'aurais dit si tu avais bien voulu renoncer à ta subite vocation de grand-mère.

Paule compresse ses Kleenex dans l'étau de ses mains et parvient à desserrer celui qui noue sa gorge :

– Barth, ce n'est pas bien de me torturer comme ça !

– Tu crois que c'est mieux, la déception que tu m'infliges ?

– Ça ne se compare pas, voyons !

Barth se décolle de la porte et vient s'asseoir sur le canapé situé dans la partie salon de la chambre, devant la table basse où de jolis flacons d'alcool voisinent avec des coupelles en céramique garnies de diverses « grignoteries ».

– Ecoute, Paule, on n'est pas là pour revendiquer la médaille d'or du plus déçu, du plus furieux ou du plus malheureux.

– Tu as raison, répond-elle en allant s'installer dans un fauteuil face à lui. Mais d'après toi, on est là pour quoi ?

– D'abord, parce qu'on a eu envie d'y être. Toi comme moi.

– C'est évident.

– Ensuite, en ce qui me concerne, je voulais te

convaincre – du moins essayer une dernière fois – de revenir sur ta décision.

– Tu n'y arriveras pas. En dépit des moyens déloyaux, comme le truc du magnéto, que tu pourrais employer.

Barth enrage de voir Paule, liquéfiée la minute d'avant par le violoncelle, soudain recomposée en un bloc de granit.

– Alors, comme ça, tu es résolue à sacrifier deux vies au profit d'une gueularde qui a toutes les chances d'être une graine d'ingrate comme sa mère ?

– Pardon ! J'ai parfaitement conscience de sacrifier une vie : la mienne ! Pas deux !

– Ah bon ? Tu penses que je m'en fous de te perdre ?

– Je pense que ça te contrarie – momentanément – mais que tu te consoleras assez vite avec une autre... ou avec plusieurs.

– Eh bien, ma chérie, je vais encore t'épater : non !

Subitement, Barth change de posture, de ton, d'expression. Il se laisse glisser de son canapé pour s'asseoir par terre, prend une voix efféminée. Papillote du cil. Ce n'est plus un homme en colère. C'est une grande coquette minaudante qui décortique une pistache et qui parle à Paule d'elle-même, en feignant de s'adresser à Dagoberte :

– Tu sais, Dago, j'ai bien réfléchi : ça m'embête, mais ma Popaule je vais avoir beaucoup de mal à la remplacer. Tu vas me dire : « Pourtant les femmes ce n'est pas ce qui manque ! Il n'y a qu'à se baisser pour en prendre. » D'accord ! Seulement, quand tu as plutôt envie de te hausser pour en prendre... l'espèce déjà se raréfie. Mais ce n'est pas tout : dans celles qui restent, tu me connais, il faudrait encore que je tombe sur une femme qui ne soit ni une poupée Barbie ni un faux mec ; ni une hyper-branchée ni une supra-décadente ; ni une nympho ni une parcimonieuse ; ni une sangsue ni une distante ; ni un dictateur ni une chiffe molle ; ni une surdouée ni une sous-douée ; ni un bâton de chaise ni un bonnet de nuit. Tu vois, ce

n'est déjà pas simple ! Mais ce n'est encore pas tout !
Il faudrait encore qu'elle ait un physique qui corres-
ponde à mes goûts : tu sais lesquels. Donc, tu sais que
ça ne se trouve pas sous les sabots d'une jument de
limon ! Qu'elle soit saine de corps et d'esprit, robuste
et gracile, dynamique mais pas survoltée. Bien dans
sa peau, quoi ! Et bien sur la mienne ! Et puis, tiens !
A propos, il faudrait qu'elle ait une peau pas fragile,
en acrylique... qui ne froisse pas ! Ça complique
encore ! Mais ce n'est toujours pas tout. Il faudrait,
en plus, que j'aie une confiance absolue en elle,
qu'elle ne me plombe pas les ailes avec des doutes ou
des soupçons. Et ça, Dago, tu te souviens, ça a toujours été très important pour moi, mais maintenant,
c'est devenu essentiel. Tu comprends, j'ai trop de
copains qui sont en train de crever d'une petite
cachotterie sur l'oreiller. Seulement le hic, c'est que
pour avoir confiance en quelqu'un il faut du temps.
Et des preuves. D'où le handicap supplémentaire
d'une nouvelle venue dans ma vie. Tandis qu'avec
Popaule, pas de problème ! Je suis prêt à lui délivrer
des certificats d'honnêteté dans tous les domaines.
Parole ! Tu veux un exemple ? La bague qu'elle a au
doigt et que j'ai tout de suite remarquée, vu qu'elle
n'en porte jamais. Eh bien, si je lui demande d'où elle
sort, quelle que soit sa réponse, je vais la croire. Tu
n'es pas sûre, Dago ? Eh bien, on fait l'expérience :
excuse-moi de te déranger, Popaule, mais je serais
curieux de savoir d'où vient cette bague ?

— C'est un cadeau de Madame Desvignes.

Contrairement à ce qu'il vient d'affirmer, Barth est
un tantinet sceptique.

— En quel honneur ?

— Pour rien. Par gentillesse.

— Un bijou de cette valeur ?

— Mais non ! C'est un bijou fantaisie.

— Ça !

— Bien sûr.

— Donne !

Paule, amusée par les soupçons de Barth, enlève sa
bague et la lui remet. Il jette un coup d'œil sur le

trèfle à quatre feuilles, puis sur l'anneau. Il découvre à l'intérieur une inscription gravée qu'il lit à haute voix.

– Van Cleef & Arpels. 1950.

Paule est stupéfaite.

– Ce n'est pas possible ! Madame Desvignes m'a affirmé que c'était du « toc extra-pur ». C'est l'expression qu'elle a employée.

– Eh bien, ce sont des émeraudes extra-pures.

– Ça alors !

– Tu l'ignorais ?

– Totalement ! Je n'y connais rien.

– Tu me le jures ?

– Sur ta tête ! Et sur celle d'Ophélie !

Barth sourit, rend la bague à Paule et pique dans une coupelle un cube de crème de gruyère au cumin qu'il se met à dépiauter avec soin, les yeux rivés sur cette occupation. Il reprend son ton efféminé :

– Tu es témoin, Dagoberte : il est absolument invraisemblable que Flora Desvignes, plutôt du genre à avoir des mites dans son bas de laine, soit la généreuse donatrice de ce présent. Encore plus invraisemblable, au cas où néanmoins elle le serait, qu'elle n'en ait pas signalé discrètement à Popaule la provenance. Ne serait-ce que pour l'inciter en la portant à une certaine prudence et augmenter sa gratitude. Donc, tu es bien d'accord, Dagoberte, cette histoire est invraisemblable sur toute la ligne. Malgré tout, Popaule m'a juré qu'elle est vraie... alors, je la crois ! Et moi, je te jure que je ne croirais aucune autre femme au monde qui m'aurait raconté une chose pareille. C'est pourquoi, pour en revenir à mon point de départ, je suis sûr que je ne remplacerai pas ma Popaule aussi facilement qu'elle le croit.

Là-dessus, Barth gobe son apéricube, picore une amande, croque une noisette, mâchonne un raisin de Corinthe. Il faut tout ce temps à Paule pour avaler son émotion et enfin répondre :

– Mais, Barth, c'est merveilleux ! Et simple ! Si je suis à tes yeux un modèle quasiment unique, garde-moi !

– Pas avec ton boulet au pied ! Pas entre deux biberons ! Pas avec des soucis de pipi-caca ! Parce que ce ne serait plus toi ! J'aime une femme libre. Je n'aimerais pas une grand-mère entravée. Nous sommes faits pour être des amants. Même mariés nous aurions continué à l'être.

– Rien ne nous empêche de le rester.

– A heures fixes ? Avec un œil sur la montre, une oreille sur le téléphone et ton interrogateur à distance planqué sous le lit ? Jamais ! Si tu n'as que ça à me proposer, autant t'en aller tout de suite ! Et définitivement !

Paule se lève, déplie sur place sa longue silhouette. Les yeux de Barth la parcourent lentement de bas en haut, puis s'arrêtent sur son visage, penché vers lui. Un instant leurs regards ferraillent. Un instant il croit qu'elle va partir pour de bon. Un instant il baisse la garde. Juste un instant. Mais qui n'a pas échappé à Paule. Elle vient s'agenouiller près de lui, s'appuie de la main sur sa cuisse, y dessine du bout des doigts quelques arabesques pseudo-innocentes aux mouvances imprévisibles... puis enfin se décide à renouer le fil de la conversation :

– J'ai quelque chose d'un peu mieux à te proposer.

Là se place un bienheureux malentendu : Paule a simplement eu l'intention de parler à Barth de Malika et de lui proposer un modus vivendi plus acceptable au cas où la jeune Mauricienne se révélerait être la perle annoncée. Mais Barth a prêté à Paule une tout autre intention. Il a pensé à une proposition que certains qualifieraient de malhonnête, mais que lui, carburant aux fantasmes depuis son séjour canadien, trouve délicieusement réaliste. Moyennant quoi – *carpe diem ! carpe horem ! carpe minutum !* – il culbute Paule d'une ruade si gaillarde que les coupelles de la table basse en chutent elles aussi sur la carpette. Repartis pour la galaxie Eros, les deux amants ne songent pas une seconde à en sourire. Il n'est même pas certain qu'ils s'en soient aperçus : c'est vous dire leur exaltation ! Ils planent au-dessus des pistaches, des cacahuètes, des amandes, des noisettes, et c'est seulement redescendus sur la terre des hommes que Barth se permet de soupirer : « Et pourtant, ce n'était pas peanuts ! »

Redescendue sur la terre des femmes, Paule s'esclaffe au-delà de ce que cette plaisanterie mérite et remet sur le tapis – c'est vraiment le cas de le dire ! – sa proposition. La vraie, cette fois. Elle fait miroiter à Barth les possibilités d'une liberté non pas totale, mais suffisante pour permettre des rencontres détendues et même des escapades... voire des voyages... pas dans l'immédiat, bien sûr, mais un peu plus tard, quand Malika sera habituée à Ophélie.

– Si elle s'y habitue, dit Barth.

Paule néglige cette ponctuation désabusée et enchaîne très vite :

– Ne crois-tu pas qu'il est préférable de continuer à se voir – même si ce n'est pas dans des conditions optimales – plutôt que de ne plus se voir du tout ?

L'oiseau des îles éclate d'un rire pas vraiment gai dont il s'explique aussitôt :

– Ta question est exactement celle que posent à leur maîtresse clandestine les hommes mariés, bien décidés à ne pas divorcer. Je suis ton amant « back street », et Ophélie est ta légitime. Je me trompe ?

Paule baisse les yeux devant cette évidence... mais ne baisse pas tout à fait les bras :

– Non, tu as raison, reconnaît-elle. Mais n'oublie pas cependant qu'il existe des maris scrupuleux qui souffrent sincèrement et intensément de ne pouvoir se libérer.

Barth pose sa main en tenailles sous les maxillaires de Paule et force sa tête à pivoter, son regard à s'accrocher au sien, soucieux de donner de l'importance à la réponse qu'il laisse tomber avec lenteur :

– D'accord ! Mais n'oublie pas, toi, que s'il existe des « back street » qui finissent de guerre lasse par accepter leur situation, ces amants clandestins se reconnaissent le droit de chercher à tout moment une meilleure solution... ailleurs !

Paule serre les poings contre cette épée de Damoclès qu'il vient de déposer au-dessus de leur avenir. Elle sent autour de son doigt la bague de Madame Desvignes...

– J'accepte le risque, dit-elle.

CHAPITRE XVI

– Ophélie, ma petite chérie, ma petite trésor, ma petite... Comment elle dit, ta grand-mère ? Ah ! Je me souviens, elle dit : chatoune. Il y a une heure que je te raconte des histoires... Tu ne veux pas me faire plaisir ?

Il est visible et audible que si Ophélie savait s'exprimer en langage adulte elle répondrait vertement à la Mauricienne :

– Non ! Je n'ai pas l'intention de te faire plaisir ! Du moins dans l'immédiat. Ce n'est pas que j'aie une dent contre toi, mais j'en ai deux qui essaient de percer : une horreur ! Je suis désolée parce que toi, tu es plutôt sympa. Peut-être un peu tristounette, de temps en temps... mais ça, je ne peux pas te le reprocher : moi aussi, j'ai des moments de spleen. Le mal du pays ! C'est normal, on est toutes les deux des émigrées : toi de l'île Maurice ; moi du placenta... Et c'était si joli là-bas... Si tranquille ! Enfin ! c'est la vie... comme ils disent. A part ça, pour ma toilette, mes soins, tu te débrouilles bien. Evidemment, tu n'as pas le tour de main de ma grand-mère, mais ça... C'est comme la tchatche... tu ne la vaux pas, mais tu ne te défends pas mal du tout. Non, vraiment, dans l'ensemble je suis très contente de toi. Seulement, quand je n'ai pas envie de dormir, ce n'est pas la peine d'insister. Ça m'emmerde, ton prêchi-prêcha. Je me fous de n'avoir aucune raison valable de rester éveillée. Je me fous d'avoir « les féfesses bien propres, mon petit venventre qui n'a plus bobo, mes petites menottes sans moumoufles, mes petites jamjambes et mes petits brabras sans grosse gratgratte ! ». Je me fous de toutes tes menaces à la con du genre : « Attention, dans un mois on est le 24 décembre et le père Noël ne va rien déposer dans tes bottons. » Qu'est-ce que j'en ai à cirer de ses jouets à ce gâteux ? Moi, du moment que j'ai Tourneboule, une ou deux peluches à jeter par terre et un bout de ruban à mâchouiller à cause de mes dents... le reste, le barbu blanc il peut se le remettre dans la hotte ! Je me fous d'être une grande fille de huit mois depuis trois jours ! Je n'ai aucune notion du temps et je ne vois vraiment pas pourquoi j'aurais aujourd'hui plus qu'hier des obligations de sagesse et de raison ! Je me fous d'être devenue « un joli bébé ». Ou plutôt non, ça je ne m'en fous pas. Ça m'énerve ! Parce que ce n'est pas vrai ! Je ne suis pas un joli bébé. Je suis simplement un peu moins tarte depuis que je ne suis plus boutonneuse ni décharnée. Mais ce n'est pas encore demain la veille que je vais poser nue pour les couches Secos ou le papier Q. Peut-être après-demain. C'est possible. Ma grand-mère a bon espoir que je vais m'arranger. Déjà elle me trouve... comment ? Ah ! je ne vais pas déjà avoir des trous de mémoire à mon âge ! Allez ! Malika, souffle-moi ! Rigolote ? Non, il y a un autre mot. Quoi ? Arsouille ? Oui, elle dit ça aussi, mais il y a encore un autre mot que je préfère. Ah ! c'est ça ! luronne ! J'adore ! Elle trouve que j'ai l'air d'une luronne... quand je ne pleure pas, bien sûr. Ah ben tiens ! je vais m'arrêter de pleurer ! Et piquer un petit roupillon. Comme ça, quand elle rentrera, je serai de bonne humeur et elle me traitera de luronne ! Et puis ce soir, pour peu que j'aie encore un de ces coups de panique qui me tombent dessus sans crier gare, elle me fera sûrement les marionnettes : mon bébête-show personnel avec tonton Félix en saint-bernard, Barth en oiseau des îles, Madame Desvignes en chouette... Oh... je suis complètement nase tout d'un coup... Moi en grenouille... Oh !... Ahhh... ! Je bâille... Bonne nuit, les adultes !

À l'instant où Ophélie s'enfonce dans le sommeil, non loin de là sa grand-mère sort d'une parfumerie où elle vient de s'acheter un masque « coup d'éclat ». C'est un détail qui peut paraître futile – surtout aux hommes – mais qui pourtant est lourd de sens : une femme qui s'offre un produit de beauté exprime une volonté positive. Dorénavant, messieurs, vous pourrez le vérifier : quand vos compagnes négligent de soigner leur épiderme, c'est qu'elles sont mal dans leur peau. Paule est donc bien dans la sienne, avec son petit paquet rose euphorie, orné d'un bolduc vert espérance. C'est récent. Ça ne date que de quelques jours. Depuis qu'Ophélie toujours anormalement rebelle au sommeil et à la solitude lui donne malgré tout moins d'angoisse ; depuis qu'elle a suffisamment confiance en Malika pour rejoindre Barth le soir avec l'esprit à peu près libre et reprendre dans la journée ses activités professionnelles à peu près normalement. Ma foi, elle se félicite d'avoir laissé faire « le temps, sa vaillance et son roi ».

Le temps s'est montré assez coopératif puisqu'il est passé sans rien casser.

Sa vaillance lui a permis de tenir le choc à la foire et au moulin.

Quant à son roi, il se contente de respecter strictement l'accord qu'ils ont conclu en étant un amant clandestin, souriant mais pas du tout résigné à le rester. Il s'amuse à l'agacer en sollicitant son avis sur les femmes qu'ils rencontrent ensemble : « Tu crois que la brune à chignon peut être à ses heures une luronne ? » « La fille à la gandoura, tu crois qu'en dessous c'est une vraie mince ? » « Tu crois que la minijupe bien faite appartient à une tête bien pleine ? » Ou bien en cancanant sur les femmes qu'il fréquente en dehors d'elle : « Ça m'embête, j'ai vraiment l'impression que Laura Piasson-Liget est très amoureuse de moi. » « Helga m'a présenté une fille qui a été le choc de ma vie : toi en roux ! » « J'ai croisé chez Rodolphe une Thaïlandaise... spécialisée dans le massage français ! »

Il la provoque, la titille, l'asticote. Il n'est pas reposant. Mais il est là. Et souvent il l'est très gentiment. Ainsi il a remué ciel et terre pour l'emmener ce soir – parmi visons et smokings – à un récital exceptionnel au Théâtre des Champs-Elysées. Tout à l'heure, en le lui annonçant au téléphone, il était encore plus content qu'elle... et pourtant elle l'était beaucoup. La joie, pour une fois, altruiste de Barth, ajoutée à celle qu'elle augurait de cette soirée lui ont donné des ailes. Elles l'ont poussée – enfin ! – à la Sécurité sociale. C'est une démarche qu'elle remettait de jour en jour, la prévoyant sûrement désagréable et sans doute inutile. Mais elle voulait la tenter par acquit de conscience... au cas où Blanquetti aurait oublié l'affront qu'elle lui avait infligé chez « la Bourdine »... ou bien encore au cas où il aurait été incarcéré pour attentat aux bonnes mœurs ! Douce rêverie : Blanquetti est bel et bien là.

– En conférence ! dit la sous-chef gonflée, pas seulement de son importance, en revenant du bureau du sur-chef.

– Quand pourrais-je revenir ?

– C'est inutile ! Monsieur Blanquetti m'a chargée de vous dire que vous n'obtiendriez aucune dérogation tant que vous n'apporteriez pas la preuve du décès des parents de votre petite-fille.

Sûre que l'ineffable Lucien, planqué derrière la porte vitrée de son bureau, l'observe, comme un enfant pervers peut observer un papillon pris dans un filet, Paule arbore un sourire suave pour déposer une bombe à retardement :

– Surtout n'oubliez pas de présenter à Monsieur Blanquetti tous mes vœux... non pas de guérison – le pauvre ! –, mais au moins pour qu'il ne souffre pas trop...

L'opulente poitrine de la sous-chef en frémit.

– Il est malade ?

Paule prend un air navré.

– Oh... excusez-moi. Je croyais que vous étiez au courant. Mais rassurez-vous, il paraît que ce n'est pas contagieux...

Paule s'en va laissant sa petite graine de rumeur remplir son office d'épouvantail derrière le guichet.

La satisfaction qu'elle tire de cette perfidie lui tient agréablement compagnie jusqu'aux éditions Marionneau. L'ambiance y est aussi joyeuse qu'à un conseil des ministres à la veille d'un changement de gouvernement. Seules Laurence et la grande Catherine échappent à cette morosité. Paule trouve la première derrière son ordinateur, plongée dans les rubriques « immobilier » du *Provençal* et du *Midi libre*. La comptable a en effet décidé de s'installer en préretraite dans le Midi, à proximité de ses deux petites-filles, et pare ce projet de tous les strass du rêve.

Quant à la grande Catherine – fait exceptionnel –, elle sort de son bureau, le sourire aux lèvres, pour saluer Paule. Certes, elle est heureuse que sa chère Carmen, après plusieurs essais infructueux, ait été engrossée par un géniteur digne d'elle, mais quand même, son principal motif de satisfaction est d'ordre professionnel :

– Ne le répétez pas car ça pourrait provoquer des jalousies, dit-elle à Paule, espérant justement provoquer la sienne. Ne le répétez pas : j'ai en vue une situation encore plus intéressante et plus lucrative que celle que j'ai ici.

Avec une justesse de ton qui l'étonne elle-même, Paule réussit à s'exclamer :

– Ah ! Vraiment, je suis contente pour vous.

– Je le sais, rétorque la grande Catherine avec la même confondante hypocrisie, c'est pourquoi je vous l'ai dit.

– Ça me touche beaucoup !

– Vous êtes adorable et je suis très sincèrement navrée que vous n'ayez pas la même chance que moi.

– Que voulez-vous ! J'en ai d'autres ! On ne peut pas tout avoir...

Cet échange dégoulinant de miel empoisonné, loin de rogner les ailes de Paule, les fortifie. En deux coups d'accélérateur, elles la conduisent à l'agence de Gregory Vlasto à qui elle a décidé de donner enfin son accord. Malheureusement, il est à Francfort et sa secrétaire ne peut que lui donner un rendez-vous pour le lendemain.

Paule profite encore de ses ailes pour solder la vieille dette qu'elle a envers Félix. Elle le surprend dans une conversation téléphonique, manifestement privée, qu'il interrompt aussitôt qu'il la voit.

– Comment va Ophélie ? demande-t-il d'emblée, un peu gêné.

Malgré elle, Paule a une légère hésitation avant de prononcer la phrase qui va assainir ses comptes à la banque de l'amitié :

– Ophélie te rend ta parole et t'autorise à continuer ta vie sans elle.

Félix lui laisse encore une chance de reprendre sa mise :

– Et qu'en pense sa grand-mère ?

– Elle en est... soulagée et souhaite du meilleur de son cœur que tu sois très heureux avec Annabel Vanneau.

– Si tu attends un peu, tu pourras le lui dire toi-même. C'était elle au téléphone. Elle va passer.

Paule n'attend pas. Elle vient de renoncer à son joker plus par honnêteté que par envie réelle. Elle ne poussera pas la grandeur d'âme jusqu'à féliciter celle qui lui prend « sa » place... même si cette place, elle la lui offre de son plein gré... et après vingt-cinq ans de non-emploi !

Paule quitte Félix, les ailes frémissantes d'un rien de contentement de soi. Quelques mètres plus loin, elle voit à la vitrine du fleuriste une ardoise signalant la sainte Flora. Elle entre dans la boutique et y achète une orchidée pour Madame Desvignes. Une broutille, bien sûr, à côté du trèfle à quatre feuilles que la vieille dame a catégoriquement refusé de reprendre, mais qui sera valorisée par le brin de conversation dont Paule l'accompagnera.

Paule n'a pas besoin de sonner chez sa voisine. Celle-ci, l'ayant vue arriver, l'attend sur le palier avec sa mine de catastrophivore gourmande :

– Vite ! Vite ! Rentrez chez vous. Malika a reçu un appel de Deauville : votre mère s'est cassé le col du fémur.

Avant les derniers mots, Paule est déjà dans sa chambre, à portée du téléphone. Avant que la Mauricienne ait fini de lui transmettre le message de

Gabrielle Moutiers, elle compose son numéro. Avant que la voisine de sa mère ait terminé son récit de Théramène sur la fracture maternelle et son opération, elle a déjà dit : « J'arrive ! »

C'est alors que, dans l'encadrement de la porte, Paule voit apparaître Malika avec une drôle de tête, lui tendant à bout de bras Ophélie qui émet un drôle de son. Elle l'identifie aussitôt et en exhale le nom – plus qu'elle ne le prononce – avec l'expression qu'un sculpteur pourrait prêter à une statue de la Fatalité :

– L'asthme !

Lors d'une de leurs conversations téléphoniques, Bernadette Anglet a prévenu Paule qu'il était possible qu'un jour l'asthme chez Ophélie prenne la relève de l'eczéma. Elle lui a même envoyé une ordonnance afin qu'elle ne soit pas prise de court au cas où une crise surviendrait. Paule est sûre de l'avoir rangée dans le tiroir de sa table de chevet. Mais bien entendu, elle n'y est pas. Les Bougredebigre l'ont mise ailleurs. Où ça ? Inutile de chercher ! Surtout avec dans les oreilles le souffle de plus en plus court d'Ophélie. Tel un capitaine de navire pris dans un ouragan soudain, Paule jette ses ordres au moussaillon Malika :

– Préparez trois sacs de voyage. Un pour vous. Un pour Ophélie – en plus du braille-en-ville. Et un pour moi. Ne mettez dedans que l'essentiel pour vingt-quatre heures. Pendant ce temps-là, moi je file à la pharmacie avec la petite. Dès que les bagages seront prêts, chargez-les dans la voiture. Fermez les volets. Le gaz. L'électricité. Installez-vous sur la banquette arrière. Attendez-moi. On partira dès que j'arriverai.

Elles partent une heure plus tard avec une provision de Ventoline – sauveur des asthmatiques – et un antihistaminique – bienfaiteur des allergiques.

La 205 enfermée dans la nasse de la transhumance quotidienne, Ophélie apaisée, Malika somnolente, les soucis futurs de Paule sont occultés par un souci immédiat : atteindre au plus vite la première station-service de l'autoroute pour appeler Barth et le tenir au courant de la situation.

Elle réussit à le joindre in extremis : il vient de

vérifier qu'il a bien dans ses poches les précieux billets de récital de ce soir ; ses cartes de crédit pour le souper au Plaza qu'il a prévu après ; que son nœud de smoking est bien droit ; que ses boutons de manchette – un cadeau de Paule – sont bien visibles. Puis, étant en parfait état de marche, il s'apprête à venir chercher Paule dans le taxi qu'il a pris la précaution de commander afin de lui éviter le désagrément de conduire en tenue de soirée et talons hauts... quand le téléphone sonne. Barth pense que c'est la standardiste de son hôtel qui le prévient de l'arrivée de son taxi... et décroche dans une totale allégresse...

Sa déconvenue est à la mesure de son euphorie. Il l'exprime avec cette inconscience d'enfant gâté qui lui est propre :

– Il ne manquait plus que ça ! Tu ne crois pas que tu charries un peu ? A quoi ça rime cette expédition à Deauville ? Si l'opération de ta mère s'est bien passée, elle sera dans les vapes et ne se rendra pas compte que tu es là... et si l'opération s'est mal passée... elle s'en rendra encore moins compte ! De toute façon, tu pouvais attendre demain. Mais, naturellement, la baronne de Sanneseux-Fépas est sortie de la naphtaline où je l'avais mise et elle t'a semoncée : « On ne gambade pas avec son amant quand sa mère se casse le col du fémur ! » Et aussi sec, tu as remis ton uniforme de sainte. Très heureuse, d'ailleurs !

– Moi ? Heureuse !

– Mais oui, heureuse ! C'est plus fort que toi : tu as le syndrome de l'auréole !

Paule éructe.

– Quoi !

– Je t'expliquerai une autre fois. Je n'ai pas le temps de discuter. Il faut que je trouve quelqu'un de toute urgence pour te remplacer. Ciao !

A cet instant, si, comme dans un dessin animé, la tête de Barth surgissait de l'appareil téléphonique, Paule s'en servirait comme d'un punching-ball avec une gigantesque satisfaction.

A cet instant, oui, Paule, la non-violente viscérale, ne voit plus que les coups pour traduire sa fureur.

183

A cet instant – ah oui ! –, elle hait l'oiseau des îles. Une haine qu'au bout de cinquante kilomètres elle estime bienfaisante dans la mesure où ce ressentiment va l'aider à chasser de sa vie le monstre qui ne cesse de la lui compliquer.

Une haine qui au bout de cent kilomètres génère des idées de vengeance sordide, à foudroyer sur place la baronne de Sanneseux-Fépas.

Une haine qui est encore à l'état neuf quand, peu après huit heures, Paule entre dans la polyclinique de Deauville.

Une haine qui subit son premier accroc quand, au chevet de sa mère, elle constate que « l'opérée du 12 » est totalement inconsciente, comme l'a prévu Barth, et que l'infirmière de nuit, presque étonnée de ses inquiétudes, l'invite poliment à déguerpir.

– Ça ne sert à rien que vous restiez. Revenez demain si vous voulez. Mais dans l'après-midi seulement. Et pas longtemps. Pour ne pas la fatiguer.

Au fur et à mesure de la soirée, la haine de Paule s'effiloche : dans le fond, Barth n'a peut-être pas eu tout à fait tort. C'est vrai que ce départ pour Deauville ne s'imposait pas d'une façon aussi urgente ; c'est vrai qu'elle aurait pu prendre des nouvelles de sa mère par téléphone auprès du chirurgien qu'elle connaît de longue date ou auprès de la si désœuvrée Gabrielle Moutiers qui eût été enchantée d'être promue agent de liaison ; c'est vrai que Barth a de quoi être déçu, lui qui s'était décarcassé pour lui offrir cette soirée dont elle avait plus envie que lui ; c'est vrai qu'elle a peut-être un sens du devoir un peu hypertrophié. En tout cas, archaïque ! En son temps, Victor Vanneau le lui avait aussi signalé. Mais lui avec beaucoup de gentillesse. Il disait que depuis la naissance hors mariage de sa fille elle avait « le complexe du péché originel ». Il y voyait la preuve de son exigence morale. Barth, lui, appelle ça son « syndrome de l'auréole » et il y voit de la vanité !

Certes, c'est moins agréable à entendre, mais est-ce complètement faux ? Paule se pose la question, le soir, allongée dans son lit de jeune fille. Elle se la pose après avoir écouté l'intarissable Gabrielle avec une patience d'ange et lui avoir répondu avec une politesse de Japonaise ; après avoir assuré le coucher, le manger de Malika et d'Ophélie avec une célérité de fourmi et supporté chez l'une comme chez l'autre les méfaits du dépaysement avec une endurance de coureur de fond ; après avoir été en somme irréprochable. Mais... en se regardant l'être et en en tirant indubitablement une satisfaction valorisante. Et alors ? Autre question : Vaut-il mieux pécher par orgueil en en faisant trop ? Ou pécher par laxisme en n'en faisant pas assez ?

Paule s'endort en se promettant de demander à Barth son avis là-dessus. Tiens ! Barth... Il n'est déjà plus question de le répudier, celui-là !

Le lendemain, il serait même question de l'appeler. Plus précisément de résister à la tentation de l'appeler. Paule résiste... grâce aux préoccupations qui l'assaillent : Ophélie a eu une nouvelle crise d'asthme au milieu de la nuit et n'a cessé depuis de manifester bruyamment sa mauvaise humeur ; Malika, victime de l'épidémie de grippe, s'est réveillée avec un mixer dans la tête, du coton dans les jambes et des braises dans les bronches. Paule n'a pas jugé prudent de lui laisser sa fragile mouflette. Ne pouvant emmener celle-ci à la polyclinique ni la confier à la tonitruante Gabrielle dont le sonotone ne supporte pas les surcharges de décibels, elle est allée en désespoir de cause déposer son fardeau dans le mirador de Bernadette Anglet. Station-dépannage hors de pair. La psy a beaucoup plaint Paule pour le surcroît de soucis que lui impose l'accident de sa mère ; beaucoup admiré d'y faire face avec autant de courage ; beaucoup félicité son incroyable bonne mine. Du coup, Paule s'est sentie toute ragaillardie. En le constatant dans sa voiture, il lui vient à l'esprit que Bernadette a détecté, elle aussi, comme Barth, son « syndrome de l'auréole » et qu'elle en a joué pour remonter son moral. Effet – hélas ! – provisoire. Le moral de Paule redescend pendant les deux heures qu'elle passe au chevet de sa mère, à lui tenir une main absente, à essayer de décoder ses gémissements et à établir un contact, si ténu soit-il, avec elle.

La filandreuse conversation qu'elle a avec le chirurgien, juste avant de quitter la polyclinique, ne lui apporte pas non plus le ballon d'oxygène souhaité.

– Oh, Paule ! Ça me fait plaisir de vous revoir.

– Moi aussi, mais j'aurais...

– Vous n'êtes pas venue spécialement de Paris à cause de votre mère ?

– Ben... si !

– C'est gentil, mais vous auriez pu attendre un peu : vous auriez eu une meilleure impression et elle aurait plus profité de votre présence.

– Vous pensez qu'elle ne m'a pas reconnue ?

Le chirurgien a une moue évasive d'où tombe une cascade de points de suspension :

– Peut-être... Mais honnêtement... vous savez, à cet âge... le choc opératoire.. les calmants...

– A votre avis, elle aura récupéré demain ?

– Oh... plutôt après-demain... Oui... samedi... Si tout va bien... Je veux parler de la tête...

– Ça pourrait ne pas aller bien ?

– Oh... Paule... vous êtes fille de médecin... Ce n'est pas à vous que je vais apprendre les conséquences... éventuelles... des anesthésies sur les personnes... qui ne sont plus toutes jeunes... Déjà qu'avec celles qui le sont...

– Oui, bien sûr. Mais l'opération en elle-même s'est bien passée ?

– A priori... oui...

– Vous comptez la garder combien de temps ?

A partir de là, ce n'est plus une cascade mais un véritable Niagara suspensif qui chute de la bouche du praticien :

– Ah... ça dépend de ses réactions physiques... Mais aussi... morales... et mentales...

– Enfin, docteur, vous avez bon espoir qu'elle retrouve son autonomie ?

– Oh... l'espoir... oui... en tout cas... partiellement...

– Mais quand ?

– Oh... il est beaucoup trop tôt pour le dire...

– Même approximativement ?

– Ah... approximativement... disons... un mois... mais ça pourrait bien être... un mois et demi... ou...

– Excusez-moi d'insister, docteur, mais si par malheur ma mère ne pouvait plus s'assumer seule j'aurais besoin de le savoir assez vite pour m'organiser.

– Oh... ça, je vous comprends ! Moi-même, j'ai eu des problèmes terribles après l'opération de ma belle-mère.

– Ah ? J'ignorais...

– Un col du fémur... comme votre mère... au même âge... Il y a cinq ans... Elle ne s'en est toujours pas remise...

– Ah...

– Non... J'ai été obligé de la prendre chez moi... Ma femme n'a pas voulu qu'on la mette dans une maison de repos... C'est sa mère... Mais j'aime autant vous dire... Enfin... je ne veux pas vous décourager !

Trop tard ! Paule, oppressée, sort de la polyclinique avec un besoin irrésistible de respirer à pleins poumons. Elle saute dans sa voiture et fonce vers la plage. Elle la découvre comme à travers l'objectif d'une caméra. Tout semble avoir été réuni pour le tournage d'un film gris : le ciel tourmenté, les vagues tumultueuses, le vent roboratif, le jour qui décline... et même, dans le lointain, la silhouette très photogénique d'une promeneuse solitaire. Une amoureuse de la solitude ? Une dépressive ? Une sportive ? Une romantique ?

Eh bien non ! Rien de tout ça ! La silhouette se rapproche et Paule l'identifie avec étonnement :

– Odile ! hurle-t-elle en courant vers son amie.

La silhouette s'immobilise puis s'approche de Paule.

– Je me doutais que tu étais à Deauville. J'ai appris pour ta mère. J'allais te téléphoner ce soir pour avoir de ses nouvelles... et des tiennes.

– Maman va... normalement.

– Et toi ?

– Normalement aussi... avec ici une Malika terrassée par la grippe, une Ophélie grognon et, à Paris, un Barth égal à lui-même.

– Je vois.

– Et toi ?

– En pleine forme !

– Tu as encore maigri, non ?

– Oui ! Je continue mon régime.

– Ça te va bien.

– C'est ce que tout le monde me dit.

– Et ton roman ?

– Il avance ! J'étais en train de commencer mon dixième chapitre.

– En marchant ?

– Ça m'arrive souvent. J'écris beaucoup dans ma tête.

– Alors, je t'ai dérangée ?

– Ce n'est pas grave. Je me concentre très vite.

– De toute façon, je ne peux pas m'attarder, j'ai pas mal de choses à faire.

– J'imagine. Tu restes jusqu'à quand ?

– Je ne sais pas encore.

– Si tu es là samedi, passe me voir au marché.

– Oui. D'accord !

Les deux amies se séparent sur une petite bise, servie à la température ambiante : frisquette !

Soudain cette plage que Paule adore, même déserte – surtout déserte –, lui semble sinistre. Et, au-delà de cette plage, la petite ville calfeutrée dans son endormissement préhivernal, la maison de sa mère emprisonnée dans les mailles de ses innombrables napperons de dentelle, le visage de la despotique Gabrielle, suintant de suffisance, les chihuahuas des deux voisines avec déjà sur l'échine leur mantelet marron – tricoté main – de retraités frileux !

Tout cela lui paraît insupportable. Elle a une brusque envie de Paris. De son appartement. De ses tiroirs. De ses livres. De ses affaires. Et même de Madame Desvignes !

A toute vitesse, Paule va reprendre Ophélie chez la psychologue qui n'a pas réussi à calmer la mouflette, même avec le concours des berceuses de sa sœur Cécile et celui de la barbe de Frédéric !

– Dans la mesure du possible, lui dit Bernadette, tâchez d'éviter les changements de lieux, de visages, d'habitudes. Ils sont néfastes à Ophélie.

– Je sais. Je vais rentrer tout de suite à Paris.

– Vous avez raison.

Paule en est sûre. Seulement, quand elle rentre chez sa mère, Malika toujours grelottante lui apprend que Monsieur de Saint-Omer a téléphoné... de Londres !

– Où ça, à Londres ?

– A Buckingham, il m'a dit.

Paule ne peut s'empêcher de sourire.

– Il n'a rien dit d'autre ?

– Si ! Qu'il serait demain soir chez Monsieur Rodolphe.

– Ah bon ?

– Il espère que vous serez encore à Deauville parce qu'il a un message pour vous de la part de...

Malika est navrée : sa pauvre tête embrumée n'a pas enregistré le nom, Paule ose à peine lui en suggérer un :

– Ce n'est pas... Dagoberte ?

– Si, c'est ça : Dagoberte !

Finalement, ce soir, à nouveau dans son lit de jeune fille, Paule trouve assez charmant les napperons de dentelle... et même les gilets de laine des deux chihuahuas tremblotants.

CHAPITRE XVII

Dans la maison de Rodolphe, le long du trajet qui sépare le vestibule du rez-de-chaussée de la chambre du deuxième étage, Barth a disposé, à intervalles réguliers, des pancartes bleues semblables à celles qui jalonnent les parcours pédestres et qui décrivent aux sportifs consciencieux les exercices de gymnastique dont ils pourraient agrémenter leur marche, s'ils étaient courageux. Barth, lui, y indique à Paule des exercices mentaux qui désamorcent l'une après l'autre les réticences avec lesquelles elle est arrivée.

Halte numéro un, située dans le living, devant la cheminée de pierre.

Exercice recommandé : « Se souvenir de quelques chaudes soirées d'hiver passées entre feu de bois et peau de bête à trouver le difficile chemin du changement dans la continuité ! »

Halte numéro deux, située en bas de l'escalier au-dessus d'un magnétophone.

Exercice facultatif : « Ecouter la chanson du début de la cassette, chantée par Juliette Gréco et que Rodolphe nous avait offerte, feignant de croire que nous l'avions inspirée. »

Paule sait, bien entendu, qu'il s'agit de la chanson qui a pour leitmotiv « si ce n'est pas l'amour... Dieu que ça lui ressemble ! ».

Elle ne l'écoute pas : elle la connaît par cœur.

Halte numéro trois, située sur le palier du premier étage.

Exercice conseillé : « Répéter la tirade de Perdican que tu m'as apprise et qui se termine par : "Mais il y a au monde une chose sainte et sublime, c'est l'union de deux de ces êtres si imparfaits et si affreux." »

Halte numéro quatre, située sur le palier du deuxième étage.

Exercice obligatoire : « Si ton cœur bat, ne pas croire que c'est parce que tu as monté l'escalier trop vite... lui être indulgent... ne pas le traiter de con. »

Halte numéro cinq, située juste devant la porte de la chambre.

Exercice essentiel : « Te poser objectivement la question : "Est-ce que j'en connais un autre – un seul – qui aurait imaginé un truc pareil pour m'accueillir ?"

« *a)* si la réponse est "oui" : redescendre l'escalier séance tenante et aller rejoindre ce dingue à toute vitesse.

« *b)* si la réponse est "non" : oublier rancœurs, rancunes et reproches. Ravaler tous les mots – quels qu'ils soient. Avancer droit devant toi jusqu'à ce que tu tombes sur le premier homme allongé qui se présentera. Après... te fier à ton inspiration ! »

Paule suit ce dernier conseil : silencieusement, elle prend dans son sac un stylo et l'une de ses cartes de visite. Avec le premier, elle griffonne trois mots sur la seconde. Ensuite elle se déshabille entièrement et, avec un bout de papier collant récupéré sur l'ultime pancarte de Barth, fixe le bref message qu'elle vient d'écrire à l'endroit réservé en général depuis Adam et Eve à la feuille de vigne. Enfin, elle entre et se présente à son roi avec un port de reine. Calé dans ses oreillers, il la voit arriver sans broncher. Seules les fossettes qui se creusent dans ses joues montrent qu'il apprécie l'initiative. Paule pose ses genoux à la base du lit et commence une lente ascension du corps de Barth. Elle s'arrête au-dessus de ses hanches. A cette distance il peut lire sur la fausse feuille de vigne : « Je te hais ! » Les fossettes de Barth se creusent davantage. Il glisse l'une de ses mains dans son dos, sous son oreiller, et l'en ressort avec une nouvelle pancarte bleue sur laquelle Paule déchiffre : « Moi aussi ! » Elle explose d'émerveillement une seconde avant lui. Délestés de leur humour toujours si encombrant dans ce genre de circonstances, ils entrent ensemble dans leur galaxie préférée. Ensemble ils s'étreignent, se pressent, se fondent, se transpercent et vivent en quelques fulgurances le rêve éternel de tous les amants du monde : ne plus être qu'un !

Quand ils sont redevenus deux parallèles rapprochées, Paule demande :

– C'était ça le message de Dagoberte ?

– Oui... mais en mieux ! Et en plus long !

Paule ne retient de ce compliment que la notion de durée et se précipite sur la montre de Barth.

– Midi dix ! Quelle horreur !

Elle bondit hors du lit, va ramasser sur le palier ses affaires qu'elle ne se souvenait pas d'avoir ainsi éparpillées et s'engouffre dans la salle de bains en en laissant la porte ouverte afin de pouvoir être entendue de Barth.

– Je suis désolée de ce départ un peu brusqué, mais j'ai plein de courses à faire avant de rentrer à la maison.

– Ah bon ? On ne déjeune donc pas ensemble ?

– Ben... ça ne va pas être commode : je profite de la sieste d'Ophélie pour aller voir maman à la polyclinique.

– Et ce soir ?

– J'ai invité Mademoiselle Moutiers à dîner à la maison. Ce n'est pas que ça m'amuse, tu t'en doutes, mais comme elle s'est occupée très gentiment de maman au moment de sa chute, qu'elle garde son chien et qu'elle peut encore me rendre d'autres services, je préfère la ménager. Tu comprends ?

Paule ne se rend pas compte du silence qui suit car elle vient de constater que son pull en mohair a été transformé en charpie par les crocs du labrador de Rodolphe. Elle sort de la salle de bains en bottes et en jean, furieuse, brandissant sous le nez de Barth impassible les vestiges de son chandail.

– Regarde un peu le travail de cet imbécile de « Crins bleus » !

– C'est parfait pour la mode « grunge » !

– Je ne peux pas sortir comme ça !

– Prends le cachemire qui est là. Rodolphe m'en prêtera un autre.

C'est seulement en suivant la direction que Barth lui a indiquée du bout de son menton que Paule aperçoit le téléphone qu'il tient contre son oreille.

– Qui appelles-tu ?

– Attends une seconde. Tu vas le savoir.

Elle est en train d'enfiler le pull de Barth quand, en effet, elle est renseignée de la façon la plus formelle :

– Bonjour ! Pardon de vous déranger, je voudrais parler à Laura Piasson-Liget.

La tête de Paule surgit du col roulé à peine plus blanche que le pull.

– C'est joli, ce camaïeu, commente Barth en attendant son interlocutrice.

Paule hausse les épaules et, d'une voix également blanche, demande :

– Où est-elle ?

– Chez des amis à Trouville.

Puis, sur le même ton fonctionnel, il s'adresse à Laura, arrivée au bout du fil :

– Salut ! C'est moi ! C'est O.K. pour le déjeuner. Treize heures quinze chez Miocque. A moins que tu ne préfères ailleurs ? Non ? Alors... à tout de suite !

Barth raccroche. Paule, elle, s'accroche au dossier du fauteuil.

– Tu vas déjeuner avec Laura ?

– Ben... tu as entendu, non ?

– Et après ?

– Il est possible que je lui montre les plages du débarquement. Elle ne connaît pas.

– Et après ?

– Peut-être une soirée casino avec Rodolphe. Ou une soirée cinéma.

– Et après ? Tu vas coucher avec elle ?

– Oh ! Sincèrement, je ne pense pas ! Mais en toute honnêteté, je ne peux rien te garantir.

– Tu pourrais ? Après ce qui vient de se passer !

– Oh, mon ange, si l'exceptionnel entre nous n'est pas une habitude – heureusement, d'ailleurs –, ce n'est

193

pas non plus une nouveauté. Nous savons tous les deux que, dans l'ensemble, à l'horizontale, nos relations sont très réussies.

– Enfin, Barth... comment peux-tu...

– Comment je peux quoi ? Accepter la compagnie d'une jeune personne agréable à regarder, pas désagréable à entendre, qui en plus est, elle, à mon entière disposition – presque à ma dévotion –, alors que toi tu me prives de ta présence... à cause des bronches de ta mouflette, du col du fémur de ta mère, des services rendus par Gabrielle Moutiers et de la grippe de ta perle mauricienne... en attendant que ça soit à cause des intestins du chihuahua ou des rhumatismes de Madame Desvignes !

Paule se sent envahie par une bouffée de colère, semblable à celle qui s'est emparée d'elle après avoir téléphoné à Barth de la station-service de l'autoroute... et qui aboutit à une semblable envie de le rouer de coups de poing et de coups de pied. Mais cette fois, il est en face d'elle : souple, fort... et ceinture noire de judo ! Elle sait qu'il l'aura plaquée au sol avant qu'elle ne l'ait touché. Alors elle se résigne à la dignité, dernier refuge des faibles bafoués.

Sans un mot, elle va chercher son sac et sa parka laissés dans la salle de bains, revient dans la chambre, aperçoit la carte de visite où tout à l'heure, le cœur débordant d'amour, elle a écrit : « Je te hais ! », elle la ramasse, la dépose sur le lit en disant avec une fermeté sans grandiloquence :

– Maintenant c'est vrai. Et c'est définitif.

Beaucoup plus impressionné par son ton déterminé qu'il ne l'aurait été par des éclats désordonnés, Barth l'appelle avec déjà la voix d'un négociateur en puissance :

– Paule ! Viens près de moi !

Elle ne répond pas. Ouvre la porte. La referme doucement... et se met à dévaler l'escalier quatre à quatre, fuyant la tentation d'un retour. Elle n'a pas encore atteint le palier du premier étage qu'elle a la satisfaction d'entendre, juste au-dessus de sa tête, un nouvel appel de Barth :

194

– Paule ! Remonte ! C'est idiot !

Elle ne ralentit pas sa descente d'un pouce.

Le troisième appel de Barth lui parvient de la fenêtre de leur chambre où il est revenu, alors qu'elle vient de franchir le portail de la maison.

– Paule ! Attends-moi ! Je descends !

Elle entre dans sa voiture. Sa clé de contact, tenue par sa main tremblante et brouillée par l'humidité de ses yeux, met quelques secondes avant de trouver sa serrure d'accueil. Enfin le moteur tourne. Paule écrase toute son agressivité sur l'accélérateur. Juste avant de tourner, elle voit dans son rétroviseur Barth en peignoir de bain lui demander par gestes de revenir.

Cent mètres après le tournant, elle arrête la voiture sur le bas-côté de la route. Les mains serrées sur le volant, dans une immobilité parfaite, elle attend que ses larmes veuillent bien se tarir et que son con de cœur veuille bien se calmer. Une image s'impose à elle : celle de l'héroïne d'une pièce de théâtre, tirée d'un film américain de William Wyler : *L'Héritière*. Elle la voit, juste avant le baisser du rideau, désespérée et un peu honteuse d'avoir été dupée par l'homme qu'elle aimait passionnément. Elle la voit mobiliser toute sa volonté pour ne pas ouvrir sa porte au « traître » qui carillonne et reprendre sa tapisserie d'esseulée, pendant qu'à deux pas d'elle il implore son pardon. Elle se souvient qu'elle avait été touchée par le stoïcisme douloureux de cette femme. Barth, agacé par sa réaction, typique selon lui de Madame Ducoincé, avait voulu la choquer en lui affirmant :

– La dignité, c'est très joli, mais ça ne se mange pas en salade !

– Ça permet quand même de se regarder tous les jours dans une glace sans rougir, avait-elle répondu – précisément avec beaucoup de dignité.

Barth s'est sans doute rappelé cette discussion d'après spectacle sur l'attitude de « l'héritière ». Lui, se garde bien de carillonner à la porte de Paule. Ni à son téléphone. Les deux amants se claquemurent dans un silence orgueilleux.

Il est certain que, des deux, c'est Paule qui a le plus de mal à le respecter.

Il est non moins certain que c'est lui qui finira par le rompre... Mais on n'en est pas là. Paule non plus.

Elle en est, le lendemain de son retour de Deauville, à recevoir un coup de téléphone de Gregory Vlasto, anormalement matinal et tranchant. Il lui reproche de ne pas être venue au rendez-vous qu'elle-même avait fixé avec sa secrétaire, quand il était à Francfort, et de n'avoir pas eu la politesse élémentaire de se décommander. Les explications de Paule à propos de ses négligences et le regret qu'elle en exprime ne parviennent pas à l'attendrir. Et pour cause ! Il ne veut surtout pas l'être : compte tenu de ce qu'il a à lui dire, ça l'arrange qu'elle se sente en faute vis-à-vis de lui. Paule le comprend dès qu'il aborde le véritable motif de son appel :

— Dans ces conditions, dit-il, vous comprendrez que j'aie arrêté définitivement le choix de mon successeur.

— Définitivement ?

— Oui... Si je vous avais vue jeudi, je vous aurais annoncé comme prévu que j'étais en pourparlers avec quelqu'un qui me convenait à tous égards, mais que pour être fidèle à ma promesse j'étais prêt à vous donner la préférence. Malheureusement, je ne vous ai pas vue. Vendredi, sans nouvelles de vous, je vous ai cherchée partout pour vous tenir au courant de mes tractations. Malheureusement encore, votre répondeur n'était pas branché et celui de Barth l'annonçait à Londres. J'ai eu, je l'avoue, un accès de mauvaise humeur et, le soir même, j'ai signé avec le postulant que j'avais retenu. Il entre en fonctions dès ce matin. C'est pourquoi je vous ai appelée de bonne heure. Mais bien entendu, je vais rester à ses côtés le temps qu'il assimile le fonctionnement de l'agence et que je le présente à mes correspondants étrangers.

— Peut-être pourriez-vous lui parler aussi de votre principale traductrice ?

— Bien sûr ! Mais je ne vous garantis pas le résultat de mon entremise : je ne suis plus décideur. Seulement conseiller...

Paule raccroche, d'autant plus mortifiée par ce coup du sort qu'elle s'en culpabilise et reconnaît qu'à la place de Gregory elle aurait sans doute réagi comme lui ; d'autant plus angoissée que, si elle est certaine à présent de n'être jamais P.-D.G. de l'agence T.S.F., elle n'est plus sûre du tout d'y rester en tant que traductrice. Et comme elle ne va plus l'être aux éditions Marionneau, elle va devoir trouver d'autres employeurs. Mais comment ? En demandant à Barth de la recommander à quelques-unes de ses nombreuses relations ? Plutôt crever ! Il ne verrait là qu'un prétexte pour renouer avec lui ! Elle préfère encore s'adresser à la grande Catherine qui, maintenant qu'elle est casée, ne refusera peut-être pas de lui indiquer quelques pistes à suivre. Elle va donc aux éditions Marionneau. Mais la grande Catherine n'y est pas.

– Elle est en arrêt maladie, lui dit sa secrétaire.

– Jusqu'à quand ?

– Je ne sais pas au juste. Mais à mon avis, on ne la reverra pas... ici !

L'œil goguenard de la secrétaire dispense Paule de s'inquiéter sur l'état de santé de l'absente.

Quelques instants plus tard, Laurence s'inquiète, elle, sur celui de Paule, devenue brusquement livide, au milieu de leur bavardage amical, sans aucune raison, juste quand elle lui a appris que la grande Catherine n'était pas là parce qu'elle travaillait déjà ailleurs...

– Tiens-toi bien ! Comme P.-D.G. ! A l'agence T.S.F. !

Dès que son sang a cessé de prendre ses artères pour le circuit du Mans, Paule interroge Laurence avec avidité. A partir des renseignements qu'elle obtient sans la moindre difficulté, elle reconstitue l'histoire de ce film dont elle est l'involontaire et malheureuse héroïne :

Première séquence : Barth a innocemment parlé à Rodolphe de la proposition inespérée que Gregory Vlasto a faite à Paule et des agaçantes tergiversations de celle-ci.

Deuxième séquence : le coiffeur entre deux coups

de ciseaux a glissé ce potin – apparemment anodin – dans l'oreille de son excellente cliente, Yolande Vanneau.

Troisième séquence : Yoyo, la veuve rancunière, avec au bout d'une laisse son Antinéa, rencontre régulièrement Blanquetti, le dépité rancunier, avec au bout d'une laisse son Jules dans les allées du Luxembourg, à l'heure où leurs petits chiens y folâtrent. Entre deux aboiements joyeux, ils ont fini par découvrir leur haine commune pour Paule. Il est donc normal que Yoyo, flairant d'instinct l'occasion de lui nuire, informe le beau Lucien de la situation mirobolante qui a été offerte à leur ennemie.

Quatrième séquence : Blanquetti, toujours grâce à son Jules – et au pouvoir reproducteur de celui-ci –, s'est lié d'amitié avec la maîtresse de la difficilement fécondable Carmen. Entre deux étreintes canines, le tenace Lucien a refilé à la grande Catherine l'os à ronger que constitue pour elle l'agence de Gregory Vlasto.

Cinquième séquence : l'attachée de direction – et au directeur – des éditions Marionneau, entre deux extases, s'est attaché facilement les services de son amant pour régler cette affaire.

Sixième séquence : le vieux Marionneau alerte son vieux copain Vlasto qu'il rencontre de temps en temps autour d'une table de poker. Il lui recommande chaudement la grande Catherine en lui précisant que, s'il retient la candidature de sa protégée, il oubliera l'importante somme d'argent qu'il lui a avancée un soir de malchance, entre carré d'as et quinte flush...

Fin du film !

Metteur en scène et concepteur : Lucien Blanquetti.

Titre : *La Vengeance d'un bellâtre outragé*.

Assistante : Yolande Vanneau.

Collaboration artistique : Catherine Galipeau, qui s'est chargée en outre de la promotion du film auprès de Paule, via Laurence.

Dans les rôles secondaires quoique de première importance : les trois yorkshires.

Public ciblé : l'impudente Paule Astier.

Public atteint au-delà de toute espérance : Paule n'arrête pas de repasser le film « sur l'écran noir de ses nuits blanches »... sauf quand Ophélie meuble ses insomnies avec une crise d'asthme, ou une rage de dents, ou un cauchemar. Pourtant, pas une fois il ne vient à l'idée de Paule de reprocher à sa moufflette ses malheurs. Au contraire ! Cette nuit encore, elle lui a dit en confidence :

– Heureusement que tu es là, ma douce, ma rugueuse, avec tes exigences, ton caractère de cochon, ta drôle de bouille, tes crapahutages maladroits, tes malices, tes grimaces, ton petit plus quotidien. Heureusement aussi que Malika est là avec sa gaieté et sa gentillesse naturelles... Et puis Madame Desvignes aussi qui s'obstine, tarots en mains, à me prédire un avenir meilleur. Je n'y crois pas beaucoup mais, quand même, c'est agréable à entendre... surtout en fin de journée, quand je reviens à la maison sans aucun travail en vue ; quand j'entends au téléphone les plaintes de ma mère ou les rapports pessimistes de Gabrielle Moutiers et qu'après tout cela il y a mon con de cœur qui me joue la ballade des souvenirs heureux... A toi, je peux bien le dire, ma moufflette, il y a des moments où je crève d'envie d'aller à Canossa – en l'occurrence du côté de chez Barth – et de reconnaître qu'effectivement la dignité... ça ne se mange pas en salade ! Mais jusque-là j'ai résisté. Et comme maintenant le plus dur est fait, je crois sincèrement que je ne serai plus tentée par une capitulation... indigne. Je me trompe ? comme il dit. Enfin... comme il disait.

Oui, elle se trompe. Elle sera encore tentée. A sa décharge il est vrai qu'à l'heure où elle parlait à Ophélie elle ignorait que *La Vengeance du bellâtre outragé* comportait une suite.

Le deuxième épisode lui est offert au petit matin du vendredi 10 décembre. Deux policiers sonnent à sa porte, lui signifient sa condamnation pour emploi non déclaré d'une émigrée clandestine et laissent à Malika juste le temps de rassembler ses affaires dans un sac avant de l'emmener en larmes avec eux.

En dépit de son désarroi, Paule imagine sans peine la genèse puis le déroulement du nouveau scénario : Annabel Vanneau s'est vantée auprès de sa mère, d'une part, de sa victoire sur Félix qui s'est enfin déclaré et, d'autre part, de sa victoire sur elle-même qui, surmontant son antipathie pour Paule Astier, lui a fourni une perle clandestine, chargée de garder sa petite-fille. Yolande Vanneau a rapporté cette information à son coéquipier en vengeance, Blanquetti. Celui-ci, pervers, attend patiemment que Malika soit devenue indispensable à leur ennemie commune pour dénoncer les contrevenantes à un « incorruptible » qu'il connaissait au ministère du Travail.

Ce deuxième épisode se solde par un joli succès pour ses auteurs : Paule est privée de sa jeune mamybis, donc de sa liberté d'action. Privée aussi de son plus fidèle ami, donc de tout soutien affectif. Comme par ailleurs son amende « pour infraction aux lois du travail » va probablement engloutir le reste de ses économies déjà bien entamées, qu'elle va être au chômage à partir du 1er janvier, qu'elle n'a aucune perspective professionnelle, qu'elle est sous la menace permanente d'une maladie ou d'une hospitalisation d'Ophélie, Paule est dans un état moral qui pourrait réjouir Blanquetti et Yolande Vanneau... s'ils le connaissaient. Mais ils ne peuvent que le supposer, sans certitude. Fidèle à son principe qu'un ennui affiché s'augmente du plaisir qu'il procure aux autres, elle arbore devant tout le monde le sourire détendu et la mise soignée des gens sans problèmes. Même devant Félix, pour éviter que, par le truchement de sa dulcinée, Yoyo et Lucien n'apprennent que leur bête noire est en train d'explorer les sombres cavernes du trente-sixième dessous. Pour tous, elle joue celle que l'adversité stimule, la bouée insubmersible, « la merveilleuse petite Madame Astier »...

Son auréole maintient son âme comme un lombostat ou une minerve maintient des vertèbres chancelantes. Paule ne l'enlève que devant Madame Desvignes. Et là... c'est l'effondrement ! La catastrophivore se requinque à vue d'œil. Un peu de larmes dans son moteur et la voilà qui carbure à plein régime ! La voilà qui remorque sa jeune voisine et, qui plus est, la dépanne ! Ou du moins, lui propose un plan de dépannage... avec devis !

– De quoi s'agit-il ?

– De rentabiliser votre appartement.

– Vous voulez dire le vendre et m'installer dans un plus petit, moins bien situé et...

– Non ! D'abord ce n'est pas le moment de vendre ; ensuite l'argent que vous tireriez de l'opération ne vous conduirait pas très loin, même avec un placement honorable.

– Alors ?

– Allez vivre à Deauville chez votre mère où vous aurez autant ou plus d'espace qu'ici. Pour la petite c'est important. Louez votre appartement, ou plutôt, officiellement, prêtez-le à des amis... si vous voyez ce que je veux dire.

Paule voit très bien et se récrie : l'illégalité, merci ! Elle a déjà donné. Quant à s'exiler... Abandonner ce Paris qui la fascine... plus singulièrement ce VIᵉ arrondissement qu'elle adore... plus singulièrement les arbres du Luxembourg et les rues de Saint-Germain-des-Prés qui l'euphorisent... et tout le reste... Non, vraiment elle n'est pas chaude ! Ça, Madame Desvignes le comprend très bien et, plutôt que d'insister sur ce chapitre, en revient à la première objection de Paule :

– En ce qui concerne le loyer en dessous-de-table, vous n'avez rien à craindre : j'ai un locataire très sûr pour vous.

– De qui peut-on être sûr ?

– De mon dernier fils.

– Celui qui habite Lille ?

– Partiellement. Il a une liaison suivie à Paris avec une femme mariée qui a comme lui la phobie des hôtels. Votre appartement avec moi à côté, qui peut servir d'alibi, l'arrangerait beaucoup. D'autant plus que cette solution lui coûterait moins cher que le Hilton trois fois par semaine !

– Vous croyez ?

Madame Desvignes a déjà fait tous les comptes. Ceux de son fils. Et ceux de Paule.

– Avec ce loyer net d'impôts, ajouté à votre indemnité de chômage, ajouté aux petites rentes de votre mère pour lesquelles justement mon fils qui est agent de change pourrait vous conseiller... ça vous permettrait de « voir venir ».

Paule sourit à cette expression de Flora Desvignes qu'elle a entendue tant de fois dans la bouche de sa mère. Expression d'une époque où les femmes dépendaient financièrement d'un homme – ou de plusieurs – et étaient hantées par la notion de sécurité. Expression que la précarité actuelle des emplois féminins – et masculins – risque de remettre à la mode et que déjà Paule ne rejette pas. Jusqu'à présent elle ne s'est jamais souciée de « voir venir ». Mais maintenant, avec Ophélie fragile, et avec sa mère handicapée, elle est assez tentée par la possibilité de « voir venir ». Elle demande et obtient deux jours de réflexion. Sur le palier, avec l'intention d'orienter sa jeune voisine vers ce qu'elle estime être le bon choix, la vieille Flora retrouve ce fameux sourire du temps où elle était la « pétulante petite Madame Desvignes » pour lui dire :

– Croyez-moi, ma petite, le seul vrai luxe pour une femme c'est de n'avoir pas besoin des hommes !

Néanmoins, au lendemain de cette conversation, Paule est encore très hésitante sur la voie à prendre, quand survient le fait déclenchant : un coup de téléphone de Barth, marqué sur son agenda par son con de cœur à la date du dimanche 19 décembre. Vingt-deux heures.

Attentifs l'un comme l'autre à se parler le plus naturellement du monde, on ne saurait dire lequel des deux parle le plus faux.

– Allô, Paule ? C'est moi, Barth.

– Tu sais que ta voix n'a pas vraiment changé ?

– Je te dérange, peut-être ?

– Pas vraiment.

– Ophélie dort ?

– Pour le moment, oui.

– Comment va-t-elle ?

202

– Des hauts et des bas.

– Et ta mère ?

– Surtout des bas.

Stop ! Danger d'enlisement ! Marécages de la platitude ! Paule les signale à Barth avec une grosse loupe.

– Puisque tu t'intéresses à mon entourage, sache aussi que Mademoiselle Moutiers a un nouveau sonotone beaucoup plus performant que l'ancien ; que Madame Desvignes pour la sainte Flora a reçu quatre pots de baume du Tigre en provenance de ses quatre Hesperide's lovers ; que Thérésa a un bienheureux enrouement ; que Simone Bellarian a pris cinq kilos depuis les fiançailles de Félix ; mais qu'Odile en a perdu sept depuis qu'elle a épousé la littérature !

Ouf ! Les revoilà sur un terrain plus familier. Barth enchaîne immédiatement :

– Attends ! crie-t-il dans l'appareil.

– Quoi ?

– Je remonte la bobine au point de départ.

– Parfait ! J'écoute !

Cette fois, Barth parle juste mais il parle sérieux :

– Je t'ai téléphoné parce que je suis au courant de tes emmerdes.

– Lesquels ?

– Tous ! La grande Catherine, Gregory, Malika, Félix...

– Qui t'a renseigné ?

– Devine !

– Ce n'est pas difficile : je ne me suis confiée qu'à Madame Desvignes.

– Non ! A quelqu'un d'autre aussi.

Paule cherche... et se souvient qu'effectivement un soir de débâcle elle s'est raccrochée à un fil de téléphone, celui de...

– Bernadette Anglet ?

– Oui, je l'ai rencontrée ce matin.

– Chez elle ?

– Non. Par hasard, chez mon frère. Pénélope disjoncte un peu.

C'était donc ça le secret professionnel invoqué par

Bernadette lors de leur première rencontre dans le mirador ! C'était par les indiscrétions d'Ulysse et de Pénélope qu'elle connaissait l'oiseau des îles ! C'était forte de cette connaissance qu'elle avait pensé pouvoir intervenir utilement auprès de lui. Malgré le peu d'enthousiasme de Paule pour cette idée, la psychologue n'y avait manifestement pas renoncé et s'était arrangée pour rencontrer Barth... par hasard !

– Que t'a-t-elle dit ?

– Que tu n'allais pas très bien.

Paule se rebiffe et rajuste son auréole :

– C'est idiot ! Je l'ai appelée dans un moment de cafard, mais ça n'a pas duré. Tu me connais ! Une heure après, tout était passé aux oubliettes. Je regrette de ne pas l'avoir rappelée pour la rassurer. Ça t'aurait évité de...

– S'il te plaît ! Ne rejoue pas à cache-cache !

– Mais je t'assure...

– Ecoute, Paule, je vais être clair : je t'ai téléphoné simplement pour te dire ceci : si tu as besoin de moi, je suis là.

Mon Dieu ! Il a frôlé la phrase de Madame Desvignes. L'auréole en est tout agitée :

– Comment ça, « besoin » ?

– Soyons simples, Paule : financièrement.

– Tu plaisantes ! En cas de « besoin », comme tu dis, tu es vraiment la dernière personne à qui je m'adresserais.

Nouveau stop : chemin du roman-photo débouchant sur le cul-de-sac du conformisme. Déviation recommandée. Barth la prend avec sa voix la plus suave :

– Madame Ducoincé, si vous continuez sur ce ton-là, je vais me voir obligé d'être vulgaire... ou de raccrocher.

– Eh bien, raccroche !

– Pas avant de t'avoir expliqué qu'ayant eu jusqu'ici l'un et l'autre la chance d'ignorer les problèmes d'argent, nous n'avons eu aucune raison d'aborder ce sujet. Mais puisqu'il se trouve que toi, maintenant, tu en as, il faut bien...

– Mais je n'en ai pas !

– Tu en es sûre ?

– Absolument !

– Tu peux me le jurer ?

Paule hésite entre le salut de son âme et l'abandon de l'auréole. Elle réussit à trouver une tangente :

– Je peux te jurer que je n'ai plus de soucis d'argent.

– Depuis quand ?

– Depuis que j'ai décidé de vivre à Deauville et de louer mon appartement.

Le silence qui suit se prolonge au point que Paule croit la communication coupée.

– Tu es encore là ?

– Oui.

– Pourquoi ne dis-tu rien ?

– On m'a appris à ne pas parler la bouche pleine.

– Tu n'as pas la bouche pleine !

– Si ! Pleine de mots gentils que je n'arrive pas à avaler. Ni à sortir.

Le temps pour Paule d'avaler, elle, une grosse boule de tendresse et elle demande :

– Lesquels, par exemple ?

– Par exemple ? Où seras-tu pour le réveillon de Noël ?

– A Deauville.

– Ta mère sera rentrée chez elle ?

– Sûrement pas !

– Alors... tu m'invites ? J'apporterai tout.

– Il y aura Ophélie.

– Je prends le risque !

Entre cette conversation du dimanche 19 décembre et le réveillon du 24, Paule reçoit une lettre anonyme. « On » lui annonce les imminentes fiançailles du comte Barthélemy de Saint-Omer et de Mademoiselle Laura Piasson-Liget.

Tout bien réfléchi, Paule ne décommande pas Barth.

Mais cette fois, elle est bien décidée à « voir venir » !

CHAPITRE XVIII

– Ophélie, mon clown, mon pitre, mon gugusse, mon loustic... Tiens ! C'est curieux ! Rien que des mots masculins ! A croire que le rire n'était pas prévu pour les femmes ! Pourtant, toi, tu m'as l'air assez douée dans ce domaine-là... quand tu veux ! quand tu es bien lunée... En ce moment, par exemple. Mais pas hier, hein ? Bon sang ! Tu m'as vraiment gâtée pour ma soirée de réveillon : mal à l'oreille, quarante de fièvre, crise d'asthme, vomissements, hurlements... la totale, quoi ! Et bien entendu, aujourd'hui que l'on est toutes les deux, que tu pourrais brailler tout ton soûl, tu me sors le grand jeu de la séduction : le sourire enjôleur, le regard fasciné, le gazouillis ravageur et la menotte racoleuse ! Bravo ! Tu n'aurais pas pu faire ça à Barth hier, non ? Je ne te dis pas que ça aurait été Auster- litz... mais au moins ça n'aurait pas été Waterloo ! Il n'y avait pas de raison. Barth est arrivé plein de bon- nes intentions : des peluches pour toi... Bon ! D'accord ! Rien que des couleurs que tu n'aimes pas : des pastels comme pour les bébés, ça t'a vexée ! Mais enfin, tu aurais pu faire un effort... comme moi ! Qu'est-ce que tu crois ? Moi non plus je n'ai pas aimé ce poncho qu'il m'a ramené... de Londres ! Je ne vais même pas pouvoir l'échanger ! Mais n'empêche ! Je me suis extasiée... comme devant son caviar... Pour- tant, entre nous, il était à la limite de la fraîcheur... Comme devant son homard... Il était caoutchouteux... Mais ce n'était pas sa faute... Et ce n'est pas la mienne s'il s'est tailladé un doigt en essayant de fendre une patte avec un couteau ! Ne rigole pas, vilaine ! Ce n'était pas drôle ! Le sang coulait partout et il était furibard... Surtout quand il a cherché le sparadrap dans le placard à pharmacie de maman... et qu'il est tombé sur le cuit-tout-vapeur vietnamien... rempli de médicaments ! Un autre jour, il en aurait ri. De ça et du reste. Un autre jour, tu aurais pu dormir tranquillement, au moins une heure ou deux... Un autre jour, j'aurais pu éviter de matérialiser l'ombre de Laura... Un autre jour, oui ! Mais hier, c'était hier... Et tout est allé de travers : tu ne m'as pas laissé dix minutes de répit ; il avait laissé son humour au vestiaire et moi je lui ai lancé la fameuse lettre anonyme comme un pavé !

Il était deux heures du matin et les bougies aux trois quarts consumées pleuraient leurs larmes de cire sur les napperons de dentelle de Madame veuve Astier dans la salle à manger Lévitan – les meubles qui durent vraiment très très longtemps. Paule n'avait qu'une envie : dormir. Barth avait un projet diamétralement opposé. Elle a essayé de plaider sa cause. Il n'a pas voulu l'entendre. Il s'est rué sur elle. Elle s'est débattue. Ç'aurait pu être un jeu érotique. Le prélude à une ardente symphonie. Pas du tout ! Ça n'avait pas été un prélude. Ça avait tenu lieu de symphonie ! Paule ne l'avait jamais vu comme ça : le hussard ! la bête ! King-Kong ! Et en plus, après... même pas repentant : le goujat intégral ! Il lui a réclamé le coup de l'étrier ! Il s'agissait d'une coupe de champagne... mais quand même... A la place, elle lui a apporté la lettre anonyme. Après lecture, il a haussé les épaules en lui demandant pour la forme :

– Tu ne vas pas me dire que tu as pris ça au sérieux ?

Elle a répondu... exactement ce que sa mère aurait répondu :

– Il n'y a pas de fumée sans feu !

S'est ensuivie une scène où les questions plus bêtes les unes que les autres fusaient de part et d'autre sans jamais obtenir de réponse :

– Pourquoi tu ne me crois pas ?

– Pourquoi je te croirais ?

– Qu'est-ce qui t'a pris de te conduire comme un sagouin ?

– Qu'est-ce qui t'a pris de jouer les glaçons ?

– Pourquoi es-tu venu ici ?

– Pourquoi as-tu accepté que je vienne ?

– Est-ce que tu as pensé que tu pourrais être le père de Laura ?

– Qu'est-ce que ta braillarde peut avoir de plus que moi ?

Une scène qui aurait pu s'arrêter très vite si l'un des deux avait dit : « Pouce ! Assez joué ! C'est stupide ! On s'aime. Le reste est sans importance. »

Mais aucun d'eux ne l'a dit.

Alors, ils se sont quittés fâchés. Ennemis. Une fois de plus.

– Oui, une fois de plus, Ophélie. Je voudrais bien que ce soit la dernière... Non, ce n'est pas vrai : je voudrais le revoir... Mais seulement pour lui dire qu'il faut en finir... Ou recommencer ! Je voudrais le forcer à se souvenir... Ou alors qu'il m'aide à oublier ! Je voudrais n'être plus déchirée, tiraillée entre mes contradictions. Ça, c'est vrai, ma moufflette. Je voudrais être un personnage tout d'une pièce. Savoir ce que je veux. Ne plus avoir peur de le rencontrer quelque part et en même temps le chercher partout. Ne plus redouter d'entendre sa voix au bout du fil et en même temps attendre désespérément un appel et...

La sonnerie du téléphone l'interrompt. Paule bondit. Paule espère. Paule ne pense plus du tout à « l'héritière ». Ce n'est pas Barth, c'est...

– Qui ?

– Le grand-père d'Ophélie.

– ...

– Peter !

– Oh ! excuse-moi ! Je m'attendais si peu... Comment as-tu su que j'étais ici ?

– Par ta charmante voisine de Paris : une véritable agence de renseignements.

– Je me doute.

– Je voulais juste te souhaiter un bon Noël. A toi... et à notre petite-fille.

– Je transmettrai.

– Elle est mignonne ?

– Ce n'est pas exactement le mot qui lui convient. Plutôt rigolote.

– J'aimerais bien la revoir.

– Tu es à Deauville ?

– Non, à Prague. Je tourne un feuilleton. Mais je serai à Deauville pour la Saint-Sylvestre. Seul.

– Ah bon ?

– Oui... Je t'expliquerai. J'ai retenu une table au Casino pour le réveillon. On sera une dizaine. Si vous voulez vous joindre à nous ?

– Qui, « vous » ?

– Eh bien, Barth et toi.

– Je ne pense pas qu'il sera là.

– Ah... Et toi ?

– Moi oui... mais je n'ai personne pour garder Ophélie.

– Veux-tu que je t'expédie une nurse suisse ?

– Non ! Je me débrouillerai.

– Formidable ! Je passerai te prendre le 31 à vingt et une heures chez ta maman, à la villa « Mon rêve ».

– Tu te souviens encore du nom ?

– C'est connu, tu sais : en vieillissant, la mémoire privilégie le passé.

Le 31 décembre, vers dix-neuf heures trente, Paule dépose, chez Bernadette Anglet, Ophélie avec son attirail habituel et... une cassette sur laquelle elle a enregistré une suite d'histoires, en ayant soin d'employer les mots et le ton familiers à la sultane. Une idée de la psy qui semble avoir les meilleurs effets : le bébé, fasciné par le magnéto magique, ne s'aperçoit pas que sa grand-mère s'en va le cœur presque léger. Suffisamment en tout cas pour prendre en rentrant un véritable plaisir à se faire belle ; pour découvrir en souriant le masque « coup d'éclat » encore dans son emballage ; pour l'entamer avec espoir ; pour constater son efficacité avec satisfaction ; pour repasser avec soin l'ensemble du soir qu'elle devait étrenner à l'occasion du gala du Théâtre des Champs-Elysées ; pour essayer plusieurs coiffures, plusieurs rouges à lèvres, plusieurs paires de boucles d'oreilles ; pour enfiler des collants plus fins alors qu'entre son pantalon évasé et

ses escarpins on en verra au mieux cinq centimètres ;
pour ressortir le trèfle à quatre feuilles de Madame
Desvignes ; pour enfin, prête de pied en cap, affronter
l'épreuve du miroir et se dire avec une agressive satisfaction : « Cet imbécile de Barth ne sait pas ce qu'il
perd ! »

À vingt et une heures précises, une limousine noire
avec chauffeur s'arrête devant la villa « Mon rêve ».
Peter en sort avec deux paquets. Il franchit la barrière
blanche munie d'une clochette naïve qui nargue les
interphones voisins. Il longe la courte allée en com-
blanchien qui mène à la maison sous les arceaux un
peu ridicules sans leur foisonnement printanier, net-
toie consciencieusement ses chaussures sur le paillasson, en bas des quatre marches du perron où l'attend
Paule. La naïveté du cadre rend plus évidente encore
son élégance. Le regard de Peter sur son amour de
jeunesse est si scrutateur qu'on pourrait croire qu'il
l'expertise. L'examen terminé, il hoche la tête et soupire avec cette familiarité volontaire des étrangers
fiers – à juste titre – de posséder à fond notre langue :

– Quel con, ce type !

– Qui ?

– Le mec que tu as connu autrefois à Londres et
qui t'a laissée échapper.

– Ah ! je vois : le grand-père d'Ophélie ?

– Non ! celui-là, il est beaucoup plus intelligent. Je
l'ai invité au réveillon. Je vais te le présenter. Mais
avant... il m'a prié de te donner ces deux petites bri-
coles pour toi et la petite.

La première bricole, destinée à Ophélie, est un
minicollégien de Cambridge en Celluloïd... qui parle,
qui marche, qui cligne de l'œil et qui siffle.

– J'ai pensé, explique Peter, qu'il était plus sain
pour une petite fille d'avoir une poupée du sexe masculin que du sexe féminin.

– Judicieuse idée ! En plus, il est exquis, ton baby-
boy !

– J'espère qu'il plaira aussi à Ophélie.

– Sûrement ! C'est son premier bébé.

– Elle n'en a pas d'autre ?

210

– Non. Ni fille. Ni garçon. Tu sais, elle n'a que neuf mois.

– Et onze jours !

– Quelle précision !

– Elle est du 21 mars. A cheval sur les Poissons – signe d'eau – et le Bélier – signe de feu. Et pour l'horoscope chinois, elle est un « coq » orgueilleux.

– Comment sais-tu cela ?

– Je m'intéresse à l'astrologie.

– C'est nouveau ?

– Oui... Ça aussi !

Un ange passe. Paule le chasse rapidement en sortant du deuxième paquet la bricole qui lui est destinée.

C'est une immense écharpe dans ce matériau rarissime qui provient exclusivement d'une certaine région de l'Inde, aussi remarquable par la légèreté et le moelleux de sa texture que par la hauteur de ses prix.

– Du shah-toosh ! s'écrie Paule.

– Tu connais ?

– Et comment !

– Moi qui croyais te surprendre !

– C'est toi qui vas être surpris.

– Pourquoi ?

– C'est comme ça que j'appelle Ophélie quelquefois, ma « shah-toosh » !

– *O my God !* Elle est aussi douce que ça ?

– Non... mais on peut toujours rêver !

Paule enroule l'écharpe autour de ses épaules, la drape, la caresse, la palpe avec volupté :

– Elle est vraiment magnifique !

– Tu lui vas magnifiquement bien !

– Mais c'est de la folie, Peter !

– Si je n'avais que celle-là à mon actif...

Un autre ange passe. Paule le chasse cette fois avec les aiguilles de sa montre :

– On ne va peut-être pas s'attarder. Il faut que tu sois là pour recevoir tes invités.

– Oui, c'est juste. On s'en va.

Le chauffeur de la limousine se lève pour ouvrir la porte à Paule. Elle s'assied sur un siège en cuir souple. Elle a à ses côtés un homme encore séduisant, riche, connu, plein d'attentions... et d'intentions. Les haut-parleurs de la voiture diffusent très discrètement « leur » chanson : *Strangers in the Night*. Coup d'œil-question de Paule : « Hasard ? » Coup d'œil-réponse de Peter : « Non ! »

Avant de démarrer, le chauffeur propose à Paule une coupe de champagne. Elle ne boit jamais avant les repas. Pourtant, elle accepte. Avec enthousiasme. Parce que le champagne, c'est la fête, et que ce soir elle a envie de s'offrir une tranche de fête entre deux tranches d'auréole... Parce que ses hiers ont déchanté et que ses lendemains ne chanteront sûrement pas... Parce que, au jeu de la citrouille, elle a gagné le réveillon de Cendrillon !

Dans la salle de restaurant, déjà à moitié pleine, ils sont accueillis en hôtes de marque par le directeur et promptement conduits par un maître d'hôtel fier de cette mission à la « table de Monsieur Murray ». Epatante, cette table ! En angle, raffinée de la nappe brodée de branches de houx aux assiettes bordées du même motif. Une seule erreur, peut-être ? Deux convives seulement peuvent s'y asseoir, et encore... en se touchant du genou. Non ! Ce n'est pas une erreur. Peter ne laisse pas à Paule une seconde de doute.

– Parfait ! dit-il. Ça vous convient aussi, darling ?

– Tout à fait, darling ! Je trouve charmante cette table en forme de guet-apens.

Le conte de fées continue. Le caviar est de première qualité. Le homard, cuit à point. Le champagne de la meilleure année du meilleur cru. Et, pour faire bonne mesure, le prince charmant, après vingt-sept ans de réflexion, vient de demander carrément Cendrillon en mariage.

Certes, le prince charmant a la main un peu tremblotante, l'œil un peu rougeoyant et le sourire un peu trop impeccable... mais enfin... la main est tendue, l'œil est repentant et le sourire est tendre. Ce n'est pas négligeable.

Certes, Cendrillon en aime un autre et c'est de celui-là qu'elle souhaiterait entendre les compliments et les déclarations qui lui sont adressés. Mais enfin...

l'hommage du prince est sincère, flatteur, bien tourné. Ce n'est pas négligeable non plus. En outre, l'hommage est réfléchi :

– J'ai cinquante-trois ans sur ma carte d'identité, dit Peter, mais plus de cent... par ailleurs ! Bref, le Mur se rapproche. Alors j'ai deux solutions : ou je fonce dedans tête baissée, avec l'alcool, le tabac, les tranquillisants et le Kāma-sūtra pour amortir le choc et m'y cogner plus vite ; ou je rejoins le Mur par le chemin des écoliers avec toi et Ophélie pour essayer de rallonger la distance et d'en profiter au maximum.

– Et ta femme dans tout ça ?

– Elle est actuellement au Brésil entre les mains d'un des rois de la chirurgie esthétique pour un troisième lifting qui sera suivi au fil des années par des interventions aux bras, aux seins, aux cuisses, au ventre, destinées à réparer des ans l'irréparable outrage.

La solidarité devant la ride prévaut sur la rivalité devant l'homme. Paule défend Anna :

– Peter ! Ce n'est pas bien. Tu savais à l'origine qu'elle était plus âgée que toi.

– Oui... mais elle aussi !

– L'âge n'est pas une tare.

– Quand il devient une obsession, si ! C'est insupportable ! En tout cas, moi, je ne supporterai pas de la voir rénover sa façade comme elle rénove nos maisons, pièce par pièce.

– La reconnaissance ne t'étouffe pas.

– Je lui ai dû beaucoup, c'est vrai. Je crois pouvoir t'affirmer en toute honnêteté qu'à présent nous sommes quittes, elle et moi. La seule dette qui me reste est envers toi.

– Et c'est pour la payer que tu me proposes de m'épouser ?

– Non ! Je suis moins que jamais Robin des villes ! Ma proposition est très intéressée : je ne pouvais la faire qu'à toi.

Paule éclate de rire et se gonfle d'un feint orgueil.

– Ciel ! Je suis la seule femme au monde à pouvoir te rendre heureux !

– Tu es la seule femme au monde... à être la grand-mère d'Ophélie !

– En somme, c'est Ophélie que tu demandes en mariage ?

– C'est vous deux ensemble.

– Je préfère de beaucoup cette franchise.

– Alors...

Alors Peter continue sur cette voie : il avoue que sans le bébé tombé du ciel il n'aurait sans doute jamais songé à rejouer un rôle dans l'existence de Paule. Il avoue qu'il était très mal en point quand il a appris sa si inattendue grand-paternité et qu'il s'est produit à cet instant un déclic dont il a été le premier surpris. Il a ressenti, vive, soudaine, impérative, l'envie de vivre à l'âge mûr ce qu'il avait raté dans sa jeunesse : une vraie vie de couple avec un enfant en partage. Il avoue avoir eu la certitude que c'était là sa dernière carte et s'être décidé sur-le-champ à la jouer en venant apporter lui-même à Paule l'acte de naissance d'Agnès qu'elle lui avait réclamé par secrétaire interposée.

– Je me souviens de ta visite et de l'allusion que tu as faite à ta « dernière carte ».

– Horrible souvenir ! La petite a été malade et toi à peine polie.

– C'est vrai. J'ai même profité de l'arrivée de Félix pour te flanquer à la porte.

– Total, je me suis retrouvé en cure de désintoxication.

– Oh... pas à cause de ça, je pense.

– Disons que ça a été la goutte d'eau qui a fait déborder mon vase de whisky !

– Comme ça, je veux bien !

– Cure bénéfique, d'ailleurs, puisque en sortant j'ai rencontré Barth dans mon chalet suisse et qu'il m'a redonné l'espoir... en ce qui concernait ma « dernière carte ».

– Comment ça ?

– J'ai tout de suite compris que ça ne durerait pas très longtemps entre vous et que je n'avais plus qu'à attendre.

– Et tu as attendu en te renseignant de loin en loin sur l'évolution de nos relations ?

– Exact !

– En somme, quand tu m'as téléphoné le jour de Noël à Deauville, tu savais...

– Que j'avais mes chances.

Pour l'heure, Paule a plutôt l'impression que les chances... elles sont toutes de son côté : celle d'avoir une vie facile, équilibrée enfin entre un mari et un enfant, avec une belle maison, une vraie nurse suisse, des loisirs actifs ou des activités paresseuses ; oui, vraiment toutes les chances. Suivant la méthode de Madame Desvignes, Paule établit un bilan avec deux colonnes à gauche : l'une pour les inconvénients de Barth, l'autre pour ceux de Peter. Et deux colonnes à droite pour les avantages des deux mêmes. Le résultat parle tout seul. Barth a tous les inconvénients et un seul avantage : elle l'aime. Peter a tous les avantages et un seul inconvénient : elle ne l'aime pas. Mais enfin... elle l'a aimé. Ça peut revenir. Il n'a pas un particularisme rédhibitoire comme les vingt centimètres de Félix, par exemple. Il suffirait de laisser le temps réchauffer ses anciens souvenirs... De ne pas précipiter les choses. Après tout, Peter a bien attendu vingt-sept ans avant de se décider, il peut bien attendre encore quelques semaines... mettons quelques mois...

Déjà, elle lui a abandonné sa main.

Déjà, elle retrouve avec une certaine émotion la caresse de ses doigts qui dessinent un cœur à l'intérieur de son poignet.

Déjà, sans déplaisir, elle sent le contact pressant de sa jambe contre la sienne.

Déjà, elle se dit qu'avec deux coupes de champagne de plus... ma foi... peut-être...

Et vlan ! Le rêve de Cendrillon s'envole !

Non pas au douzième coup de minuit... au premier coup que son con de cœur frappe dans sa poitrine en voyant Barth... avec Laura !

Il est aussi avec Rodolphe et une douzaine d'autres personnes – de celles dont on signale le nom en gras

215

dans les rubriques « people » des magazines. Mais Paule ne voit que Barth et Laura ; Laura dans les bras de Barth sur la piste de danse. Barth qui l'a vue lui aussi sans doute avant qu'elle ne le voie. Barth qui la transperce d'un triple jet d'ironie envoyé par ses yeux, ses fossettes et son pouce levé en signe de congratulations. Barth qui salue Peter d'un geste détaché. Barth qui sur la piste transforme Laura en liane, en ventouse, en clavier d'accordéon !

– Tu veux danser ? demande Peter.

– Non, je veux partir. Tout de suite. S'il te plaît !

Le ton implorant de Paule et sa pâleur n'incitent pas à la discussion, ni même au commentaire. Mais le service bat son plein et entre « les perles de la Baltique » et « le rubis du Groenland », Peter a beaucoup de mal à capter l'attention d'un maître d'hôtel ; ensuite à obtenir l'addition ; enfin à la régler avec une carte de crédit, la machine enregistreuse des codes secrets étant tombée en panne !

Plus de vingt-cinq minutes se sont écoulées depuis la fuite de Cendrillon. Paule se lève. Elle a les jambes flageolantes, l'estomac noué et des rigoles de sueur dans le dos. Devançant Peter, elle longe la piste de danse, les yeux rivés au sol. Elle ne s'aperçoit pas que le couple Laura-Barth, ayant fendu la masse à peine mouvante des danseurs, se trouve presque à sa hauteur. En revanche, elle s'est aperçue que l'embrassade collective de minuit est proche. Elle voudrait à tout prix y échapper, mais la sortie est encore à quelques mètres. Elle joue des coudes pour avancer plus vite... Plus qu'un mètre... un mètre de trop ! La salle est plongée dans le noir. Brouhaha ! Remous ! Chahut ! Et brusquement : la main de Barth sur son épaule. Le souffle de Barth dans son cou. La bouche de Barth contre son oreille :

– Bonne année, ma Popaule. Mon bon souvenir à Dagoberte !

Quand la lumière revient, Barth est un peu plus loin en train de distribuer à la ronde des baisers, des vœux, et Peter l'a rejointe. Ils s'embrassent fraternellement !

– Bonne année, darling.

– Bonne année, Peter. Et bonne santé !

Dehors, bien que l'air soit relativement doux, Paule grelotte. Peter lui propose son imperméable. Elle ne lui répond pas, tout occupée qu'elle est à maîtriser des nausées menaçantes. Subitement, elle détale à toutes jambes et parvient à tourner dans la rue perpendiculaire pour se soulager entre deux voitures... comme une poivrote !

Quelques minutes plus tard, Peter la récupère avec son flegme britannique :

– J'ai enfin compris pourquoi on appelle ça « avoir mal... au cœur ».

Elle apprécie d'un sourire pâlot.

– C'est stupide de ma part.

– C'est instructif : je ne pensais pas que tu l'aimais encore autant.

– Moi non plus !

– Ce n'est pas grave ! Ça se guérit très bien ! A condition que la malade ait vraiment la volonté de guérir.

– Je l'ai, crois-moi.

– Et qu'elle suive scrupuleusement les conseils de son médecin.

– C'est-à-dire, en l'occurrence ?

– Viens dormir avec moi.

– Non ! Je...

– J'ai dit « dormir ». Je ne te toucherai pas. Chez toi, tu vas tourner comme une tigresse en cage.

– Mais demain...

– *Tomorrow is another day*... darling !

Il a raison : demain est un autre jour... Grâce au somnifère que le « docteur » Murray l'a obligée à prendre, elle a dormi comme... comme elle n'a plus dormi depuis l'arrivée d'Ophélie. Elle se réveille, stupéfaite, à onze heures, dans une chambre vide où Peter a laissé sur la table de chevet cette ordonnance :

Un : prendre un bain chaud suivi d'une douche froide.

Deux : attendre en peignoir le retour du médecin qui a pris dans ton sac la clé de la villa « Mon rêve » afin d'y chercher des affaires convenables pour une matinée très londonienne de 1er janvier.

Trois : commander deux petits déjeuners anglo-saxons.

Quatre. Facultatif : avoir une pensée amicale pour celui qui en a de très tendres pour toi.

Paule n'ajoute à ce programme qu'un coup de téléphone à Bernadette Anglet. Elle la trouve un peu trop ravie de l'entendre, un peu trop impatiente de la voir, un peu trop expéditive sur les nouvelles d'Ophélie. Elle raccroche, déjà inquiète, déjà pressée de partir, déjà décidée à décommander les petits déjeuners. Trop tard ! On les lui apporte. Elle cherche de la monnaie pour le serveur quand, derrière son dos, elle entend un rugissement... et découvre, ahurie, Ophélie dans le bras droit de Peter, tenant dans son bras gauche le baby-boy en Celluloïd. Paule se jette sur la mouflette aussi ahurie qu'elle, aussi heureuse qu'elle peut-être, mais le montrant beaucoup moins.

Imperturbable, Peter récite la leçon de Bernadette :

– Ophélie n'a pas été contente que tu l'abandonnes. Elle n'a pas arrêté de te le reprocher de toutes les façons possibles et imaginables. En plus, elle a jugé le truc de la cassette totalement malhonnête et a condamné à grands coups de pied le magnéto au silence !

– En résumé, elle a été odieuse.

– Non ! Non ! Malheureuse seulement ! Et elle a exprimé son désir de ne plus l'être avec une vigueur un peu... churchillienne !

– Bernadette devait être épuisée.

– Disons... qu'elle a été ravie de me voir.

– Et Ophélie ?

– Ravie de voir le « gentleman de Cambridge ». Ils ont beaucoup flirté dans la voiture tous les deux.

Le flirt entre les deux bébés – le vrai et le faux – se poursuit dans le fauteuil où Peter les installe près de la table du petit déjeuner pendant que, dans la salle de bains, Paule enfile rapidement les vêtements qu'il lui a apportés. Quand elle en sort, son regard photographie en une seconde la nappe rose couverte de

tentations et d'un de ces bouquets ronds qu'elle affectionne ; Ophélie qui biberonne ; Peter qui rayonne.
Image idyllique que malheureusement Paule ne peut
s'empêcher de voir à travers le regard ironique de
Barth :

— On se croirait dans un feuilleton, dit-elle.

— Mais, darling, la vie n'est qu'un feuilleton. Avec
une succession d'épisodes dramatiques, gais, mouve-
mentés, languissants, ennuyeux... et à l'intérieur
même de ces épisodes, des séquences noires, grises
ou roses. En ce moment nous sommes dans une
séquence rose d'un épisode... imprévisible !

Dans un souci d'honnêteté, Paule met les points sur
les *i* d'« imprévisible ».

— Peter, la fin de l'épisode risque de te décevoir.

— Quand crois-tu pouvoir me fixer sur mon sort ?

— Comment veux-tu que je te réponde ? Chacun a
sa vitesse de cicatrisation.

— C'est juste ! Alors j'ai une idée : si tu as de bonnes
nouvelles à m'annoncer, tu laisses un message à mon
hôtel de Prague. J'y suis encore au moins pour quinze
jours. Tu trouveras le numéro à côté de ton téléphone
chez ta mère.

— Et si j'ai des mauvaises nouvelles ?

— Ça ne sera pas la peine de m'appeler : le silence
sera mon cadeau d'adieu.

Ainsi s'achève pour Paule la dernière séquence rose
de la journée.

Elle quitte Peter dans l'entrée de la villa « Mon
rêve ». Après les moquettes épaisses du Royal, le lino-
léum et les patins de feutre lui paraissent d'une
grande tristesse. Ophélie hurle. Sa couche est souillée.
L'odeur qui en émane, jointe à celle du renfermé propre à la maison, ne lui égaient pas la narine. Pas plus
que le rectangle de nuages inscrits dans le vantail
vitré de la porte ne lui égaie l'œil. Pas plus que le
concert donné conjointement par la mouflette et les
chihuahuas ne lui égaie l'oreille. Elle brusque les
adieux. Peter ne cherche pas à les prolonger : il doit
être demain à Prague pour le tournage de son feuilleton. Le vrai : celui de la fiction !

Le prince charmant s'en va dans son beau carrosse chromé. Cendrillon reste avec sa grenouille sur le pas de la porte. Elle n'est pas aussi attendrie qu'elle l'aurait cru. Qu'elle l'aurait souhaité. Pardi ! A nouveau le sourire de Barth est passé sur le conte de fées ! A la suite de cette séquence, d'autres séquences grises vont jalonner la journée de Paule.

La première a lieu à la polyclinique. Selon l'expression tellement explicite de l'infirmière, sa mère est « en train de lâcher la rampe ». Elle ne s'intéresse plus à rien, même pas aux potins de Gabrielle Moutiers. Même pas aux jeux télévisés. Même pas aux progrès de son arrière-petite-fille. Elle se refuse aux efforts qu'implique sa rééducation. Elle se plaint du kinési, du chirurgien, de tout le personnel soignant, de la nourriture, de sa compagne de chambre, opérée après elle et qui a déjà lâché le déambulateur pour les cannes anglaises ! Elle est devenue incontinente et semble s'en moquer éperdument... comme du reste ! L'infirmière ne cache pas à Paule que dans le cas, très courant, de Madame Astier, le seul espoir de récupération réside en un retour à son domicile. Selon elle, le fait de retrouver ses objets familiers, ses habitudes, son chien pourrait améliorer l'état de la vieille dame. Le plus tôt serait le mieux... évidemment !

– Plus vous attendez, conclut-elle, moins elle a de chances de s'en sortir.

Froid devant ! Une responsabilité supplémentaire sur le dos de Paule !

Les autres séquences grises passent par les fils du téléphone encombrés des vœux traditionnels :

Ceux qu'elle adresse à la coopérative Madame Desvignes et qui tombent sur l'agressive Flora, clouée dans son lit par toutes sortes de maux :

– Je m'en vais de partout : des boyaux, des os et des poumons ! Comme mes Hesperide's lovers ! Ce n'est pas une bonne année qu'il faut souhaiter à des personnes de notre âge ! C'est une année tout court.

Les vœux qu'elle adresse à Laurence au fond de sa solitude dans le studio toulonnais où ne viennent la voir ni sa fille ni ses petites-filles... ni même ses voisins.

– Franchement, dit-elle, si la nouvelle année doit continuer comme elle a commencé et comme a fini l'autre, je me souhaite de ne pas en voir le bout !

Les vœux dont en fin de soirée Odile se débarrasse comme d'une corvée et qui lui servent essentiellement de prétexte pour exulter :

– J'ai presque fini mon livre ! Mon éditeur a lu tout ce que j'ai déjà écrit. Il croit au succès. Au point qu'il est en train d'envisager et même de préparer une grande campagne de presse. Sur le thème : « Du poisson à la plume ! » Je l'ai dit à Barth ce matin au marché. Il a trouvé ça très marrant. Il va en parler à Helga Schuller et lui proposer des idées de reportages pour ses journaux. Il est vraiment adorable... comme ami en tout cas !

Il est dix heures du soir. Après une crise d'asthme interminable, angoissante, Ophélie s'est enfin endormie. Paule croit en avoir terminé avec les séquences grises du 1er janvier. Erreur ! Elle en a encore une à subir ! Et encore par téléphone !

– Allô, Paule, ne raccrochez pas ! C'est Laura.

– Laura !

– Barth a regagné Paris. Je suis chez mes amis de Trouville. Il faudrait que je vous parle.

– Mais pourquoi ?

– C'est très important. Pour vous. Pour Barth. Est-ce que je peux venir maintenant ?

– Maintenant !

– Ou demain si vous préférez.

Comme Paule sait que de toute façon elle ne dormira pas, elle répond à Laura :

– Je vous attends !

CHAPITRE XIX

Les santiags, le jean et le blouson d'aviateur de Laura détonnent parmi les napperons en dentelle de la villa « Mon rêve ». Sur un fauteuil sans âge, la jeune fille qui, elle, a insolemment le sien s'assoit, mal à l'aise, en face de Paule amidonnée comme les chemises de son grand-père. Elle sort d'une des poches de son blouson un paquet de cigarettes et un briquet gravé d'initiales qui ne sont pas les siennes.

– Vous fumez ? demande-t-elle à Paule.

– Non ! Mais vous non plus : la petite ne supporte pas l'odeur.

– Excusez-moi. J'aurais dû y penser.

Laura range les cigarettes et garde le briquet. Elle esquisse un sourire de vieux bonze. Cette première escarmouche semble l'avoir paradoxalement détendue.

– Paule, dit-elle avec douceur, ne nous embarquons pas dans un malentendu. Je ne suis pas venue ici en ennemie. Mais au contraire pour vous rendre service.

– Vraiment ?

– Je ne suis pas téléguidée par Barth. Il ignore que je suis là. Et je doute fort qu'il apprécierait ma démarche. Ce sera à vous de juger si vous devez l'en tenir au courant. Ou pas. Pour ma part, ça m'est égal. Je ne pense pas le revoir avant longtemps. Je m'en vais dans une direction diamétralement opposée à la sienne.

– C'est-à-dire ?

– Le bénévolat humanitaire !

Cette fois le demi-sourire de Laura trouve son autre moitié au coin des lèvres de Paule.

– Barth est pour quelque chose dans votre nouvelle orientation ?

– Il a été le fait déclenchant, mais j'avais cette idée dans la tête depuis...

Laura presse le briquet dans sa main, appuie sur la molette, fixe la flamme qui jaillit, y voit de toute évidence des images inscrites encore dans son regard quand, la flamme éteinte, elle relève la tête vers Paule pour achever sa phrase :

– Depuis que mon fiancé a été victime du sida.

Curieux ressac dans la tête de Paule ! Elle a soudain envie de manifester sa compassion à celle qu'elle aurait volontiers insultée un quart d'heure plus tôt. Empêtrée entre « pauvre petite ! » et « sale garce ! », entre le fléau mondial et ses rancœurs personnelles, Paule se demande comment enchaîner. Elle sait gré à Laura de le faire et, qui mieux est, en ne s'enlisant pas dans le mélodramatique.

– Barth a représenté pour moi « l'ange de la vie » et a éloigné « l'Autre ». Je suis tombée amoureuse de lui. Et s'il était tombé amoureux de moi, il est certain que j'aurais renoncé définitivement à mes projets philanthropiques. Les sources de l'altruisme, voyez-vous, ne sont pas toujours très pures.

Paule approuve d'un hochement de tête. En d'autres circonstances, elle aurait sûrement défendu la cause d'un altruisme impur, préférable à pas d'altruisme du tout. Mais pour le moment, précisément avec un égoïsme pur et dur, elle ne s'intéresse qu'à elle... à travers les sentiments que Barth aurait inspirés à Laura et qu'il n'aurait pas partagés.

– Si j'ai bien compris... commence-t-elle avec une prudence que la franchise de Laura rend immédiatement inutile.

– Je ne suis pas la maîtresse de Barth. J'ai souhaité l'être. J'ai tout fait pour l'être. Encore hier soir, j'ai pensé qu'après avoir passablement bu et surtout après avoir surpris votre tête-à-tête avec Monsieur Murray, il aurait quelques idées... ne serait-ce que de vengeance. Eh bien non ! Pas plus que les autres fois, il n'a voulu être mon amant.

– Voulu ?

– C'est sa version. Il ne voulait pas être mon amant, soi-disant parce que je méritais mieux qu'une aventure sans lendemain avec un homme de son âge et par ailleurs viscéralement indépendant.

Paule n'accorde pas une once de crédibilité à l'hypothèse d'un Barth soucieux de l'intérêt à long terme d'une jeune et belle personne au point de repousser ses avances à court terme.

– Et votre version à vous ?

– Barth n'a pas été mon amant parce qu'il ne pouvait pas.

Paule n'est pas plus convaincue par cette version-là. Certes, les mensurations de Mademoiselle Piasson-Liget ne correspondent pas strictement à celles de la femme idéale, vue par Monsieur de Saint-Omer. Mais d'une part elles ne s'en éloignent pas d'une façon qui pourrait être rédhibitoire ; d'autre part, quel est l'homme qui, ne jurant que par les grandes blondes filiformes, ne s'est pas « contenté » d'une petite brune boulotte à l'occasion ? Surtout si « l'occasion » est jeune et entreprenante. Voyons ! Un peu de lucidité ! Mais justement, Laura n'en est pas dépourvue : elle se sait jolie et reconnaît sans complexe n'avoir jamais rencontré d'autres difficultés avec les messieurs que celle de les décourager. C'est pourquoi elle pense que son échec avec Barth n'est imputable qu'à lui.

– Selon moi, il a un blocage à cause de vous.

Paule réfute avec un sourire modeste ce diagnostic flatteur.

– Franchement, dit-elle, vous imaginez Barth en proie à une passion tétanisante ?

– Je crois qu'il tient à vous plus que vous ne le pensez... surtout peut-être depuis que vous lui échappez.

– Je ne lui échappe pas ! C'est lui qui s'éloigne.

– Par dépit amoureux ! En amant supplanté par un rival.

– Quel rival ?

– Ophélie !

– C'est un bébé !

224

– Il en est jaloux comme d'un homme. Plus que d'un homme dont il connaîtrait les armes. Le cas est fréquent.

– Dans les jeunes couples après un premier enfant, mais là...

– Vous êtes un jeune couple.

Paule veut bien admettre qu'ils en étaient encore, Barth et elle, au stade de l'amour autarcique et que l'oiseau des îles, déjà peu partageur de nature, a pris ombrage de la mouflette, mais de là à en avoir... le souffle coupé !

– Non ! Ça, Laura, c'est inenvisageable.

– Je reconnais que c'est aussi l'avis du sexologue.

– Euh... quel sexologue ?

– Celui que j'ai consulté.

– Au sujet de Barth ?

– Oui.

Paule est stupéfaite que la libido de Barth, pour elle sans problème, ait pu susciter une visite médicale ! Quoiqu'elle s'efforce de ne pas le laisser paraître, une touche de gaieté colore sa question :

– Et alors ? Qu'a dit le spécialiste ?

– Il pense que Barth – inconsciemment – se sent coupable vis-à-vis de vous et s'autopunit en s'astreignant à la chasteté.

– Ah... voilà qui est intéressant !

Laura ne perçoit pas plus que tout à l'heure l'ironie de Paule et rectifie le plus sérieusement du monde :

– C'était intéressant. Mais malheureusement faux : la soirée d'hier l'a prouvé.

– Ah bon ? Comment ça ?

– Voyons, Paule, s'il y avait eu culpabilisation de Barth à votre égard, le fait de vous voir avec Peter Murray l'en aurait libéré et, par là même, l'aurait libéré de ses inhibitions !

« Technocrate du zizi ! » C'est l'expression que Barth a employée un jour à propos d'une fille qu'il s'était « benoîtement tapée comme un pot de fraises » après qu'elle lui eut longuement expliqué que « seul le cunnilingus antécoïtum parvenait chez elle à vaincre une anorgasmie pathologique ». A travers ce souvenir que Paule se garde bien de partager avec Laura, elle retrouve sa complicité avec Barth et commence à s'amuser de la situation, comme lui pourrait le faire :

– Soyons claires, dit-elle, nous sommes entre femmes : n'importe quel homme à la place de Barth vous aurait sautée.

– Surtout hier soir !

Laura, vraiment très coopérative, se fait un devoir – sinon un plaisir – de livrer à Paule le récit vraiment peu gratifiant de sa nuit de la Saint-Sylvestre.

D'abord, Laura a déjà eu beaucoup de mal à entraîner Barth jusqu'à l'appartement de ses amis à Trouville, et encore plus de mal à l'amener jusqu'à sa chambre. Là, la porte à peine refermée, elle s'est plaquée contre lui dans la grande tradition des femmes fatales et des joueurs de rugby !

– Et rien ? demande Paule entre deux gorgées de petit-lait.

– Pire ! Il m'a repoussée. Il a déploré assez sèchement mon attitude et il est parti.

– Vous ne l'avez pas suivi ?

– Si ! Je l'ai même supplié : « Une fois, rien qu'une fois ! »

Paule se souvient d'avoir lancé la même supplique à Barth, mais avec un sens diamétralement opposé : un jour où, très fatiguée, elle ne souhaitait pas être honorée d'hommages répétitifs. Paule se souvient et s'étonne vraiment que l'humiliante requête de Laura ait d'abord essuyé un refus, ensuite provoqué une rupture définitive entre eux. Ce blocage intégral est pour elle une énigme. Réconfortante mais totale.

– En tout cas, dit-elle en raccompagnant Laura jusqu'à la barrière de la villa « Mon rêve », je vous remercie beaucoup de votre démarche.

– J'espère qu'elle vous sera utile à tous les deux. Elle n'avait pas d'autre but.

– C'est en quelque sorte votre premier acte de bénévolat humanitaire.

Laura acquiesce en enfonçant son casque de

motarde sur sa tête. Puis, après avoir enfourché sa moto, lance avant de démarrer :

– Faites-en bon usage !

Merci pour la recommandation ! Mais en quoi consiste ce bon usage ? Paule en délibère avec son oreiller une grande partie de la nuit et constate qu'elle est au lever d'Ophélie aussi irrésolue qu'à son propre coucher. Encore une insomnie de perdue ! C'est toujours pareil : on passe des heures à se poser des questions, à peser le pour et le contre, à échafauder des plans, et puis finalement on improvise sur le tas, avec la collaboration – selon les jours – des Bougredebigre ou des Chouchougnet.

Aujourd'hui ce sera celle des premiers. Paule reconnaît tout de suite leur marque de fabrique, dans la photo qui s'étale à la une de *Paris-Normandie*. On y voit Peter avec Ophélie dans les bras, sortant de l'hôtel Royal sous l'œil attendri de Paule. Au-dessus cette légende en gros et gras caractères : « Peter Murray commence la nouvelle année en famille. » Dans l'article qui accompagne la photo, il est écrit que Paule a offert à Peter pour ses étrennes le plus beau rôle de sa vie : celui de grand-père, et que l'entente est plus que cordiale entre la délicieuse Normande et le séduisant Anglais.

Paule a été harponnée par Gabrielle Moutiers, journal en main, alors qu'Ophélie dans sa poussette trépignait de joie comme tous les matins à l'idée que l'heure de son circuit touristique « Deauville-by-morning » avait enfin sonné. La retraitée lui a mis sous le nez les quatre colonnes qui la concernaient avec une volupté sous-jacente. Comme beaucoup de vieilles filles, la morne Gabrielle nourrissait en son sein – triste – une sympathie spontanée pour les épouses délaissées dont les déboires adoucissaient les rigueurs de sa solitude.

– J'espère que Madame Murray ne va pas tomber sur cette photo.

– Il y a peu de risques. Elle est au Brésil.

– Tant mieux, la pauvre !

– Elle n'est pas vraiment à plaindre.

– Pas à envier non plus !

– Sait-on jamais ?

– Moi je vous le dis : il y a des moments où on est content de ne pas être marié !

Ophélie fait savoir clairement à l'austère Gabrielle que ses considérations sur le conjungo ne l'intéressent pas et que dans l'intérêt de son sonotone il vaudrait mieux y mettre fin dans les plus brefs délais. Dès que Paule est seule avec sa petite-fille, elle ne manque pas de la remercier pour son intervention.

Elle aime ces promenades dans Deauville. Elle y remet ses pas dans ceux de son enfance. Elle aime les grimaces d'Ophélie agacée par le vent, son bout de nez rougissant, ses découvertes quotidiennes, ses extases imprévues, ses méfiances, jusqu'à ses regards condescendants de reine sans complexe d'être tyrannique et bonne à rien. Dans les rues solitaires, parfois elle se permet un brin de conversation. Pas de ces monologues utilitaires comme à la maison, pour combattre l'angoisse, la nervosité, l'asthme ou l'inappétence. Non ! Seulement des trop-pleins du cœur. Des bouts de souvenirs :

– Tu sais, Ophélie, c'est mon papa qui m'a appris ce proverbe portugais : « Dieu écrit droit avec des lignes courbes. »

Des bouts d'interrogations :

– Est-il possible que, toi aussi, tu me haïsses un jour ?

Des bouts de regrets :

– Quel dommage que Barth...

Des bouts de projets :

– Quand Odile aura terminé son livre, il faudra absolument qu'on se parle.

Des bouts de résolutions :

– Il ne faut pas mettre tous ses sentiments dans le même panier.

Ce matin, un bout d'idée :

– Tu vois, Ophélie, en face du bénévolat humanitaire, on devrait créer un néologisme pour Mademoiselle Moutiers – et pour beaucoup d'autres : le malévolat humain !

228

Quand grand-mère et petite-fille reviennent à la villa « Mon rêve », en général la première, revigorée par l'air marin, s'active avec efficacité. La seconde, complètement épuisée par ce même air marin, s'écroule sur son biberon comme un ivrogne sur son litre de rouge. Malheureusement, quelques rares fois, la mouflette s'endort cinq minutes avant l'arrêt... qui bien entendu la réveille. Alors là, arrachée à son premier sommeil, elle entame *allegro vivace* sa désormais célèbre symphonie en hurlements majeurs ! Aujourd'hui, c'est le cas, aggravé par le fait qu'une série anormale de coups de téléphone empêche Paule d'endiguer les débordements ophéliens.

Son premier interlocuteur l'agace en s'annonçant comme un journaliste de l'*A.F.P.*, soucieux de vérifier une information qu'il vient de recevoir selon laquelle Monsieur Peter Murray serait gravement malade.

– Ça m'étonnerait ! La dernière fois que je l'ai vu il allait très bien.

– C'était quand ?

– Hier.

– A aucun moment il ne vous a paru soucieux ou dépressif ?

– Non ! Au contraire.

– Alors... ce n'était qu'une rumeur. Excusez-moi de vous avoir dérangée.

Paule a la vague impression en raccrochant d'avoir déjà entendu cette voix. Peut-être à la radio... ou à la télé, dans un film synchronisé. Mais il y a plus urgent que de fouiller dans sa mémoire auditive. Il faut convaincre Ophélie qu'au lieu de ululer parce que les barreaux de son parc refusent de s'écarter pour laisser passer sa tête, elle ferait mieux de montrer à Monsieur Tourneboule les jolis napperons en dentelle de son aïeule pendant que...

Le deuxième interlocuteur de Paule la réconforte. C'est Félix. Ophélie se charge de l'inciter à la concision :

– Malika a été relâchée.

– Quelle chance ! Mais comment ?

– Mystère ! Tu ne veux pas la récupérer, par hasard ?

– Impossible, hélas ! Avec Blanquetti c'est trop dangereux.

– Je le crois aussi.

– Je suis désolée.

– Ne t'inquiète pas. On va provisoirement la garder.

– Qui « on » ?

– Annabel et moi. On vit ensemble.

– Dans ton gourbi ?

– Non, chez elle, rue Guynemer. C'est pratique.

– Oui, ce n'est pas loin de la librairie.

– Et en plus, juste à côté du docteur Carpentier.

– Et alors ?

– Annabel est enceinte !

– Oh ! Félicitations ! Vous devez être contents !

– Très ! On aimerait bien te voir. Et Malika aussi.

– Mais...

– On vient à Deauville samedi. On peut passer ?

– C'est-à-dire que...

– Rappelle-moi dans la semaine. Salut !

Impossible de prolonger la conversation. Paule doit maintenant convaincre Ophélie qu'au lieu de barrir elle ferait mieux de faire un câlin silencieux avec « le gentleman de Cambridge », pendant que...

Le troisième interlocuteur de Paule est une interlocutrice. Lointaine... très lointaine. Peu compréhensible.

– Qui est à l'appareil ?

Une bouillie de syllabes parvient dans l'oreille gauche de Paule pendant que son oreille droite est submergée par un déluge de sons ophéliens.

– Excusez-moi, j'ai mal entendu.

Son interlocutrice répète son nom lentement, comme si elle avait des difficultés de prononciation.

– Je... suis... Anna... Murray.

Une seule image surgit sous le choc des mots : le visage de la femme de Peter, recouvert des pansements de son lifting, avec l'émergence onirique d'une bouche siliconée, économe de ses mouvements. Paule a juste le temps d'un sourire avant d'enregistrer le message de la momie brésilienne :

– Je viens de recevoir un appel de notre médecin suisse : mon mari est séropositif. Comme vous le verrez sûrement avant moi... prévenez-le !

Ophélie hurle et Paule s'assoit.

Ophélie vagit et Paule ne bouge pas.

Ophélie s'étrangle et Paule ne le voit pas. Paule n'entend pas. Elle est tétanisée par la peur rétrospective. La nuit du réveillon, elle aurait très bien pu coucher avec Peter. Par vengeance : à ce moment-là, elle imaginait Barth planant dans le ciel de Laura. Ou simplement par tendresse : Peter dans la chambre du Royal s'était montré si compréhensif, si patient. Il lui avait massé les épaules, caressé les cheveux et la nuque jusqu'à ce qu'elle s'endorme. Mais si au lieu de s'endormir sous ses doigts elle s'était réveillée... il faut aussi parfois compter avec ce con de corps...

Ophélie s'est tue, fascinée par le spectacle insolite de sa grand-mère immobile et muette. Ses yeux écarquillés la dévisagent. L'appellent.

– Oh ! Hé ! Popaule ! Qu'est-ce qui se passe ? Viens m'expliquer ! Ne reste pas là comme une bûche ! J'ai besoin de toi, moi ! J'ai faim, moi ! Tu entends ? J'ai faim...

Paule entend enfin. Elle court vers le parc, attrape Ophélie, l'aspire, la respire, la presse... puis l'emporte vers la cuisine.

– Ma petite-fille, ma moufflette, ma biche, ma shahtoosh...

Paule bute sur ce dernier mot. L'image de Peter s'y est accrochée. L'écharpe indienne de la Saint-Sylvestre traîne encore sur une chaise. Pauvre Peter ! A la lumière de cette révélation, le souvenir de ses confidences prend un aspect pathétique : le Mur qui se rapproche... la « dernière carte »... l'envie d'une vie de famille... le désir plus ou moins conscient de se prolonger avec Ophélie. Probablement avait-il un doute sur son état puisque a priori il s'était soumis à un test de dépistage. Sûrement, le type de l'*A.F.P.*, tout à l'heure, avait-il été mis au courant par une indiscrétion. Elle s'entend encore dire à Peter : « Bonne année ! Et surtout bonne santé ! » Quelle dérision ! Et l'autre qui se faisait tirer la peau pendant ce temps-là ! Et qui la chargeait de le prévenir ! Et qui devait l'espérer contaminée, déjà à moitié détruite par l'angoisse.

Eh bien non ! Anna Murray va en être pour ses frais de téléphone. Cette garce ! Allons bon ! Voilà encore la sonnerie. Si c'est elle qui rappelle...

Après avoir déposé Ophélie enfin somnolente sur les coussins de son parc, Paule va décrocher, de la dynamite dans la voix :

– Allô !

– Paule ?

– Oh... c'est toi, Barth ?

– Je ne reconnais pas ta voix.

– Je viens d'avoir une série d'appels un peu...

– Je m'en suis aperçu : il y a une heure que j'essaie de t'avoir.

– Je suis navrée.

– Mais je t'en prie, c'est normal : les stars...

– Pardon ?

– Bravo pour la photo !

– Comment es-tu déjà au courant ?

– Odile m'a téléphoné.

– Pour ça ?

– Mais non ! A propos de son bouquin et, incidemment, elle m'a parlé du journal.

Ophélie, une fois de plus perturbée dans son sommeil, se met à récriminer de plus belle. Pas question de se concentrer avec un raffut pareil ! Pas question d'avoir une conversation importante en faisant clandestinement les marionnettes à Ophélie !!

– Ecoute, Barth, il faut que j'aille coucher la petite. Dès qu'elle sera endormie, je te rappellerai.

– Désolé ! Je suis à Roissy. Je pars pour Montréal. L'embarquement a commencé.

– Quand reviens-tu ?

– Je serai samedi à Deauville, chez Rodolphe. Si tu veux, tu peux m'y téléphoner mais ne t'y crois pas obligée. Personnellement je n'ai rien à te dire. Je voulais juste te féliciter.

– Mais Barth...

– Il faut que j'y aille. Je vais rater l'avion. Ciao !

Il est aux environs de quatre heures quand Ophélie enfin hors de service, la maison très sommairement rangée, Paule s'allonge dans le salon sur la carpette – imitation Chine –, un coussin sous la tête, trois sous les jarrets, une bouteille de bordeaux rouge à ses côtés et dans les mains un énorme sandwich au pont-l'évêque. Menu et position qui favorisent chez elle la détente et la réflexion. A la troisième bouchée du sandwich, les aboiements très proches des deux chi-huahuas annoncent l'arrivée imminente de Mademoi-selle Moutiers. Paule va entrebâiller la porte. Ça suffit pour que la gaillarde Gabrielle s'y engouffre.

– Je reviens de la polyclinique. Le chirurgien de votre mère m'a priée de vous dire qu'il souhaiterait vous voir très vite.

– Il s'est passé quelque chose ?

– Non ! Justement, il ne se passe rien. Et il pense qu'il ne se passera plus rien pour Madame Astier tant qu'elle restera en milieu hospitalier.

– Je sais. J'ai l'intention de la ramener ici la semaine prochaine.

– La semaine prochaine ?

– Oui... au début... lundi, par exemple.

– Vous feriez bien d'aller le dire au chirurgien. Lui, il a prévu son transfert pour demain !

Demain ! Pas le choix ! Paule abandonne la garde de la villa « Mon rêve » et celle d'Ophélie à la foui-neuse Gabrielle qui, elle le sait d'avance, dès qu'elle aura le dos tourné, va glisser un doigt réprobateur sur la poussière des meubles, un œil horrifié sur le cru bourgeois et une narine dégoûtée sur le fromage pourtant local.

Paule négocie avec le chirurgien. Après un quart d'heure d'un marchandage dont elle n'est pas très fière, elle n'obtient qu'un sursis de trois jours. Irré-vocablement, sa mère reviendra chez elle vendredi prochain en ambulance.

Paule quitte la polyclinique avec trois ordonnances. Une pour le kinési : trente séances de rééducation – à renouveler ! Une autre où figure une liste impressionnante de remèdes destinés à activer la circulation en général et celle du cerveau en particulier, à stopper la formation des escarres, à freiner la décalcification, à fortifier, à calmer, à endormir, à aider le foie, l'estomac, l'intestin, bref à colmater toutes les brèches de l'âge. La dernière ordonnance prévoit l'achat de « garnitures pour adultes » non remboursables par la Sécurité sociale, mais parfois remboursées par des mutuelles généreuses.

Paule a aussi dans son sac l'adresse d'une infirmière spécialisée dans les soins à domicile, notamment la toilette des personnes handicapées.

En prime, elle emporte dans sa tête le souvenir des deux dernières phrases échangées avec sa mère :

– Tu es contente de revenir chez toi, maman ?

– Je m'en fous !

Trois jours pour organiser la vie nouvelle de Rose Astier, prisonnière de son déambulateur, et celle d'Ophélie Kersaint qui, elle, ne supporte plus d'être enfermée dans son parc. Dépendance de l'une. Indépendance de l'autre. Réductrices toutes les deux de la liberté de Paule. Elle s'en rend pleinement compte, dès le samedi où Ophélie et Rose la tiraillent chacune d'un côté. Début de vie. Fin de vie. Quelles similitudes ! Mêmes exigences ! Mêmes abandons ! Mêmes indifférences ! Mêmes égoïsmes ! Mêmes ingratitudes ! Paule songe qu'une fois encore le langage populaire cerne au plus près la vérité : sa mère « retombe en enfance ». « Elle s'en retourne », comme on dit en Normandie. Et son arrière-petite-fille, édentée, bavante, maladroite, s'en va, elle, à quatre pattes vers l'avenir. Rendez-vous des générations autour du déambulateur : Rose s'y appuie, en haut, la tête penchée vers Ophélie qui s'y arc-boute en bas, la tête relevée vers son aïeule. L'ascendante descend et la descendante remonte !

Paule crie : « Attention ! » Une des trois exclamations auxquelles s'est réduit à présent son vocabulaire. Les deux autres étant : « Merde ! » et « mon Dieu ! ».

« Attention ! », c'est avant la catastrophe.

« Merde ! », c'est après la catastrophe.

« Mon Dieu ! », c'est en réparant la catastrophe...
ou alors, comme c'est le cas maintenant, en regardant
sa montre :

– Mon Dieu ! Midi !

Paule est encore en robe de chambre et Félix
devrait débarquer d'une minute à l'autre avec Annabel Vanneau et Malika. Hier, au téléphone, le libraire
a accepté de jouer une fois de plus les saint-bernard :
il veillera avec « ses » dames sur les difficiles pension-
naires de la villa « Mon rêve » pendant que Paule ira,
elle, affronter Barth chez Rodolphe.

Tout à l'heure, entre deux cataclysmes, Paule a
réussi à annoncer sa venue à son oiseau des îles. Il
lui a semblé de meilleure humeur qu'à Roissy. Peut-
être se laissera-t-il persuader que la photo du journal
est trompeuse... Peut-être lui avouera-t-il spontanément sa fidélité... Peut-être lui en fournira-t-il la
même explication que Laura... Peut-être, après tout,
a-t-il un con de cœur, lui aussi...

En tout cas, ce n'est pas aujourd'hui qu'elle le
saura. Navré, triste, inquiet, Félix appelle Paule... de
Paris... de l'Hôtel-Dieu exactement. Annabel y est en
train de lutter pour garder leur bébé.

Paule prévient Barth.

Il lui dit ce qu'elle redoutait le plus d'entendre :

– Je viens !

CHAPITRE XX

Ça pourrait être drôle, plus justement « marrant »... raconté à la radio ou à la télévision par un de ces comiques baratineurs qui émaillent leurs histoires de formules imagées et d'onomatopées percutantes :

« Ah mon pote ! J'te dis pas l'tableau : c'était pas triste ! La mémé un peu flottante du potiron qu'avait mis la veille au soir son brise-nouille à tremper dans son pot de yaourt, bien installé sur le napperon en dentelle – fait maison – de la table de nuit, entre la photo de son pépé, artilleur à Verdun, celle de son mari, chasseur alpin à Dunkerque, une sainte Thérèse de Lisieux – sculptée main in Taïwan – et des besicles baladeuses : un coup j'te les mets, un coup j'te les enlève. Et c'est justement en voulant prendre ses besicles le lendemain matin que... chlac ! elle fout tout par terre. Résultat des courses : les ratiches dans la sauce blanche et les lorgnons dans les charentaises ! Là-dessus, la grenouille radine à quatre pattes à la vitesse grand V – médaille d'or au championnat du monde de crapahutage : tapetapetapetapetape ! Elle nous fait son p'tit marché au rayon des conneries : Schluff ! Schluff ! Schluff ! Et aussi sec – façon de parler, vu qu'elle avait des fuites dans sa gouttière ! – elle décanille avec dans ses mimines les quenottes et les carreaux de rechange de sa devancière. Là-dessus, le clebs – façon raton laveur – se met à aboyer – façon doberman. La moufflette affolée, elle, se met à gueuler – façon sirène de police. Bonjour les décibels ! Hi ! Hi ! Hi !... Ouap ! Ouap ! Ouap ! A côté, le rock au Zénith c'est du Mozart ! Hi ! Hi ! Ouap ! Ouap ! Ouap ! Mais je passe, j'te la fais courte. A la longue, ça fatigue ! Moi... pas eux ! Eux, les deux rase-mottes, ils pétaient la forme... et le mur du son aussi ! Tu penses, y z'avaient trouvé un jeu génial : la gami-hi-hi-hi-ne lançait le râtelier et le chihua-ouap-ouap-ouap allait le chercher. Seulement – manque de bol – la mère Ducoincé qu'était en bas avec son mec est montée comme une fusée. "Attention !" qu'elle a dit. Trop tard ! Le clavier à ressort de la mémé avait disparu. "Merde !" qu'elle a dit, montrant par là qu'on était en plein d'dans... Je veux dire, en pleine cata. L'Antillo-Belge qui rongeait son frein en regardant la téloche en bas a été prié de participer aux recherches. Forcément, ça ne lui a pas plu. Lui, il était venu pour parler zigounette. Pas pour faire une course au trésor. Et quel trésor ? Quel trésor ? Il le demande, ce con ! Il a la réponse tout de suite : "Quarante mille balles, dont peanuts remboursé par la Sécu !" Ah ! misère ! Lui, c'est pas le genre branché Sécu. Rien qu'le mot ça lui donne des boutons ! Alors, histoire de se défouler, mais pas plus, y s'met à chanter : "Ta Sécu, j'en ai plein... le dos !" Preuve qu'y s'contrôlait encore ! Enfin bref, la nana et son jules sont sur les dents pour trouver celles de la mémé ! Mais tintin ! Impossible de mettre la main dessus ! Seulement le pied ! Crac ! Le pied du mec ! Ah mes aïeux ! Et au lieu de s'excuser, cet enfoiré, v'là qu'y s'fend la pêche, comme un dingue ! Ah mon pote ! J'te jure que la Ducoincé, elle s'est décoincée ! Son oiseau des îles, elle te lui a volé dans les plumes, vite fait. Un vrai feu d'artifice dans la cambuse : ça pétaradait de tous les côtés. Ouap ! Ouap ! Merde ! Hi ! Hi ! Merde ! Ah ! Ah ! Merde ! et le bouquet final : Ding ! Ding ! Pan Pan ! Vroum ! Vroum ! Ça, c'était l'ancêtre armée de la statuette en bois de sainte Thérèse de Lisieux qui tapait sur tout ce qui était à sa portée : le dossier de son lit, la bouteille d'eau minérale, sa table de chevet pour qu'on vienne à son secours. Eh oui ! Elle avait réussi à se glisser sur le bord du plumard, les jambes en dehors, mais elle n'arrivait pas à s'redresser ni à toucher le sol. Heureusement que sa grande sauterelle de fille, grâce à ses antennes ultra-sensibles, l'a entendue et a rappliqué à tire-d'aile, suivie bien entendu du raton jappeur et de la grenouille râleuse. "Attention !" qu'elle a redit, en essayant de soulever le dos de sa daronne. "Merde !" qu'elle a redit en n'y arrivant pas. Panique à bord ! Plan Orsec ! S.O.S. à l'oiseau des îles. V'là que devant l'urgence, pour une fois y détale à fond la caisse et y se pointe dans la chambre juste pour entendre la mémé marmonner entre ses gencives : "Mais qu'est-ce qu'y fait là encore ce nègre ?" »

Oui, peut-être que racontée comme ça, avec gestes et mimiques... cette scène, empruntée à la réalité à peine caricaturée, pourrait provoquer quelques sourires chez certains de nos contemporains qui prêtent à la dérision le pouvoir d'exorciser les misères du monde. A vivre minute après minute, la scène est très pénible. La dernière phrase de la vieille dame, mal prononcée mais bien intelligible, y met un terme. Là encore, il ne s'agit bien sûr que de la fameuse goutte d'eau responsable des débordements qui n'attendaient qu'elle. D'une part, depuis sa naissance, Monsieur de Saint-Omer n'a jamais eu aucun complexe – si ce n'est de supériorité en ce qui concerne la coloration de sa peau considérée par lui et par tous – et par toutes ! – comme un bronzage permanent éminemment enviable. D'autre part, déplaire à Madame Astier mère, classée dans les « dinosaures irrécupérables », lui serait plutôt un sujet de satisfaction. Mais...

Mais ce samedi-là, à ce moment-là, parce qu'il y a plus d'une heure qu'il bouillonne dans le camp retranché de la villa « Mon rêve », il ne supporte pas que la vieille dame le traite de nègre. Bondissant comme un chat, il escalade le lit, prend Rose sous les aisselles, la hisse sur ses oreillers avec une force décuplée par la colère et s'adresse à elle avec une politesse en complète contradiction avec son vocabulaire :

– Chère petite madame, sachez que le nègre vous emmerde ; qu'il estime, lui, être primitif, que la vieillesse n'octroie pas automatiquement le droit à la connerie ; que je suis venu ici pour régler des comptes avec votre fille et que je n'ai pas l'habitude de laisser des ardoises derrière moi ; alors, vous allez rester gentiment avec votre horreur de clebs, pendant que je vais, moi, me mettre en quête d'un garde pour vous.

– Mais, Barth...

Il se retourne vers Paule et pointe un index autoritaire au-dessus de sa tête :

– Toi, tu vas profiter de mon absence pour ôter ton auréole et reprendre l'aspect d'être humain sous lequel je t'ai connue... jadis ! Tu vas coucher ta grenouille dans son lit avec un biberon et un calmant : le chahut qu'elle vient de faire doit l'avoir fatiguée !

Paule essaie de placer un mot, de le retenir par la manche, de lui barrer la route... En vain ! Il ne l'écoute pas. Il l'écarte. Il dévale l'escalier. Il ouvre la porte et prévient :

– Je serai là dans une heure. Tu as intérêt à être prête.

Effectivement, une heure plus tard il est là.

Mais Paule, elle, n'est pas prête.

Lui, il est allé jusqu'à Beuvron-en-Auge réquisitionner d'office Ulysse, son inconditionnel demi-frère, pour la garde conjointe de Rose et d'Ophélie.

Paule, elle, a mené simultanément deux actions auprès de sa mère et de sa petite-fille dont une fois encore le parallélisme l'a frappée, puis bouleversée. L'une après l'autre, elle les a calmées, rassurées, réconfortées. Si les mots différaient, leur sens était identique : « Ne vous inquiétez pas. Je suis là. Je ne vous abandonnerai pas. » Ensuite, l'une après l'autre, elle les a rappropriées, remises au sec, talquées. L'une dans l'effervescence joyeuse, l'autre dans la morne passivité. Si l'effort était différent, les gestes étaient les mêmes. Cette dernière épreuve l'a épuisée, physiquement et moralement. Enfin, l'une dans son fauteuil avec son crochet et sa pelote de fil, l'autre dans son lit avec Monsieur Tourneboule, Paule allait s'occuper d'elle quand Barth et Ulysse sont revenus.

L'oiseau des îles lui a décoché pour la circonstance un regard d'épervier. Parant au plus pressé qui était pour lui de l'emmener loin de cette maison hérissée de « pièges à auréole », il lui a donné trois minutes – montre en main – pour enfiler une tenue décente.

Elle a respecté ce délai. Mais en enfourchant la moto que Barth a empruntée à Rodolphe, Paule se sent mal dans sa peau succinctement lavée ; mal dans son corps courbatu ; mal dans ses vêtements choisis à la hâte ; mal dans sa tête parce qu'elle a abandonné le navire, toujours sous menace de tempête, à un moussaillon qui n'aurait pour traverser un éventuel coup de torchon que sa bonne volonté.

A cinq cents mètres de la villa, Barth arrête la moto devant un bistrot excentré, banal à rebuter même la plume de Simenon.

– Pour ce qu'on a à se dire, ça suffira !

Paule rêve d'un bain moussant et parfumé, d'un thé bouillant dans une tasse en porcelaine fine, d'une mosaïque de friandises aux saveurs raffinées, aux onctuosités délicates, et puis d'un homme, une espèce de geisha au masculin, dressé tout exprès pour le repos de la guerrière, un geisho en quelque sorte dont les doigts aimantés aspireraient toutes les lassitudes de son corps.

En lieu et place de ces images oniriques, Paule a droit à une banquette défoncée, une tasse en faïence ébréchée où le café justifie son appellation familière de « jus », un sandwich aux trous de gruyère. Quant à l'homme, il ne manifeste son intérêt que par cette question abrupte :

– C'était comment avec Peter ?

– Comme toi avec Laura.

– Alors là, tu tombes mal !

– Pourquoi ?

– Figure-toi qu'il ne s'est rien passé entre Laura et moi.

– Eh bien, figure-toi qu'il ne s'est rien passé non plus entre Peter et moi.

– Et la photo ?

Paule lui explique tout ce qui a précédé cette photo et pourquoi elle n'est pas un reflet de la réalité. Mais aussi pourquoi elle aurait pu l'être. Elle lui déballe la vérité avec un tel souci de la respecter à la virgule près, au geste près, avec une telle spontanéité qu'à la fin de son exposé Barth ne lui demande même pas,

comme parfois, de l'authentifier par un de ces ser-
ments solennels qu'il trouve ridicules... mais tellement
pratiques ! C'est elle qui de sa propre initiative lui en
jure la rigoureuse exactitude sur sa propre tête.

– Joli cadeau ! reconnaît-il.

– Et le tien ?

– Il n'est pas mal non plus, mais tu préférerais
peut-être que je te l'offre dans un autre écrin ?

– A condition que je le choisisse.

– Dis !

– Une baignoire d'eau chaude, moussante et parfumée.

– Excellente idée !

C'est donc chez Rodolphe, dans le bain de son rêve,
que Paule reçoit les aveux de Barth. Ils corroborent
les confidences de Laura dont elle s'est bien gardé de
lui révéler la visite. Un seul point reste à éclaircir :

– Pourquoi ce blocage ?

– Si tu le permets, j'aimerais mieux ne t'en parler
qu'après.

– Après quoi ?

– Après avoir vérifié que je suis débloqué.

– Tu as des doutes ?

Barth fait mine de réfléchir, puis prend le drap de
bain en attente sur le chauffage, le déploie à hauteur
de son nez, du geste invite Paule à sortir de l'eau,
avale son corps ruisselant d'un seul regard glouton,
l'enveloppe dans l'éponge moelleuse et tiède, la presse
contre lui et enfin lui chuchote à l'oreille sa réponse...
dont elle avait déjà connaissance par ailleurs.

– Non, je n'ai plus le moindre doute.

Paule à nouveau voit la réalité rejoindre son rêve :
Barth peut prétendre au titre de premier geisho de
France. Prévenant, tendre, patient, ardent, altruiste
comblé par les émerveillements qu'il suscite, attentif
à deviner les envies de sa maîtresse – dans le sens
large du terme –, attentif à en créer de nouvelles...
l'amour, l'amour toujours recommencé... jusqu'à la
dernière vague qui les submerge, puis qui se retire,
lentement, lentement, les laissant anéantis sur le
rivage des humains.

Paule a dû s'assoupir. Elle rouvre les yeux sur une tasse de thé fumant et un énorme morceau de sa tarte préférée : pommes-cannelle. Le rêve continue. Son geisho lui donne la becquée : une bouchée, un baiser. Rien que des douceurs ! Tant de gentillesse finit par lui sembler louche. Elle prend sa tasse de thé, histoire de se donner une contenance, puis demande avec prudence :

– Tu ne me cacherais pas quelque chose, par hasard ?

– Si !

– Quoi ?

– Je suis très ennuyé.

– A quel sujet ?

– Mon blocage.

Le rire de Paule a éclaté si soudainement qu'une partie du thé s'est renversée. Après les preuves de virilité triomphante qu'il vient de lui fournir, il lui semble assez comique d'entendre Barth évoquer un problème d'impuissance. Pourtant, il confirme avec sérieux qu'il ne plaisante pas, puis, devant l'incrédulité de Paule, se résigne à une véritable confession :

Laura n'est pas son seul échec !

Elles sont au nombre de six, celles qu'il a eu l'idée de mettre dans son lit et qui sont restées en dehors – à leur corps défendant –, l'intendance de Monsieur de Saint-Omer n'ayant pas suivi !

Les premières étaient des relations plus ou moins récentes dont il avait repoussé les flatteuses avances au temps de sa liaison officielle avec Paule. Les dernières, d'anciennes maîtresses appartenant à la catégorie des sexuellement surdéveloppées. De toutes les participantes à ses essais non transformés, Laura était la plus jolie, mais Barth reconnaît en toute honnêteté que les autres avaient des charmes dont il aurait pu normalement se contenter, surtout pour une fois.

Sa recherche systématique d'une aventure, voire d'une simple coucherie, n'est que la conséquence de sa volonté de rompre. Laquelle est née quand Paule a ramené Ophélie de chez Odile. S'est fortifiée au fil des jours devant l'évidence que leur couple ne pourrait coexister avec les exigences familiales et s'est ancrée – définitivement, a-t-il cru – quand Paule s'est retrouvée à Deauville avec un second boulet au pied.

Très conformiste en l'occurrence, Barth comptait effacer le bonheur passé par des plaisirs immédiats et n'imaginait pas bien sûr rencontrer de difficultés dans cette affaire. Par commodité, puisqu'elle était plus que consentante, il jeta son dévolu sur Laura... et fut très surpris de constater les premières désobéissances de son corps aux ordres donnés par le Q.G. de sa tête. Il en détecta très vite la cause : la peur d'attraper ce que chez « les Raymondes » un soir il avait appelé « cette putain de merde de saloperie ». Le fait que Laura ait pris avec « la maladie » des risques, même mesurés, et qu'elle continue à subir des contrôles justifia à ses yeux son appréhension paralysante. Il s'intéressa donc à des filles a priori au-dessus de tout soupçon. Mais, hanté par des exemples de contamination soi-disant inexplicables, il fut victime du même phénomène de recul apeuré. Il ne se découragea pas pour autant et décida, sans grand enthousiasme, de se sécuriser par le seul moyen connu jusqu'à ce jour. C'est donc préservatif en poche qu'il repartit en campagne. Seulement, ça, c'est comme le sport : il faut commencer jeune ! Ce n'est pas à quarante-huit ans qu'on peut acquérir dans certains exercices l'aisance de ceux qui les pratiquent depuis leur adolescence. La peur d'être ridicule en face de nouvelles partenaires et la certitude qu'à un moment inopportun rien que l'Objet allait lui rappeler la Chose lui ôtèrent toute velléité conquérante. C'est alors qu'il se retourna vers d'anciennes coéquipières aussi peu habituées que lui aux contraintes de l'époque, avec lesquelles il pourrait se libérer. Il n'en fut rien. Le résultat de ses investigations était probant : quelle que soit la femme, le Spectre restait là, entre elle et lui. Son corps refusait ce morbide amour à trois, cette cauchemardesque version du jeu de l'Amour et du Hasard, n'accordant sa confiance à aucune protection. Ni à aucune femme... sauf à Paule.

Voilà pourquoi il était revenu régulièrement vers elle pour se rassurer.

Voilà pourquoi il avait été fou de rage en croyant cette confiance à jamais perdue dans les draps de l'hôtel Royal avec Peter Murray.

Voilà pourquoi, l'ayant si merveilleusement récupérée, il était résolu à ne plus la laisser échapper.

Bien que Paule se réjouisse fort de l'arme considérable que Barth vient de lui livrer, elle lésine sur l'enthousiasme :

— Je suis très sensible à l'hommage que tu viens de rendre à Mon Altesse Rigidissime... bien qu'entre nous, il soit un peu tardif.

— Rectification, Votre Honneur, il s'agit d'un hommage à Votre Altesse « Proprissime » que j'ai toujours appréciée. Au physique comme au moral.

— Moins que maintenant, il me semble.

A nouveau Barth s'inscrit en faux. A juste titre : c'est vrai qu'il a souhaité vivre avec elle bien avant son blocage et que ses sentiments ne dépendent donc pas du sida.

— N'empêche que sans lui..., commence Paule.

— Sans lui, je serais en train de m'emmerder avec d'autres femmes.

— Pas forcément ! Tu aurais bien fini par en trouver une à ta convenance.

— Une qui saurait jouer à Dagoberte ? Qui serait une luronne contrariée ? Et qui en plus me supporterait ? Non, j'en suis sûr à présent : il n'y a pas deux Popaule.

— Méfie-toi ! Odile m'a appris un jour que la rareté se payait, en art comme en amour.

— Je sais. J'y ai bien réfléchi.

— Et alors ?

— Ce serait malhonnête de te promettre ce que tu veux... mais que je ne peux pas t'offrir.

— C'est-à-dire ?

— Une auréole !

— Je n'en demande pas tant. Qu'est-ce que tu me proposes ?

— D'abord de revenir à Paris.

244

– Mon appartement est occupé.

– Non !

– Comment non ?

– Comme tu as refusé que je t'« entretienne » – ce qui m'a autant agacé qu'attendri –, j'ai pris pour t'aider le biais de la fausse location, avec la complicité de Madame Desvignes.

– Ça alors !

– Je te rappelle que ça se passait aussi avant mon blocage.

Paule, déconcertée, est incapable de prononcer un mot. Ce qui arrange bien Barth, conscient que pour gagner la partie il a intérêt à marquer des points rapidement.

– Donc, enchaîne-t-il, supposant hardiment le problème résolu, tu reviens chez toi... et tu adoptes pour Ophélie la solution que j'ai préconisée dès le départ : la mamybis, en Normandie de préférence.

– Mais tu sais bien que...

– Ce n'est pas une raison parce que ce système a échoué avec Odile pour qu'il ne réussisse pas avec quelqu'un de plus attentif qu'elle. De plus sensible... De plus averti aussi... De mieux secondé...

– Qui ?

– Ulysse ! Plus Pénélope ! Plus Hercule ! Plus leur dévouée servante ! Le tout chapeauté par Bernadette Anglet.

– Mais Bernadette, elle-même, ne vient pas à bout d'Ophélie. Malheureusement, à part moi...

– Et Malika ?

– Oui... Mais Malika...

– Elle aura son permis de séjour lundi ou mardi.

– Comment ?

– Il n'y a pas que Monsieur Blanquetti qui ait des relations...

– Mais alors... C'est toi qui es intervenu pour...

– Pour que toute cette affaire, y compris ton amende, passe aux oubliettes, oui, c'est moi.

Mêmes causes, mêmes effets : Paule, ahurie, répète :

– Ça alors !

– Entre parenthèses, ça se passait encore avant mon blocage.

En fait de blocage, Paule en connaît un sérieux du côté de la glotte. Barth en profite à nouveau pour avancer un pion.

– Donc, si j'ajoute Malika aux autres gardes du corps d'Ophélie précédemment nommés, je pense que tu seras rassurée et que tu m'octroieras enfin le droit de nous rendre heureux. Je me trompe ?

– Non... mais...

– Mais quoi, Popaule ? Tu as encore une démangeaison à l'auréole ?

Comme une petite fille un peu honteuse de ses exigences exorbitantes auprès du père Noël, Paule cache son visage entre ses mains et sourit des yeux entre ses doigts. Barth, prêt aujourd'hui à toutes les indulgences, va au-devant de sa silencieuse revendication :

– Madame mère, peut-être ?

Paule, toujours embarrassée, continue à singer l'enfance pour répondre affirmativement de la tête.

– Eh bien, dit Barth, ne crois-tu pas que tu pourrais lui offrir une infirmière à temps complet avec l'argent que tu vas gagner ?

Paule redevient adulte :

– Gagner ? Mais comment ça ?

– Avec les reportages que nous devons faire pour le compte d'Helga Schuller.

– Ça tient toujours ?

– Bien sûr ! Elle attend ta réponse. Et moi aussi, Popaule. Mais nous n'attendrons pas indéfiniment.

– Combien de temps m'accordes-tu ?

– Oh... disons... trois secondes.

Paule croit à une plaisanterie et veut inciter Barth à plus de sérieux.

– Ecoute...

– Non ! Toi, écoute : maintenant que j'ai tout organisé en tenant compte au maximum de ton confort moral, si tu hésites encore entre la vie de femme avec moi que je te propose et la vie de sainte qui t'attend entre ta mère et ta petite-fille, c'est vraiment que tu ne m'aimes pas, Popaule. Et dans ces conditions, tant pis ! Je n'aurai plus qu'à me rabattre sur une vierge ou sur une bonne sœur qui se défroquera pour moi !

Comme certains auteurs anglo-saxons qu'elle a eu l'occasion de traduire, Barth emploie des mots qu'elle comprend au service d'un système de pensée qu'elle ne comprend pas.

— Pour moi, ce n'est pas si simple, Barth.

— Ça devrait l'être.

— Mais non !

— Qu'est-ce qui te retient ?

— Tu le sais bien.

— Ophélie ?

— Evidemment ! Elle a besoin de moi...

— Moi aussi.

— Elle est si fragile !

— La veinarde !

— Tu ne veux pas essayer de...

— Non ! Je veux ta réponse. Rien d'autre.

— Enfin, Barth...

— Le compte à rebours va commencer. Attention...

— Arrête !

— Trois !

— Si on prenait un duplex ?

— Deux !

— Ou que nous nous rencontrions seulement pendant le week-end ?

— Un !

— Ou alors que Malika habite avec nous ?

— Zéro !

A peine a-t-il esquissé un mouvement pour se lever que Paule capitule avec ses bras, avec sa bouche, avec ses dents, avec ses mots :

— Plus ça va, plus je te hais !

— Quelle chance ! Moi aussi !

Entre leur quatre lèvres grappilleuses, Paule glisse le début de leur chanson :

— « Si ce n'est pas l'amour... »

C'est à l'unisson qu'ils concluent :

— « Dieu que ça lui ressemble. »

Dans l'euphorie de l'instant, Barth réussit à convaincre Paule de précipiter les choses dans l'intérêt de chacun et en plein accord avec elle établit un plan d'action à court terme d'une rigoureuse précision. Tout y est prévu, dûment pensé et minuté, de leur retour immédiat à la villa « Mon rêve » jusqu'à la réintégration de Paule dans ses pénates à Paris, en passant par l'installation d'Ophélie à Beuvron-en-Auge, le règlement des problèmes de Rose, et les possibilités d'une liaison rapide et permanente entre la Normandie et Paris.

Epatant, ce plan d'action ! Ils ont passé à l'élaborer vraiment un moment merveilleux. Le dernier !

Ils en ont tous les deux la certitude, avant d'avoir mis pied à terre devant la villa « Mon rêve », quand ils voient en sortir Mademoiselle Moutiers qui fonce sur eux, torche à la main, avec des gestes de tragédienne, en douillette fleurie et chaussons fourrés, tenue négligée qui à dix-huit heures trente ne présage rien de bon ! En effet, perturbée au point de sacrifier la syntaxe à l'efficacité, la retraitée de l'enseignement leur expose la situation en un raccourci saisissant :

– Ophélie est à la clinique avec Monsieur de Saint-Omer, une crise d'asthme et ma voiture ! Moi, j'attends le médecin ici en robe de chambre pour Madame Astier qui, elle, a eu une crise d'hypertension.

Avant d'apprendre peut-être que les chihuahuas ont eux aussi quelques ennuis de tuyauterie, Barth et Paule, sur leur moto, déchirent à grands coups de décibels la quiétude deauvillaise.

Ils arrivent à la polyclinique à l'instant où Ulysse s'apprêtait à la quitter, Ophélie endormie dans les bras. Il minimise l'incident et s'efforce même de raconter gaiement la pluie de catastrophes qui est tombée sur lui : la crise d'asthme d'Ophélie... les médicaments introuvables... leur recherche dans tous les coins de la maison, jusque dans la chambre de Madame Astier... qui justement était en train d'étouffer elle aussi... Halètement de l'une... Halètement de l'autre... Suffocation d'Ulysse... S.O.S. lancé à la voisine... Arrivée immédiate de Mademoiselle Moutiers, réserviste dans l'armée « des bonnes âmes transcendées par le malheur »... Transfert épique d'Ophélie à la verticale dans l'impeccable R5 de l'impeccable Gabrielle... Irruption très remarquée dans la polyclinique... Branle-bas de combat. Piqûre. Masque à oxygène. Retour à la normale. Soulagement. Sourire. Dodo. En résumé : beaucoup plus de peur que de mal.

– Bref, conclut innocemment Ulysse, tout est bien qui finit bien.

– Non, tout ne finit pas bien. Tout finit même très mal...

C'est Paule qui vient de prononcer cette phrase au bout de laquelle les points de suspension sont en forme de larmes.

C'est Barth qui va lui répondre en ayant l'air comme elle de s'adresser à Ulysse :

– Regarde bien, vieux frère, tu vas assister au plus joli gâchis que tu n'as jamais imaginé. Attention ! Le compte à rebours va recommencer.

Tout le visage de Paule n'est qu'un signal de détresse. Mais de détresse résignée – ce qui empêche Barth d'y être sensible.

– Trois ! annonce-t-il.

Paule cueille Ophélie dans les bras d'Ulysse, puis dans sa main la clé de la voiture de Mademoiselle Moutiers.

– Deux !

Paule se retourne et s'éloigne dos aux deux frères.

– Un !

Juste avant de franchir la porte de sortie, Paule reçoit sans broncher le coup de grâce :

– Zéro !

Quand Paule s'installe dans la R5 avec Ophélie cette fois à l'horizontale, coincée tant bien que mal entre elle et le volant, elle entend encore la voix de Barth :

– Paule !

A nouveau s'impose à elle l'image de « l'héritière », murée dans sa résolution douloureuse. Elle est sûre que Barth y pense aussi. Sans attendrissement. Il n'y a que de la colère dans sa deuxième sommation :

– Paule !

Elle démarre le plus doucement possible pour éviter la moindre secousse au bébé. Malgré toutes ses précautions, la mouflette entrouvre les yeux.

– Paule !

La mouflette accroche son regard à sa bouée. Et la bouée s'accroche à ce regard :

– Ophélie, ma toute faible, ma toute forte, sois gentille : donne-moi un sourire ! S'il te plaît... Ce soir, c'est moi qui ai besoin de toi... Ophélie... mon amour... J'ai mal à en crever !

CHAPITRE XXI

« Agir comme celui que l'on sera et qui n'aimera plus. »

Depuis quatre semaines que Paule a mal à l'absence de Barth comme un mutilé peut souffrir du membre qu'il n'a plus, elle se répète tous les jours cette phrase de Marcel Proust. Ils sont épatants les écrivains ! Ils vous donnent des conseils d'une justesse, d'une évidence... sur le papier ! Dans la vie, comme d'habitude, on en revient au refrain populaire : « On fait c'qu'on peut avec c'qu'on a. »

Et qu'est-ce qu'elle a en ce moment, Paule ? Toujours pareil : d'un côté son con de cœur en berne qui endeuille chaque instant de sa vie ; et de l'autre sa putain de conscience triomphante qui l'oblige à assumer le quotidien, sans tenir compte du reste. Belle pérennité de la nature humaine au milieu des mouvances de la société !

Parfois Paule, étourdiment, rend grâce à ce quotidien qui en l'emprisonnant dans un carcan de servitudes l'empêche de s'effondrer. Mais la seconde d'après, son absurdité lui saute aux yeux : sans ce quotidien-là, pesant, abêtissant, grisâtre, elle en vivrait un autre avec Barth, léger, enrichissant, chaleureux. Alors, elle se met à haïr en vrac : Madame-toilette. Monsieur-kinési. Mademoiselle-seringue. Le docteur « bien sûr... bien sûr ». Gabrielle Mouche-du-coche. Le dentier mal réparé qui n'arrête pas d'aller et venir des mains du dentiste à la bouche de Rose. Les radios de contrôle, les échographies de contrôle, les scanners pour contrôler les contrôles, les napperons en dentelle, la poussière, le désordre, le supermarché, les corvées ménagères, les couches, les chihuahuas, les caprices intestinaux de sa mère, de sa petite-fille, leurs intempéries, leurs impatiences, leurs maladresses.

Dans cette vie asphyxiante, une bouffée d'air, un soir, deux semaines après sa rupture avec Barth, trois après sa nuit de réveillon avec Peter Murray qu'elle a depuis laissé sans nouvelles, donc, comme convenu entre eux, sans espoir.

Pourtant, la bouffée d'air vient de lui... à travers le téléphone. En entendant sa voix, elle craint aussitôt que sa séropositivité n'ait basculé dans le pire et qu'il ne l'appelle pour une espèce d'adieu. Alors, elle enveloppe de compassion tendre sa formule de politesse :

– Comment ça va, Peter ?

– Moi, très bien, répond-il avec une conviction très naturelle. C'est ma femme qui, elle, ne va pas du tout, ajoute-t-il avec une désinvolture également très naturelle.

– A cause de son lifting ?

– Oui, si on veut ! Mais plutôt à cause de son absence de lifting !

– Comment ça ?

– Figure-toi que les analyses de routine préopératoires ont révélé une insuffisance rénale, qu'elle ignorait complètement.

– Grave ?

– Suffisamment pour que le chirurgien brésilien la renvoie immédiatement avec ses rides et que notre médecin suisse la mette sous dialyse.

Voilà Paule bien troublée : lors de la communication téléphonique où, du Brésil, Madame Murray, censément momifiée et bredouillante, lui a lancé son message morbide, elle était en fait dans le canton de Vaud, sans le moindre pansement susceptible de gêner son articulation et assez alarmée par son cas personnel pour ne pas s'occuper de celui des autres.

Mis au courant de cet appel et de son sinistre contenu, Peter, totalement sécurisé par ses analyses récentes, conclut à une mauvaise plaisanterie imaginée par quelqu'un qui souhaitait lui nuire dans l'esprit de Paule. Elle est d'accord avec lui. Mais pas sur l'identité du mauvais plaisantin. Peter pense à Barth. Elle à Blanquetti. Il essaie d'en discuter. Elle n'en a pas envie.

– De toute façon, dit-elle, ce canular n'est pour rien dans ma décision de ne pas donner suite à ta proposition du réveillon.

– En es-tu sûre, Paule ?

– Absolument !

– Parce que sinon...

– Sinon quoi ?

– Sinon, j'ai encore mon costume de prince charmant et je peux être près de toi dans cinq minutes.

– Dans cinq minutes ? Tu n'es donc pas en Suisse ?

– Non, au Royal ! Dans « notre » chambre.

– Alors... si tu veux bien échanger ton déguisement princier contre un gilet de grand-père, tu peux venir.

Il est venu. Il l'a embrassée sur les joues. Il a revu ses propositions à la baisse. Des week-ends clandestins de temps en temps ? Une micro-cure de détente nocturne ? Des cinq à dix ? Des cinq à sept ? Des cinq à six ?

A chaque nouvelle décote, il a essuyé un refus ferme, définitif et amusé. Il a joué la scène des regrets avec beaucoup de finesse et d'élégance. Celle de l'attendrissement au pied du lit d'Ophélie, avec beaucoup de sobriété. Il est reparti avec une très bonne critique, écrite dans le sourire de Paule.

Dans le huis clos de sa vie deauvillaise, la seule fenêtre – disons le vasistas – qui aurait pu s'entrouvrir venait de se refermer.

Le lendemain de cette brève aération, l'atmosphère de la villa « Mon rêve » lui semble encore plus étouffante. L'auréole cabossée par les coups de boutoir du quotidien, elle finit par téléphoner à Laurence.

Saturée de silence et de désœuvrement dans son studio toulonnais, Laurence est prête à tout pour parler à quelqu'un et être utile à quelque chose.

Paule, elle, saturée de bruit et d'activités débilitantes, n'aspire plus qu'à un petit espace de solitude pour se retrouver avec elle-même.

Les problèmes des deux amies étant complémentaires, elles décident de les mettre en commun avec l'espoir de les alléger. La solution se révèle bénéfique pour l'une comme pour l'autre.

Dans l'agitation de la villa « Mon rêve », Laurence se revitalise : plus elle s'active, plus elle est contente.

Paule, déchargée des corvées ménagères, peut consacrer plus de temps et surtout plus d'attention à sa mouflette.

De nouveau la sultane, ravie, a droit à ses promenades en poussette agrémentées des merveilleuses histoires de sa Schéhérazade personnelle. Elle ne s'en lasse pas. Pourtant, depuis quelque temps, ses contes ne sont ni très gais ni très variés. Ils commencent tous par : « Il était une fois un oiseau des îles... »

Aujourd'hui, ce sera différent. Félix est là. Il est venu en coup de vent. C'est le cas de le dire. Ça souffle aujourd'hui sur les planches. Un peu trop pour Ophélie. Un repli vers l'arrière s'impose : dans les jardins joliment vallonnés en contrebas. Il y a en cette fin de matinée de février un cocktail savamment dosé d'air et de soleil que la sultane a l'air de particulièrement apprécier :

– Tu parles ! Emmitouflée comme je le suis, les conditions météo, j'm'en tape ! Si j'm'éclate, c'est à cause de Félix : mon manège à moi, c'est lui ! Non mais regarde-moi cette technique : dès qu'il y a une petite descente, il donne une grande poussée à mon carrosse... Il le lâche en pleine vitesse... Il court après... Il fait semblant de ne pas pouvoir le rattraper... et hop ! il le rattrape juste au moment où je commence à avoir peur. Ça, c'est un homme qui sait s'y prendre avec les filles ! C'est de la bonne graine de père ! Je suis sûre que le mois dernier, il l'a pressenti, l'embryon, dans le ventre d'Annabel. C'est pourquoi il s'est accroché au dernier moment. Ah ! Il ne doit pas le regretter, celui-là ! On t'a flanqué sa mère au lit sans bouger, sans une goutte d'alcool, sans la moindre bouffée de cigarette. Félix jubile... parce que son Annabel – question jaja et taf – c'était pas mère Teresa ! Je suis vraiment contente pour lui ! Il est tellement gentil. Rien que ça : avoir quitté sa bonne femme uniquement pour venir me voir. Tu me diras qu'il en profite pour bavarder avec ma grand-mère. Mais c'est normal. Il l'a connue avant moi. De lui, je ne suis pas jalouse du tout. C'est pas comme de Barth, qui peut pas me piffer et qui en plus fait pleurer ma Popaule. Ça, j'ai horreur ! Pour un bébé comme moi, une grande personne qui pleure c'est déstabilisant. Tandis que deux grandes personnes comme Félix et ma grand-mère qui ont l'air d'être heureux ensemble, c'est réconfortant. Ça vous donne envie de grandir. En plus, eux, ils ont des sujets de conversation qui m'intéressent. Tiens, par exemple en ce moment, ils parlent de Malika. Attends une seconde, je voudrais écouter. Qu'est-ce qu'ils disent ? Oh, ben ça ! Malika est enceinte... de quatre mois et demi ! Mais alors... ça se passait sous mon règne... pendant que je dormais... Qui c'est, le père ? Qui ? Monsieur « pas d'chance ». J'en ai déjà entendu parler de celui-là. Ah ! je comprends maintenant pourquoi Malika n'a pas voulu revenir avec nous à Deauville : elle avait honte vis-à-vis de Popaule. C'est dommage ! Moi j'aurais bien aimé avoir un petit copain pour m'amuser. Pas ma grand-mère, à ce que j'entends. Elle est d'un égoïsme par moments ! Elle préfère que ce soit le mouflet de Félix et d'Annabel qui profite du rejeton de Malika. Félix dit que lui aussi il préfère ; que Paule n'avait pas besoin de ce bébé supplémentaire... en plus du reste. Ah... Le reste ? Oh ! je la boucle ! Il va parler de l'autre con !

Toute révérence gardée, Ophélie a raison : Félix parle de Monsieur de Saint-Omer :

– Tu sais qu'il va s'occuper du bouquin d'Odile ?

– Oui, il m'en avait parlé. C'est elle qui te l'a dit ?

– Pas dit. Claironné !

– Quand ça ?

– Mardi dernier, à la librairie. Elle est venue à Paris pour des essais de coiffure et de maquillage... chez Rodolphe... en vue d'une série de photos imaginées par Barth, sur fond de fruits de mer !

– Ça peut plaire : les huîtres, ça changera des

chiens et des chats qui ont été médiatiquement surex-
ploités !

– C'est exactement l'argument de Barth.

– Je l'aurais parié.

– Odile trouve ça génial.

– Je l'aurais parié aussi. Comment était-elle ?

– Une autre.

– Physiquement ?

– Surtout moralement.

– Un peu nerveuse sans doute à l'approche de la
sortie de son livre, c'est compréhensible.

– Tu es beaucoup trop indulgente avec elle. Tu as
tort, elle ne l'est pas avec toi.

– A propos de ma séparation avec Barth, je suppose ?

– Oui, elle prend fait et cause pour lui.

– Comme d'habitude.

– Oui, mais d'habitude elle le faisait devant toi. Et
d'habitude tu n'étais pas comme maintenant dans un
sérieux creux de vague, à cause de lui.

– A cause de moi aussi, Félix, il faut être juste.

– De toute façon, il y a des moments où l'amitié se
doit d'être partiale ou pour le moins rester dans une
neutralité bienveillante. En tout cas, ne pas passer
carrément à l'opposition.

– Bien sûr ! Mais tu sais, j'ai connu ça avec Vanneau : quand il écrivait, il n'était plus le même. Je
crois que c'est pareil avec Odile. Alors, j'attends pour
la juger qu'elle ait fini son livre.

– Tu n'as plus longtemps à attendre : elle le remet
à son éditeur dans trois semaines.

– Tu ne connais toujours pas le sujet ?

– Non, ni le titre. Ni où il se passe. Ni le nombre
de personnages.

– Je me demande si Barth est au courant.

– Ça, elle me le dirait peut-être.

– Et si elle te le disait, peut-être me le répéterais-
tu ?

– Ça, sûrement !

Le soir même, rentré à Paris après un détour par
« La Sabotière », Félix renseigne Paule : Barth est

dans la même ignorance qu'eux. Le seul à partager le secret d'Odile est son éditeur qui, selon ses propres paroles, a tout intérêt à ne pas le divulguer.

Le lendemain, le vent est tombé. Les écoliers de la zone A entament le second dimanche de leurs vacances de février. Leurs parents sont venus, le temps d'un week-end, seconder les grands-parents. Rassurés par une météo qui leur a affirmé que la température était dans les normes saisonnières, ils se sont risqués jusque sur la plage. Ils y constatent, les mâchoires contractées, que la norme saisonnière, elle non plus, n'est plus ce qu'elle était... du moins dans leurs souvenirs. Mais comme ils sont là, ils y restent. Vaillants combattants du congé hebdomadaire, ils se jettent à l'assaut du frisson envahisseur, au cri enthousiaste de : « C'est sain ! C'est sain ! C'est sain ! », ou en répétant avec déjà moins de conviction : « On est quand même mieux là que dans le métro ! »

Le gros des troupes, armé de pelles, de raquettes, de bottes, de boules, de balles, de billes, court dans tous les sens : après les enfants – ces monstres qui n'ont jamais froid ! –, après les chiens – ces veinards avec leurs poils ! –, après les cerfs-volants, après des rêves de sauna ! Seuls quelques bataillons de choc organisent des parties de volley-ball. C'est l'une d'elles que Paule suit, assise sur le parapet qui longe les planches, en compagnie bien entendu d'Ophélie dans sa poussette. La moufflette semble avoir pour ce sport la même prédilection que sa grand-mère qui jadis y jouait avec Odile... et ceux de la bande à Boubouille. Paule respire une grande bouffée d'adolescence. Elle retrouve dans les équipes qui évoluent sous ses yeux les mêmes composants que dans celles de sa jeunesse : les meneurs – de son temps, Boubouille et Kiki ; aujourd'hui, King et Duke. Puis les utilités – interchangeables –, les rigolos, les filles-copines et les filles-allumeuses – selon les jours, selon les garçons, Odile et elle se partageaient ces deux emplois. Il y a encore le bon bougre, le beau mec et « le docteur ». Ce dernier n'est pas forcément médecin mais il a l'air sérieux et compétent du monsieur qui sait. Celui d'aujourd'hui, comme celui d'autrefois, est l'aîné de la bande. Il y a quelques années, il devait être classé dans la catégorie « beau mec ». Paule l'a repéré tout de suite. Pas seulement à cause de ça. Ni de sa boule à zéro. Ni de son survêtement turquoise qui ne passe pas inaperçu. Mais à cause du regard satisfait qu'il coule vers elle chaque fois qu'il réussit un smash : ça lui rappelle le bon temps !

Elle a lu dans un magazine que curieusement les bébés favorisaient la drague plus qu'ils ne la décourageaient. Elle ne tarde pas à en avoir la preuve. Aussitôt la partie finie, « le docteur » se dirige dans sa direction, le ballon à la main, puis, arrivé à côté de la poussette, s'accroupit et s'adresse à Ophélie en élève consciencieux de la méthode : « Comment parler couramment le bébé en dix leçons » :

– Oh ! On est zolie... et on est sage... Est-ce qu'on veut taper sur le ballon avec sa petite menotte ?

Ophélie est très claire : on se fout du ballon. On aime beaucoup mieux taper sur le crâne du monsieur. Et on le fait. Hardi petit ! Boum ! Boum ! Boum ! Paule se croit obligée d'intervenir :

– Ça suffit, Ophélie ! Arrête ! Ou je vais me fâcher.

L'homme s'esclaffe exagérément, comme s'il posait pour une publicité d'un dentifrice, puis il susurre en adepte maintenant convaincu de la méthode : « Comment séduire une femme au premier regard » :

– Vous n'imaginez pas qu'elle va vous prendre au sérieux... avec ces yeux-là ?

Nom de Dieu ! Blanquetti !

Blanquetti sans ses deux dents en or, sans sa perruque, sans sa moustache ! Mais toujours avec son frétillement de narines et son haleine aillée. Paule n'a pas pu cacher complètement sa stupéfaction mais réussit à la justifier... avec un sourire exquis :

– Excusez mon mouvement de surprise, mais vous ressemblez à quelqu'un que j'ai connu, d'une façon extraordinaire.

– Quelqu'un de sympathique, j'espère ?

Paule minaude à la façon d'une ingénue libertine

du début du siècle. Si elle pouvait, elle rougirait en répondant :

– Très séduisant.

Blanquetti, sûr d'avoir trompé son monde et de pouvoir sous cette apparence nouvelle emballer vite fait bien fait la rétive Paule Astier, se voit déjà, toute turpitude consommée, révéler à sa victime pâmée qu'elle vient de forniquer avec son bourreau.

– Vous permettez que je m'asseye auprès de vous ?

– Mais je vous en prie... si la compagnie d'une grand-mère ne vous rebute pas.

Blanquetti s'esclaffe derechef – il faut bien amortir ses nouvelles jaquettes –, se relève dans un craquement articulaire que son rire en fin de course ne couvre pas totalement, puis s'installe sur le parapet le plus près possible de Paule.

– Vous ! Une grand-mère ! Vous plaisantez, je suppose ?

– Mais non ! Mais non ! Je vous assure, mettez vos lunettes et vous verrez.

Il s'approche d'elle et s'enhardit jusqu'à effleurer son visage du doigt.

– Je verrai quoi ? Votre teint de jeune fille, votre bouche d'enfant, votre cou de nymphe ?

Paule, cette fois en ingénue effarouchée, repousse avec délicatesse la main du séducteur et soupire :

– Ah ! Vous êtes toujours aussi galant... Monsieur Blanquetti !

Là, elle n'a pas raté son coup, Paule. Le beau Lucien, pris complètement à contre-pied, ne cherche même pas à nier, ni à dissimuler son étonnement :

– Vous m'avez reconnu ?

– Oui... à l'odeur !

La réaction du macho-maso se situe entre une haine certaine et une certaine admiration :

– Je vois que vous n'avez pas changé.

– Il n'y a pas de raison.

– Ah si ! Je crois vous avoir donné plusieurs raisons d'être plus... prudente avec moi. Plus aimable aussi.

Paule fronce d'abord les sourcils comme sous l'effet

d'un intense effort de mémoire, puis s'illumine en feignant de retrouver un vieux souvenir :

– Ah ! s'écrie-t-elle, vous faites allusion aux peaux de banane que vous avez jetées sur ma route ?

Déconcerté par cette désinvolture, il se rassure en énumérant fièrement ses méfaits :

– Votre dossier refusé par la Sécu, l'agence de Gregory Vlasto qui vous est passée sous le nez, Malika qui vous a quittée, la fausse séropositivité de Monsieur Murray... tout ça, c'est moi !

– Je sais bien et je devrais vous remercier.

– Quoi ?

– Mais oui, rendez-vous compte : grâce à vous, je respire cet air qui me stimule, je vis dans ce pays que j'adore, entre ma petite-fille et une amie adorable qui me rendent au centuple ce que je peux leur apporter.

– N'empêche que ce sont ces conditions de vie, selon vous idéales, qui vous ont séparée de Monsieur de Saint-Omer.

– Autre chance ! Je m'en félicite tous les jours.

– Ce n'est pas ce qu'il dit.

– Il vous fait ses confidences ?

– Pas à moi. A Blandine Vanneau.

Là, c'est Blanquetti qui n'a pas raté son coup. En plein dans le mille de ce con de cœur qui remonte jusqu'à la gorge de Paule et altère sa voix :

– Vous voulez parler de...

– La fille cadette de votre ex. Je me suis arrangé pour la mettre en contact avec Monsieur de Saint-Omer. Ils ont tout de suite sympathisé. Forcément ! Avec vous, ils ne manquaient pas de sujets de conversation. Actuellement ils sont aux sports d'hiver en Suisse. A Zermatt. A l'hôtel de la Cigogne. Je crois que vous connaissez ? Les oreilles doivent vous tinter.

Paule a encore le courage de s'arracher un sourire :

– Non, je n'entends plus depuis un moment que des sifflements de serpent... et je ne les supporte plus.

Sur ces derniers mots, Paule se lève, débloque avec son pied les roues de la poussette, un peu nerveusement sans doute : Ophélie, sur le point de s'endormir, sursaute et se met à hurler.

– Excusez-la, dit Paule à Blanquetti, elle vient juste de vous reconnaître !

Paule résiste une dizaine de jours à la tentation de se renseigner auprès de Félix sur les relations de Barth et de la sœur d'Annabel. Le 1er mars, elle y succombe, passant outre au gros bon sens de Laurence :

– Ça ne sert à rien, puisque c'est fini entre vous.

– C'est uniquement pour en avoir le cœur net.

Et voilà ! Elle sait... mais pas tout. Alors elle a encore le cœur moins net qu'avant, tout agité par une sérieuse bagarre entre certitudes et doutes que Laurence suit à travers le soliloque de Paule, avec l'indulgence amusée des personnes que « ce genre de problème » ne concerne plus :

– D'accord, ils sont allés à Zermatt, dans l'hôtel que nous avions découvert ensemble... Mais enfin, ils ont pris deux chambres... ce qui tendrait à prouver que... Et ils sont revenus plus tôt que prévu... ce qui tendrait également à prouver que... Et de toute façon, personne n'a tenu la chandelle... Donc il n'y a pas de preuves... ni dans un sens... ni dans l'autre... Mais quand même, Blandine Vanneau, l'hôtel de la Cigogne, Zermatt... Ça me semble trop moche pour être vrai...

– Ça c'est sûr que Georgette Galoche à l'hôtel des Trois Canards d'Onzin-les-Fraises, tu aurais trouvé ça plus crédible !

L'ironie de Laurence agace Paule : les malades ne devraient parler qu'aux malades atteints de la même maladie. Seul un obèse peut comprendre un autre obèse et trouver les mots qu'il faut pour le réconforter ou l'aider à se sortir de son problème. Pareillement, seul un malade d'amour, même guéri – surtout guéri –, peut secourir un autre malade d'amour. A quand le club des Anciens Inconsolables anonymes ? Paule en est là de ses réflexions quand, soudain, elle perçoit en même temps que Laurence une espèce de râle mal définissable. Avec un ensemble parfait, les deux amies se lèvent mais s'inquiètent de façon discordante :

261

– Ophélie ! s'écrie Paule.

– Ta mère ! s'écrie Laurence.

Laurence avait raison. Rose Astier a une nouvelle crise d'hypertension. La précédente – loin d'être la première – a eu lieu le funeste jour de janvier qui a vu les adieux de Barth et de Paule devant Ulysse consterné.

Le docteur « bien sûr... bien sûr », appelé d'urgence, se transforme ce soir en docteur « hélas... hélas... ». Son pessimisme se justifie tout au long de la semaine suivante où l'état de la vieille dame ne s'améliore guère en dépit des médicaments que Paule et Laurence à tour de rôle lui administrent avec une patience égale à celle qu'elles déploient pour nourrir Ophélie. Encore ce fichu parallélisme : « Une pilule pour faire plaisir à ta fille ! », « Une bouchée pour faire plaisir à ta grand-mère ! ».

Le kinési a interrompu les séances de rééducation... provisoirement.

On a rangé le déambulateur... provisoirement aussi.

On a supprimé les piqûres de calcium... provisoirement encore.

Il n'est plus question de marcher. Il est question de vivre.

A partir du 10 mars, jour de la Mi-Carême, il n'est plus question que de survivre : ce jour-là, Rose Astier est frappée par une congestion cérébrale et transportée à la polyclinique. Paule est absente. Elle est sur les planches deauvilloises, ses index prisonniers des mains d'Ophélie qui, debout, essaie de mettre un pied devant l'autre. A son retour, une fois de plus, l'obligeante Gabrielle sert de messager. Elle servirait aussi volontiers de garde d'enfants, mais Ophélie refuse catégoriquement. Paule n'insiste pas : la loi des séries, elle y croit ! Alors, elle repart avec la sultane dans son carrosse qu'elle pousse devant elle en courant... comme Félix ! Ophélie est aux anges. Jamais elle n'a ri comme ça. Elle pouffe littéralement, en applaudissant de toutes ses forces. C'est nouveau : chaque jour apporte son progrès.

Dans la chambre de Rose Astier, chaque jour va

apporter une régression nouvelle. Paule s'y rend chaque après-midi après sa sacro-sainte promenade avec Ophélie. Elle reste trois ou quatre heures au chevet de sa mère prostrée dont la vie ne tient qu'à des fils. Le médecin redevenu le docteur « bien sûr... bien sûr » est certain à quatre-vingt-quinze pour cent que Madame Astier ne s'aperçoit pas de la présence de sa fille. Mais, à cause de ces cinq pour cent de chance – ou de risque – d'une émergence de conscience, Paule reste là à guetter un clignement de paupières, un soupir ; tour à tour à l'espérer et à le craindre, à s'en vouloir de le craindre... et à penser alors à Barth.

Barth qui lui affirmerait qu'au-delà d'une certaine limite physique et cérébrale, atteinte et dépassée par Rose Astier, le ticket pour la vie n'est plus valable.

Barth qui lui rappellerait que ses deux sœurs si bien-pensantes et qui se dévouent sans compter à travers le monde pour les causes humanitaires n'ont aucun scrupule à lui laisser leur mère sur le dos.

Barth qui la convaincrait qu'elle est une fois de plus victime de son syndrome de l'auréole.

Barth qui lui reprocherait d'agir selon des clichés brevetés par la Bienséance avec un grand B et propagés par les écrivains, les psychanalystes, qui entretiennent soigneusement le mythe de la mère en faisant l'impasse sur toutes les procréatrices sans intérêt comme Madame Astier et, ce qui est pire, sans amour, comme beaucoup d'autres.

Barth qui remettrait en cause la voix du sang.

Barth qui la titillerait jusqu'à ce qu'elle avoue qu'elle est loin d'être aussi triste qu'elle veut bien le dire ou surtout le paraître. Je me trompe ?

Barth... Barth...

Paule vit la mort de sa mère à travers Barth. Et même son enterrement.

« J'veux qu'on rie ! J'veux qu'on chante quand c'est qu'on m'mettra dans l'trou ! » Tout au long de la cérémonie, Paule est poursuivie par cette chanson de Brel que Barth adorait.

« Le Seigneur vient de rappeler à Lui une de nos fidèles paroissiennes... »

J'veux qu'on rie ! J'veux qu'on chante...

« Madame Rose Astier est allée rejoindre son époux, le docteur Etienne Astier... »

J'veux qu'on rie ! J'veux qu'on chante !

« Qu'elle repose maintenant dans la paix du Seigneur... »

J'veux qu'on rie ! J'veux qu'on chante !

« Selon le vœu de sa fille, Madame Paule Astier, il n'y aura pas de condoléances dans la sacristie... »

J'veux qu'on rie ! J'veux qu'on chante...

Au retour du cimetière, dans sa voiture, Paule réprime déjà un sourire qu'elle juge inconvenant, bien qu'empreint de mélancolie : aujourd'hui, 21 mars, ultime parallélisme entre Rose et Ophélie. Dernier voyage de l'une. Premier anniversaire de l'autre. Dernier repos. Premiers éveils. Dernière fois. Premières fois :

Première bougie.

Première robe confectionnée par Laurence.

Premières esquisses de baisers.

Premières esquisses de paroles ce matin.

Premiers pas peut-être ce soir.

A cette image d'Ophélie s'élançant seule, émerveillée de sa prouesse, le sourire de Paule franchit le barrage des convenances. Mais tout à coup se fige quand la voiture s'arrête devant la villa « Mon rêve » : elle vient d'apercevoir dans le fond du jardin les petites pattes d'Ophélie entre les grandes jambes d'un homme qui lui offre comme elle, Paule, le soutien de ses deux index. Il est de dos, penché sur la mouflette. Est-ce possible que... Non ! Ses cheveux sont plus clairs que ceux de Barth...

Il est plus jeune que Peter... Plus grand que Félix...

Paule, intriguée, pousse la barrière en bois. La clochette tintinnabule. L'homme tourne la tête. Stupéfaite, Paule reconnaît Keran Kersaint.

CHAPITRE XXII

– Vous êtes venu reprendre Ophélie ?

C'est la première phrase que Paule dit à Keran. Le ton indique clairement qu'elle traduit une crainte et non un espoir. Barth en aurait enragé s'il l'avait entendue ! Keran, lui, est bien soulagé. Quand il a su par Laurence les perturbations que le parachutage d'Ophélie avait entraînées dans la vie de Paule, il a eu très peur qu'elle ne veuille coûte que coûte lui « refiler le bébé ». Expression qui prenait là son sens plein. Si peur même qu'il a failli repartir. Mais il a été plus ému qu'il ne l'avait imaginé en retrouvant la petite grenouille, sa seule famille : elle ressemblait tellement à Yann, et de ce fait, à lui aussi... qui ressemblait tellement à ce frère disparu. Et puis, après quelques secondes d'intense observation, Ophélie lui a souri, comme si elle le reconnaissait... Alors, il est resté en dépit de son inquiétude. Et voilà que, d'entrée de jeu, Paule lui montre qu'elle redoute de le voir emmener Ophélie, autant que lui redoutait de devoir s'en charger. Cela ne pouvait que s'arranger entre eux. Et effectivement, cela s'arrange, très vite et très bien.

Paule est touchée que Keran, au milieu de ses errances variées et multiples, se soit rappelé la date de naissance de sa nièce et qu'il ait eu envie de se manifester auprès d'elle juste ce jour-là. Touchée aussi d'apprendre que pour rejoindre Paris il a raclé le fond des boîtes de conserve qui lui servaient de coffres-forts dans le squatt londonien où il survivait depuis six mois. Qu'ensuite, Paule étant absente de son domicile parisien, il est allé sonner chez la méfiante Madame Desvignes, l'a apprivoisée et l'a même séduite au point qu'elle lui a donné en plus de l'adresse de Paule une recommandation pour un certain Jean-Camille, petit-fils d'un de ses Hesperide's lovers, qui régnait sur une boîte près d'Houlgate, très en vogue, paraît-il.

— Le Memphis ? demande Paule.

— Oui. Vous connaissez ?

— De réputation.

— C'est comment ?

— C'est surtout pour les jeunes.

— Ah ben pour moi, ça va être limite !

— Vous plaisantez ?

— Non ! Vous ne vous rendez pas compte : j'ai vingt-huit ans !

Pourtant, le lendemain, en sortant de ce temple du rock normand où Paule l'a accompagné dans la 205 avec Ophélie, la joie de Keran est bel et bien enfantine :

— Génial ! s'écrie-t-il, j'ai été engagé : vendredi, samedi, dimanche jusqu'au 1er juillet. Tous les jours du 1er juillet jusqu'au 15 septembre.

— Comme saxophoniste ?

— Non ! Comme serveur ! Mais une fois dans la place... à moi de me débrouiller. J'ai l'habitude.

Il se débrouille si bien que déjà le dimanche du premier week-end il passe autant de temps à servir les clients qu'à jouer avec l'orchestre. Rentré à la villa « Mon rêve » vers cinq heures du matin, comme un gosse, il sort de ses poches tout l'argent qu'il a gagné : sa paie et ses pourboires, et le dépose bien en vue sur la table de la salle à manger avec ce petit mot explicatif : « En accompte sur ma pansion. »

Bien sûr, « acompte » est écrit avec deux c et « pension » avec un a, mais derrière ces péchés orthographiques, en filigrane, Paule sait lire, elle, le mot « dignité ». Sans faute.

Le premier soir, soupçonnant son impécuniosité, elle lui a proposé de coucher dans la « cagna », terme rapporté par son grand-père de la guerre de 1914, qui désignait une espèce de gourbi militaire. En l'occurrence, cette appellation est abusive, appliquée à une pièce simple mais correcte que Laurence a habitée jusqu'à ce que, sur les instances de Paule, elle se soit installée en haut, dans la chambre de Madame Astier.

Keran a refusé énergiquement cette hospitalité qui lui était « offerte ». Il n'a accepté, replié dans son amour-propre et dans son sac de couchage, que l'abri du garage.

Ce n'est qu'à partir du jour où il peut en payer la location qu'il élit domicile dans la « cagna ». Néanmoins, se jugeant toujours débiteur, il cherche toutes les occasions de se rendre utile. Il n'a que l'embarras du choix dans cette villa « Mon rêve » que, depuis un quart de siècle, l'obsolète Rose Astier s'honorait d'entretenir comme un site classé, dans son état d'origine.

Keran commence par soigner tous les petits bobos dont peut souffrir une maison sans homme : des joints à changer, des serrures à dégripper, des prises de courant à remettre, des étagères à consolider. Puis il badigeonne le garage à la chaux, lessive la cuisine. Au premier matin d'oisiveté, Paule le surprend tournicotant dans la grande pièce du bas et parlant à Ophélie :

– Je ne sais pas ce que tu en penses, la grenouille, mais moi, ce papier peint à rayures, je trouve ça dégueulasse ! Et ces meubles... Et cette porte vitrée... C'est dommage... parce que ça pourrait être chouette... à condition de tout casser... Faudra que je demande à ta grand-mère si elle est d'accord pour que je m'y mette...

La grand-mère est d'accord. Mais pas sur tout. Elle conteste certaines idées de Keran, à ses yeux extravagantes. Mais adhère à d'autres dont l'originalité la frappe. De son côté, il rejette certaines suggestions de Paule jugées carrément débiles, mais en approuve d'autres dont il reconnaît le côté pratique.

Leurs divergences d'opinion, dues essentiellement à leur différence d'âge, se retrouvent dans presque tous les domaines. A la télévision, il n'aime pas les mêmes émissions qu'elle. Ni les mêmes chansons. Ni les mêmes films. Ni les mêmes comiques. A table, ils n'apprécient pas les mêmes plats. En littérature, peinture, musique, pas davantage de goûts communs. Paule a l'impression de revivre l'époque où les incompatibilités surgissaient au bout de tous les mots qu'elle prononçait devant sa fille. À cette énorme différence près que Keran ne possédant pas une once d'agressivité, il s'oppose à Paule dans une décontraction totale. Si bien que leurs désaccords sont devenus matière à plaisanter et à rire. A la faveur de leurs discussions détendues, elle déterre les souvenirs de ses affrontements usants avec Agnès. Déplore que le propre fruit de ses entrailles n'ait pas eu la volonté de conciliation ni la tolérance de ce jeune inconnu. Peu à peu elle se met à le considérer comme l'enfant qu'elle aurait rêvé d'avoir : affectueux, sensible, courageux. Bien sûr, elle regrette qu'il ne soit pas plus réaliste. Plus mature. Mais au moins, lui, il supporte les critiques ; lui, il écoute les conseils ; lui, il consent quelquefois à un effort. Spontanément elle le tutoie. Normal : un fils ! Sans aucune difficulté, il en fait autant. Normal : une mère !

Jour après jour, il s'est établi entre eux des rapports quasiment filiaux à l'innocence desquels la ricanante Gabrielle montre par quelques remarques aigres-douces qu'elle ne croit pas du tout. Laurence, avec beaucoup plus d'indulgence, est aussi sceptique. Elles ne sont pas les seules à voir en Paule une émule de l'héroïne du *Chéri* de Colette. A preuve, le courrier qui arrive le 6 avril à la villa « Mon rêve » : une enveloppe blanche, banale, postée de Paris avec nom et adresse dactylographiés. Elle contient l'article d'un journal daté de la veille. Le titre en est aussi explicite qu'alarmant : « Selon la revue *Cinquante millions de consommateurs*, douze marques de préservatifs sont à éviter. » Dans la marge de cet article, l'expéditeur a écrit en lettres d'imprimerie : « A bon entendeur, salut ! » Paule pense immédiatement à Blanquetti et regrette fort de ne pouvoir lui dire l'inutilité de son envoi. Laurence se contente sur le moment d'un silence éloquent. Mais, le soir, elle profite de la publicité que le journal télévisé consacre à la nuit du Sidathon diffusée sur l'ensemble des chaînes le lendemain, pour attaquer Keran sur le sujet, à l'étonnement amusé de Paule :

– J'espère que vous en mettez ?

– De quoi ?

– Des préservatifs !

– Evidemment !

Paule, dans son double rôle de fausse mère et d'ancienne maîtresse de Barth, se renseigne aussitôt :

– Ça ne te pose pas de problèmes ?

– Non, pourquoi ?

– Il y a des hommes à qui ça en pose : ceux qui pendant vingt ans ou plus n'en ont jamais utilisé.

– Ah oui, peut-être. Mais moi, j'en ai toujours mis. Sauf avec ma petite copine de Bretagne. Mais elle était aussi vierge que moi : on ne risquait rien. Après, il y a eu le Canada. Et les premiers cas de sida en Amérique, juste à côté. Alors, on s'est tout de suite méfié.

Paule insiste :

– Tu n'as même pas eu une période d'adaptation ?

– Ben non ! J'avais seize ans ! A cet âge-là, il en faut plus pour t'arrêter. Et puis, j'ai eu la veine de tomber sur une nana qui avait pas mal d'heures de vol... et le goût de l'enseignement !

– Alors, dit Laurence, elle a dû vous apprendre que les préservatifs n'étaient pas fiables à cent pour cent.

– Il faut pas exagérer ! Le pourcentage de risque est minime.

– Pas si minime que ça !

Ce disant, Laurence sort de sa poche l'article qu'elle a subtilisé à l'insu de Paule et le tend à Keran. Il le parcourt en diagonale et le rend à Laurence avec une moue fataliste :

– Qu'est-ce que vous voulez ? Moi je crois qu'il n'arrive que ce qui doit arriver : si mon frère a disparu et pas moi... Si Paule a bousillé sa vie à cause d'Ophélie... Si vous êtes là... Si j'y suis... C'est que ça devait se passer comme ça et pas autrement. Tu ne crois pas, Paule ?

Paule pose affectueusement sa main sur le bras du jeune homme :

– Mon pauvre Keran, je me pose cette question – sans y répondre – depuis le 16 mars 1969.

– Pourquoi ce jour-là spécialement ?

– C'est celui où j'ai appris que j'étais enceinte.

Il y a un bref silence rompu brusquement par un seul cri, proféré par trois voix : « Ophélie ! », suivi d'une triple cavalcade dans l'escalier.

Keran arrive le premier auprès de l'enfant déjà entre halètement et gémissement. Bien qu'il n'ait jamais vu de sa vie un asthmatique en crise, il agit de façon tout à fait adéquate, levant immédiatement la grenouille, la maintenant en position verticale, lui prodiguant caresses et mots rassurants pendant que Paule cherche la Ventoline, puis la lui administre.

Laurence, consciente d'être inutile – voire inopportune – entre ces « parents » si dévoués, redescend s'affairer dans la cuisine.

Ophélie retrouve une respiration normale, beaucoup plus vite que d'habitude.

– Ça n'aura été qu'une toute petite alerte, dit Paule à Keran.

– Eh ben dis donc... qu'est-ce que ça doit être les grandes !

– Plus long. Plus impressionnant. Plus éprouvant.

Paule s'amuse des yeux affolés de Keran et de ses mains encore légèrement tremblantes alors que le calme est revenu.

– Tu n'as jamais regretté de l'avoir gardée ? demande-t-il.

– Pas dans ces moments-là...

Le souvenir de Barth fustigeant son syndrome de l'auréole jaillit dans l'esprit de Paule. Elle le chasse aussitôt.

– Heureusement quand même que la grenouille coasse de moins en moins !

– C'est vrai ?

– Tu as bien vu : depuis que tu es là, c'est la première fois que ça lui arrive.

– Il y a peut-être un rapport de cause à effet ?

270

– Peut-être...

– Tu devrais demander à ta copine, la psy.

Paule, prise de court par cette suggestion de Keran, hésite à lui dire que justement hier elle a téléphoné à Bernadette pour solliciter son avis à ce propos et que celle-ci pense comme elle que la présence de Keran est sûrement bénéfique à la santé d'Ophélie, dans la mesure où un enfant est presque toujours sensible – d'une façon ou d'une autre – à un encadrement non seulement double mais mixte et que deux femmes – question éducation – n'ont jamais remplacé un homme. Comment réagirait Keran si on lui laissait entrevoir la possible importance de son rôle ? Tout bien réfléchi, Paule se décide à lui poser la question. La réponse lui arrive sans un temps de retard, comme si elle n'attendait que cette occasion pour sortir :

– Ce serait chouette ! Tu serais obligée de me garder.

– Ah bon ? Ça ne t'ennuierait pas ?

– Ben non ! Je suis bien ici, moi !

– Ça ne doit pas être très gai pour un garçon de ton âge.

– T'es dingue ! Moi je m'amuse bien avec vous trois.

– Avec Ophélie à la rigueur, elle est assez rigolote quand elle veut, et de plus en plus. Mais Laurence et moi...

– Laurence ? Il y a des moments où elle me fait marrer.

Paule grimace et corrige :

– Rire ! Pas marrer.

Keran se donne une claque sur la joue avec la main d'Ophélie.

– Tiens ! Taré ! se dit-il à lui-même, c'est tout ce que tu mérites !

Paule pense à Agnès qui pour une remarque de ce genre l'avait un jour traitée d'arriérée mentale. Elle fuit aussitôt la comparaison et enchaîne :

– Tu disais donc que Laurence te faisait rire ?

– Oui, quelquefois, avec ses grosses ruses cousues de fil blanc. Comme tout à l'heure, avec son histoire de préservatifs. On voyait tellement ce qu'elle avait derrière la tête !

– Quoi, selon toi ?

– Ben... savoir si tu courais des risques en couchant avec moi !

– Qu'est-ce que tu racontes ? Je ne couche pas avec toi.

– Merci ! Moi je suis au courant. Mais elle, elle en est persuadée, tu le sais aussi bien que moi.

Paule essaie d'imiter le ton détaché de Keran mais le résultat n'est pas idéal :

– Non, je n'en sais rien du tout. Elle ne m'en a jamais parlé.

– Et si elle t'en parlait, qu'est-ce que tu lui dirais ?

– La vérité !

– Qu'est-ce que c'est, la vérité ?

– Eh bien... qu'il n'y a rien entre nous !

Tout en continuant à bercer doucement Ophélie dans ses bras, Keran lève sur Paule des yeux déçus :

– Il n'y a vraiment rien entre nous ?

En une seconde, Paule découvre un Keran si nouveau qu'elle pourrait lui dire avec un étonnement pour une fois honnête : « C'est à vous ces yeux-là ? » Ce n'est plus au substitut de fils qu'elle répond, mais à un éventuel substitut d'amant :

– Je veux dire... il n'y a rien entre nous... sexuellement.

– Ah bon...

Apparemment satisfait par cette précision, Keran recouche Ophélie endormie. Il y met autant de précautions que Paule du temps où Barth l'accusait de jouer « le salaire de la peur ». Elle revoit Keran sous l'éclairage habituel. Ça n'aura été qu'un flash. Elle s'en réjouit. Un peu trop tôt. Keran saisit son poignet alors qu'elle vient d'éteindre la lumière de la chambre. Il prévient immédiatement toute tentative de défense :

– N'aie pas peur, je ne vais pas te violer. Mais je voulais que tu saches : si par hasard, une nuit, tu avais envie de descendre à la « cagna », comme ça, pour voir... ben... je ne serais pas contre. Voilà. C'est tout.

Message terminé. Maintenant, on va aller manger la tarte à Laurence.

C'est plus fort qu'elle, Paule rectifie :

– La tarte « de » Laurence. Pas « à » Laurence.

C'est plus fort que lui, il rigole :

– Comment veux-tu que je m'ennuie ici ?

Il aurait vraiment fallu que Paule soit une mythomane invétérée pour que, excipant de l'aimable proposition de Keran, elle se vante de l'avoir rendu fou d'amour ou de désir ; car, après cette soirée, il a envers son hôte exactement le même comportement qu'avant : sans le moindre sous-entendu, sans la moindre équivoque. Même le lendemain, pendant la nuit du Sidathon qu'ils regardent tous les deux seuls, Laurence ne se sentant pas le courage d'en savoir plus sur cette épée de Damoclès qui se mêle à présent aux flèches de Cupidon.

Côte à côte sur le canapé du salon, pendant plus de trois heures, ils s'émeuvent à l'unisson. Or on sait bien – on a vécu ! – qu'une émotion commune incite volontiers à un rapprochement physique et que souvent la main n'est qu'un prolongement du cœur. Eh bien, en l'occurrence, non ! Pas le moindre contact plus ou moins fortuit – le genre : « Oh, excuse-moi – Mais, je t'en prie » –, pas le moindre effleurement. Il est possible que si l'un des deux avait pris l'initiative d'un geste, l'autre ne l'aurait pas repoussé... Mais n'extrapolons pas ! Tenons-nous-en aux faits : ni Paule ni Keran n'ont voulu risquer de rompre l'harmonie familiale qui régnait à la villa « Mon rêve » ; harmonie dont ils sentaient la fragilité au bout de leurs doigts – entre autres.

Pour sa part, Paule s'en félicite le plus sincèrement du monde. Toutefois, elle garde le meilleur souvenir de cette brève parenthèse autour d'un interrupteur – quel symbole ! – qui lui a permis de constater que, sous le masque de la grand-mère, la femme existait toujours. Elle commençait à en douter. De là à se demander si sa vie amoureuse n'était pas définitivement terminée il n'y avait qu'un pas... que grâce à Keran elle n'avait pas franchi.

En conséquence, le vendredi soir, après que son redonneur de confiance est parti pour le Memphis, Ophélie pour le pays du marchand de sable et Laurence pour celui de Giono entraînée par Jean le Bleu, Paule s'étale sur le visage une épaisse couche de « coup d'éclat » dont le pot n'est qu'à peine entamé. Elle est en train d'achever son pommadage minutieux quand le téléphone sonne. Le temps qu'elle essuie succinctement ses mains graisseuses, Laurence a déjà bondi dans l'escalier et décroché l'appareil :

– Allô... Allô... Si, si, elle est là. Je vais vous la passer. De la part de ?...

Paule, qui a rejoint Laurence, entend comme elle le bruit d'un téléphone qu'on raccroche.

– Qui était-ce ?

– Je ne sais pas. Une voix d'homme.

Les deux femmes, perplexes sur l'origine de cet appel, entendent alors le claquement d'une portière de voiture. Elles vont à la fenêtre du salon soulever chacune un coin du rideau. Laurence, inquiète, voit un homme pousser la porte du jardin après en avoir neutralisé la clochette. Paule le voit aussi, mais elle est carrément affolée. Elle étouffe dans sa main ses deux explicites exclamations :

– Merde ! Barth !

Bien sûr, ce n'est pas le Sida, ce n'est pas le Cancer, ce n'est pas la Guerre, ce n'est pas la Faim, la Misère, l'Injustice, la Mort... Comparé à toutes les horreurs du monde, ce n'est rien. Trois fois rien : simplement une femme qui depuis plus de trois mois n'a jamais cessé de rêver au retour de l'absent prodigue et qui soudain le voit apparaître juste au moment où elle a le visage prisonnier d'un masque vert concombre, les cheveux captifs d'un bonnet de douche à fleurs ayant appartenu à sa mère, le corps ficelé à la hâte dans un peignoir bouton-d'or où, dans son affolement, elle vient de marquer l'empreinte forcément verte aussi de ses doigts maculés. Je vous le répète, vraiment billevesées que tout cela ! Seulement, vous aurez beau dire et beau faire, quand ces billevesées vous arrivent à vous, elles vous prennent tout de suite des allures de catastrophe.

Pas question de jouer « l'héritière » stoïque et de laisser Barth carillonner à la porte : il est capable d'ameuter le quartier – dont la vigilante Gabrielle qui en serait enchantée – ou de casser les carreaux pour entrer par la fenêtre. Il ne peut être question pour Paule que de charger Laurence de retenir Barth en bas pendant qu'elle va essayer en haut de retrouver un aspect présentable dans un minimum de temps. Mais à peine est-elle dans la salle de bains qu'elle entend Barth couper court aux salamalecs de Laurence et lui demander, plus à la façon d'un enquêteur de police que d'un ami en visite :

– Où est Paule ?

– En haut. Elle vous a vu par la fenêtre et elle...

Barth est déjà dans l'escalier.

– Elle va descendre dans un instant...

Barth au premier étage se dirige vers la seule porte sous laquelle filtre un rai de lumière et l'ouvre, toujours façon policier. Paule a toujours son peignoir bouton-d'or taché, son bonnet de douche à fleurs roses. En revanche, la partie nord de son visage n'est plus tartinée de « coup d'éclat ». Seule la partie sud en est encore enduite. Si bien qu'elle donne l'impression d'avoir une barbe verte ! Ce sont pour une femme de ces petits détails qui vous gâchent le plaisir d'une rencontre. Elle en pleurerait de rage. Elle aurait tort : des yeux vermillon avec son menton concombre, ça serait vraiment trop ! Barth, telle quelle, la trouve juste à point réjouissante.

Réjouissante et attendrissante. Et même, pour un peu, affriolante. Mais oui ! Croyez-vous que c'est bizarre, les hommes ! Vous vous mettez en frais pour eux, de l'ongle verni de vos orteils à la pointe de vos cils allongés de rimmel, et c'est tout juste s'ils vous honorent... d'un regard. Vous leur montrez au contraire une tête de carnaval au-dessus d'un accoutrement de sorcière... et les voilà frétillants comme des anguilles ! Quelle drôle de petite machine, leur machin ! Entre nous, ils pourraient quelquefois – non sans raison – retourner le compliment aux femmes. Mais ce n'est pas le propos de Barth, préoccupé exclusivement pour l'instant par la petite machine programmée sur « attendrissement », à l'encontre de ses prévisions.

Il faut dire que rien ne se passe comme il l'avait prévu. Et pourtant, pour cette reprise de contact avec Paule, il a prévu bon nombre de scénarios, et des plus variés. Mais pas celui-là ! Non, vraiment, il ne s'attendait pas à tomber sur une femme délicieusement ridicule... et délicieusement furieuse de l'être. Pauvre Popaule ! Incapable de contrôler un vieux réflexe de la baronne de Sanneseux-Fépas, elle laisse échapper sur le ton outragé qu'aurait pu avoir sa mère :

– On ne t'a jamais dit qu'il fallait frapper avant d'entrer ?

D'autres femmes l'auraient insulté, bombardé de ces grossièretés si en cours actuellement, tous sexes confondus ; ou bien encore l'auraient giflé, mis hors service par coups bas.

Elle ? Non ! Elle lui envoie en pleine figure un principe éducatif. Dieu sait si Monsieur de Saint-Omer n'est pas un accro de la bienséance, mais après trois mois de sevrage il en inhale cette bouffée avec délices :

– Ce que tu es mignonne ! dit-il.

Mignonne ? Par acquit de conscience, Paule regarde dans la glace ce qui pourrait bien lui valoir ce qualificatif et y trouve objectivement toutes les raisons d'en mériter un autre : grotesque. En un tournemain, elle ôte le bonnet de douche, s'astique la figure avec un gant de toilette puis l'asperge d'eau froide. Elle sort de cette opération dans un cadre très seyant de frisons mouillés, avec deux pommes appétissantes à la place des joues, avec aussi les deux bords de son peignoir écartés... sur un paysage plein de souvenirs. Si Barth a eu tout à l'heure l'envie presque innocente de la prendre simplement dans ses bras, il a maintenant celle, impérieuse et bourrée de fantasmes, de la prendre tout court. Sous la douche. Comme au

cinéma. Dans des ruissellements photogéniques... Ah !
si seulement il était sûr... Si seulement il savait...

Rien de plus simple : avec Paule, il n'y a qu'à
demander.

– Tu es la maîtresse de Keran ?

– Comment sais-tu ?

– Qu'il est ton amant ?

– Non ! Comment sais-tu qu'il est revenu et qu'il
est là ?

– Par Odile ! Vous vous êtes rencontrées à Confo-
rama et tu lui as présenté Keran au rayon bricolage :
tu lui achetais une perceuse électrique.

– Pas spécialement à lui. J'achetais une perceuse
pour la maison. Pour qu'il y effectue quelques travaux
d'entretien.

– Histoire de rendre votre nid plus douillet, peut-
être ?

Paule le dévisage en fermant à moitié les yeux
comme une personne presbyte désireuse d'avoir une
vue plus nette des objets :

– J'hallucine ou tu me fais une scène de jalousie ?

– Je ne fais pas de scène. Je veux juste savoir si oui
ou non tu as couché avec ton jeune pensionnaire.

– Tu n'es quand même pas venu uniquement pour
ça ?

– Si ! J'aurai d'autres choses à te dire, mais elles
dépendent de ta réponse à ma question. Je ne t'en
parlerai que lorsque tu m'auras renseigné.

– Alors, tu peux repartir tout de suite car je ne te
dirai rien.

– Pourquoi ?

– Parce que ça ne te regarde pas, mon cher Barthélemy.

Sur ce, Paule clôt étroitement son peignoir bouton-
d'or, ce qui dans son inconscient doit signifier que la
conversation aussi est close. Puis, du geste, écarte
Barth pour sortir de la salle de bains.

– Où vas-tu ?

– Ça dépend : si vraiment tu pars, je vais aller lire
dans ma chambre. Et si tu souhaites bavarder encore

un peu, je vais aller passer une autre tenue pendant que tu vas m'attendre au salon.

– Pourquoi te changer ? Tu es très bien comme ça.

– Non, j'ai froid.

– Bon ! Alors, habille-toi. On va aller chez Rodolphe. J'ai pris la Mercedes.

– Oui, j'ai vu. Avec le téléphone. Pour être sûr de me coincer.

– Ça prouve au moins que j'avais vraiment envie de te voir.

– Alors dans ce cas, je suppose que tu restes ?

– Ouais !

– D'accord ! Mais en bas.

Barth s'offre un regard nostalgique du côté de la douche. Pour lui seul, croit-il. Erreur ! Paule le saisit au vol et le décode sans difficulté.

– N'aie pas de regret, dit-elle perfidement, en fin de compte, la douche, c'est beaucoup mieux au cinéma !

Sous le choc, Barth dégage le passage et la laisse entrer dans sa chambre sans un geste ni un mot. En bas, il va dans la cuisine chercher un verre d'eau. Il remarque les murs propres, les motifs décoratifs, naïfs – légumes, oiseaux, poissons, fruits – peints en couleurs vives sur l'horrible placard qui n'est plus horrible, sur les boîtes de rangement, sur les étagères. Et comme si ça ne suffisait pas, il voit, caché sous la table, bouton-d'or elle aussi, la perceuse ! Barth s'en empare et soupire en la regardant comme si vraiment il s'agissait d'un slip kangourou ! Jamais Black et Decker n'ont pu imaginer qu'un jour leur engin pourrait soulever un tel émoi ! Barth le remet précipitamment à sa place en entendant le pas de Paule dans l'escalier et la rejoint dans le salon. Elle a dans les mains le pull qu'elle lui a emprunté le jour déjà lointain où le labrador de Rodolphe a bouffé le sien pendant que... pendant qu'eux...

– Tiens ! dit-elle, je n'ai jamais eu l'occasion de te le rendre.

– Décidément ! Tu ne veux rien me devoir.

Il fait allusion, là, à l'argent des faux loyers qu'à

son intention il a versé quelque temps à Madame Desvignes et qu'elle a refusé de percevoir depuis qu'elle
l'a su en être le véritable bailleur.

– Il n'y a plus aucune raison, dit-elle.

– Sans indiscrétion, comment te débrouilles-tu ?

– Ni Keran ni Laurence ne sont à ma charge. Loin
de là. Pour le moment, je touche mes indemnités de
chômage et je vais maintenant louer officiellement
mon appartement.

– As-tu pensé au mal que tu aurais à le récupérer
si tu voulais y revenir ?

– Je n'en ai pas l'intention.

– Tu ne vas quand même pas moisir ici le restant
de tes jours ?

– Aurais-tu par hasard quelque chose de nouveau
à me proposer ?

– Peut-être.

– Eh bien, je t'écoute.

– Non ! Il faut d'abord que je sache quelles sont
exactement tes relations avec Keran.

– Tu veux dire mes rapports, je suppose ?

– Oui. C'est très important pour moi, Paule. Pour
nous.

L'avantage avec les gens légers, c'est qu'à la moindre intonation un peu grave on les prend tout de suite
au sérieux. Paule ne doute pas un instant que son
oiseau des îles a du plomb dans l'aile et, dans ces
conditions, renonce à toute espèce de jeu :

– Je ne suis pas la maîtresse de Keran, dit-elle.
Pour être tout à fait honnête, je dois ajouter : pas
encore.

– C'est dans tes projets ?

– Disons que c'est une éventualité que j'ai envisa-
gée... pour être très précise, depuis deux jours.

Cette précision fait tiquer Barth.

– Que s'est-il passé il y a deux jours ?

Avec cette franchise naturelle qui la caractérise et
qu'il apprécie tant, Paule lui raconte toute l'affaire
par le menu, depuis la lettre anonyme de Blanquetti
jusqu'à l'interrupteur. Le phénomène de l'émulation
s'exerçant volontiers dans ce domaine – ce qui expli-

que les extravagants aveux lâchés par les amateurs du jeu de la vérité –, Barth lui avoue sans barguigner :

– C'est moi qui t'ai envoyé la lettre anonyme. En espérant t'effrayer – comme moi – avec le risque que comporte l'usage des préservatifs et te détourner ainsi de Keran, si besoin était.

Paule apprécie la confidence à sa flatteuse valeur.

– J'en conclus que tu as toujours ton problème et que je reste ta seule solution ?

– Oui.

– Blandine Vanneau n'a donc été qu'un nouvel essai non transformé ?

– Même pas ! Je n'ai rien essayé du tout. Je savais que ça aurait été inutile. Avec ou sans préservatif, elle ne me plaisait pas.

– Alors pourquoi l'avoir choisie ?

– Pour t'emmerder !

– Zermatt, et l'hôtel de la Cigogne par-dessus le marché, pour être sûr de ne pas rater ton coup, n'est-ce pas ?

– Tu avais deviné ?

– Naturellement ! Je l'ai dit à Laurence.

– Alors, mon cirque a dû plutôt te réjouir !

– Pas vraiment ! J'ai fulminé.

– Moi aussi ! Si tu en doutes tu peux toujours demander à Dagoberte. Heureusement qu'elle était là pour me calmer !

Paule sourit avec attendrissement à l'évocation de ce personnage mythique, partie intégrante de leur patrimoine amoureux. Barth n'hésite pas à exploiter ce filon et poursuit :

– C'est elle qui m'a conseillé de venir ici et qui m'a soufflé un moyen de concilier... nos divergences.

L'idée que Barth vient de mettre sur le dos de Dagoberte, leur chère médiatrice, est assez surprenante au premier abord et montre chez lui un suivi dans les idées assez remarquable. En effet, il s'agit encore – comme aux premiers jours – de trouver une mamybis pour Ophélie. Et à qui a-t-il pensé cette fois pour tenir ce rôle ? A Keran, tout simplement ! Puisque, par chance, il n'est pas l'amant de la grand-mère, il peut très bien être le baby-sitter de la petite-fille. Sa nièce après tout. Sa seule famille, comme il l'a déjà constaté lui-même avec émotion. Keran remplit toutes les conditions requises, dont celle, essentielle, de plaire à l'enfant, d'avoir un effet bénéfique sur sa santé et en plus l'instinct paternel.

— Comment sais-tu tout ça, toi ? demande Paule.

— Par Bernadette ! Je lui ai téléphoné pour savoir ce qu'elle pensait de mon idée. Elle y a été très favorable. Elle doit t'appeler demain pour te le dire.

— Il faudrait quand même demander l'avis de Keran.

— Bien entendu. Mais je ne vois pas pourquoi il refuserait : il n'a rien et on lui offre, primo : cette maison qu'avec sa belle perceuse et ses pinceaux il pourra arranger à son goût. Secundo : Laurence pour s'y charger de l'intendance. Tertio : la possibilité d'y introduire un jour la femme de sa vie. Quarto : la chance inappréciable de continuer à faire de la musique sans souci de rentabilité : le rêve pour un artiste ! C'est comme s'il gagnait le quarté plus !

— Evidemment, présentée comme ça, il acceptera peut-être ta proposition.

— Comment, peut-être ? Il ne peut que l'accepter. Il doit l'accepter. Et s'il n'acceptait pas, c'est vraiment que tu te serais arrangée pour qu'il refuse.

— Et voilà ! Ce serait encore ma faute !

— Ça, sûrement !

— Eh bien, dans ces conditions, puisque tu n'as pas confiance en moi, tu n'as qu'à la vendre toi-même à Keran, ton idée !

Barth souscrit à cette suggestion. Il prie simplement Paule de prévenir Keran qu'il viendra le chercher vers treize heures le lendemain et l'emmènera pour discuter d'homme à homme autour d'un bon déjeuner. Il pense en avoir fini vers dix-sept heures, raccompagner alors le jeune Breton reconnaissant à la villa « Mon rêve », enfin bien nommée, kidnapper Paule éblouie pour la soirée et lui prouver que finalement, l'amour sous la douche, ça peut être mieux qu'au cinéma !

Peu après le départ de Barth, Keran téléphone dans le brouhaha du Memphis pendant une pause de l'orchestre :

— Je te réveille ?

— Non, qu'est-ce qu'il y a ?

— A quelle heure tu as besoin de la voiture demain ?

— Je ne sais pas. Pourquoi ?

— Ça m'arrangerait de ne rentrer que vers midi.

— Ah bon ?

— Ça te dérange ?

— Non ! Mais, pas après midi surtout.

— O.K. ! Excuse-moi, on m'appelle. Salut !

Tard dans la nuit, Paule repense à la phrase de Keran : « Il n'arrive que ce qui doit arriver. »

CHAPITRE XXIII

Keran rentre à la villa « Mon rêve » au douzième coup de midi, décontracté comme toujours mais comateux comme jamais. Il a dans les yeux – et au-dessous – les stigmates des insomnies heureuses ; à la bouche un chapelet de bâillements dont s'échappe un seul mot : dormir. Le convaincre qu'il peut exister au monde quelque chose de plus important pour lui que de poser sa tête sur un oreiller relèverait de la mission impossible. Paule y renonce tout de suite et en prévient Barth. Très agacé, il octroie deux heures à « ce dégénéré pour récupérer », affirmant que lui, à l'âge de Keran, n'en avait pas besoin d'autant !

S'il ne se vante pas, il est patent que le pouvoir de récupération du Breton est moins grand que celui du Belgo-Antillais. En effet, réveillé en sursaut par Paule avec un bol de café fort et l'annonce, a priori roborative, que Monsieur de Saint-Omer l'attend, Keran, quand il rejoint celui-ci une demi-heure plus tard, est encore très embrumé.

Il l'est toujours alors que Barth l'a entraîné d'un pas plutôt vif jusqu'à la terrasse d'un bar de la plage qui bénéficie ce samedi-là d'un petit vent allègre, peu propice normalement à l'assoupissement. En dépit d'un soleil constant dans l'inconstance, il garde ses lunettes noires vissées sur son nez. Barth a l'impression qu'il en a aussi à l'intérieur du crâne et que ses propos ne lui parviennent pas dans leur lumineuse clarté. Parfois, Keran se fend de quelques ponctuations : « Oui, oui », « c'est sûr, c'est sûr », « je comprends, je comprends » ; mais, le plus souvent, il se contente d'opiner silencieusement du bonnet. Le tout assez indéchiffrable. Si bien que Barth à la fin de son exposé est obligé de lui demander :

– Alors, qu'est-ce que vous pensez de tout cela ?

– Ben... c'est intéressant, mais...

– Mais quoi ?

– Ben... homme au foyer, c'est pas tellement mon truc !

– Pourtant Paule m'a dit...

– Ouais... avec elle... ça pourrait être marrant... enfin... pas désagréable. Et de toute façon, pas à perpète !

– D'accord, mais provisoirement ? Le temps qu'Ophélie soit plus raisonnable, qu'elle aille à l'école.

– Ça fait encore deux ou trois ans. Et pendant ces deux ou trois ans-là, moi je peux rater ma chance.

– Mais c'en est une que je vous propose.

– Je voulais parler d'une chance dans mon métier.

Barth évite de peu l'éclat de rire, mais n'évite pas le ton ironique pour demander :

– Le saxophone ?

– La musique ! J'ai l'intention de reformer un groupe comme celui qu'on avait mon frère et moi avec...

– Oui, je suis au courant. Mais c'est très aléatoire comme situation, tandis que celle que je vous offre...

Pour la première fois, Keran ôte ses lunettes et honore son interlocuteur d'un regard que ne désavouerait pas le plus fier des fiers marins bretons :

– On m'a déjà proposé un contrat pour un disque et une tournée.

– Quand ?

– Hier soir, au Memphis. C'est ça que j'ai fêté cette nuit... un peu longuement.

– Mais rien n'est signé ?

– Non. Ce n'est qu'un projet. Assez avancé malgré tout.

– Qui a pris contact avec vous ?

– Je ne tiens pas à en parler : c'est trop tôt.

Keran rechausse ses lunettes fumées. Barth ne peut s'empêcher de penser à la seiche se cachant derrière l'écran sombre de son encre.

– Vous pouvez peut-être quand même me dire vos intentions, au cas, envisageable après tout, où votre projet n'aboutirait pas.

– Une seule certitude : même si ce coup-là foirait, un autre peut se présenter d'ici à la fin de la saison. Donc, je ne prendrai aucune décision avant le 15 septembre.

– C'est trop tard ! Il y a bientôt huit mois que je patiente et, pour tout vous avouer, je sature !

Keran pousse ses verres protecteurs sur le bout de son nez, parlant de nouveau à Barth, d'œil à œil.

– Puisque ça n'a pas l'air d'être une question de fric, pourquoi vous n'engagez pas une nurse à demeure ?

– C'est inutile : je ne supporte pas la présence des enfants.

– Je vous plains ! Vous vous privez de bien des joies.

– Clichés ! Je m'évite un maximum d'emmerdements !

– Vous avez de la chance que votre mère n'ait pas raisonné comme vous.

– Moi, oui ! Je la bénis ! Mais elle, a-t-elle eu de la chance en ayant un fils comme moi ?

Après une brève respiration, Barth ajoute :

– Et la vôtre ?

Barth a tapé au hasard. Il semble qu'il soit tombé juste... sur des souvenirs d'enfance ou d'adolescence dont, avec le recul du temps, le fier Breton n'est pas très fier. C'est en tout cas ce que tendent à prouver d'abord le réajustement de ses lunettes sur la base de son nez, puis cette rupture brutale du fil de la conversation :

– Excusez-moi mais, si vous n'avez plus rien à me dire, je m'en vais vous quitter.

Et, sans attendre de réponse, Keran se lève.

– Je pars aussi. Attendez-moi.

– Nous n'allons pas dans la même direction.

– Vous ne revenez pas chez Paule ?

– Non. Je vais finir ma nuit... où je l'ai commencée.

– Ah bon ? C'est nouveau ?

– Oui. D'hier soir aussi.

– Décidément...

– Vous êtes mal tombé !

Barth a besoin de se détendre et de réfléchir avant d'aborder Paule. Il va sur la jetée de Port-Deauville. Face au vent, il peste intérieurement :

« Bougredebigre de merde ! Avoir lancé les sirènes du show-biz dans les pattes de ce barde breton, juste au moment où je devais le convaincre qu'il avait un bel avenir dans la couche-culotte ! Comment vouliez-vous que j'y arrive ! Cœur de rocker contre cœur de baby-sitter ! C'était perdu d'avance ! Même si son projet capote demain ou dans la semaine, ce sera trop tard ! Le mal est fait : on lui a mis un rêve étoilé dans la tête, maintenant il est irrécupérable pour la vie normale ! En plus, l'histoire de la nouvelle nana qui vient se greffer là-dessus ! Ça c'est le coup de grâce ! C'est vrai, la turlutaine ça ne vous conditionne pas un bonhomme pour le voile bleu. Pas plus d'ailleurs que le voile bleu ne vous conditionne à la turlutaine ! Moi, c'est simple, rien que de penser à la mouflette... rien que l'idée d'avoir à en parler avec Paule... d'avoir l'air de m'intéresser à son sort... c'est la démobilisation générale ! Pourtant, bon sang ! Depuis hier soir, depuis le peignoir bouton-d'or, je n'ai pas arrêté d'être branché sur radio fantasmes ondes longues... Il y a surtout cette histoire de douche qui me tourne dans la tête. Ce serait bête de rater ça ! Mais, c'est certain : si on se met à parler d'Ophélie, ça va rater... C'est comme si c'était fait. Ou plutôt, comme si ce n'était pas fait ! A moins que... Mais oui ! c'est ça la bonne idée : je ne dirai la vérité à Paule qu'après ! »

A l'autre bout de la jetée, là où elle est la plus haute, Paule, à l'abri du vent, chante à Ophélie dans ses bras une drôle de berceuse :

– « T'as voulu voir Vesoul et on a vu Vesoul. T'as voulu voir Honfleur et on a vu Honfleur... comme toujours ! » Oh... qu'est-ce qu'il y a, mon bébé ? Ça ne te plaît pas non plus ma chanson ? Pourtant, je t'assure, elle est vraiment de circonstance ! Je fais tous tes caprices : tu as voulu marcher avec deux doigts,

286

on a marché avec deux doigts... même que j'en ai la colonne en compote ; tu as voulu te promener en poussette, je t'ai promenée en poussette ; tu en as eu assez de la poussette, je t'ai prise dans mes bras... Et voilà que tu n'es pas encore contente. Ce n'est pas honnête, ça ! Pourquoi es-tu aussi grognon ? Les dents ? Le nez ? Les oreilles ? Le ventre ? Les fesses ? Qu'est-ce qui ne va pas ? Ce n'est quand même pas ton con de cœur à toi aussi ? Oui ? Ça ne m'étonnerait pas tellement. Mais tu sais, si ça peut te consoler : le mien non plus n'est pas dans ses bons jours. C'est bête. Il commençait un peu à se calmer. De temps en temps je réussissais à le raisonner. Grâce à toi qui devenais à peu près raisonnable... Grâce à Keran... A Laurence... On avait trouvé un certain équilibre... Et puis, vlan ! L'oiseau des îles est arrivé... et d'un coup d'aile il a tout renversé. Et mon con de cœur est reparti comme en 14 ! Non, ce n'est pas tout à fait vrai : il est reparti, mais comme en 18 ! Avec une terrible envie de paix. De paix juste et durable, comme disait mon grand-père. Seulement, pour moi, une paix juste ne peut se signer sans toi. Sinon, elle ne sera pas durable. Je le sais d'avance. Et pourtant, crois-moi, depuis hier soir, depuis le coup d'œil de Barth à la douche, mon cœur me joue une drôle de *Marseillaise* ! Et pas que dans les oreilles ! Mais rien que de penser que Keran va accepter la proposition de Barth... rien qu'à l'idée d'être privée de tes premiers pas... de tes premiers mots... la fanfare joue en sourdine !

Barth et Paule regagnant l'un et l'autre la villa se rencontrent devant le port. Il s'est attardé à regarder les bateaux, les mâts pointés vers des rêves d'évasion et la coque prisonnière d'un anneau au bout d'une chaîne. Elle montre à la mouflette, toujours grincheuse, « le petit navire qui n'avait ja-ja-jamais navigué ».

Il la voit penchée sur la poussette, puis se redresser en frottant son dos. Il s'approche d'elle et il l'aborde comme un dragueur :

– Un bon massage vous ferait le plus grand bien, petite madame.

Elle a reconnu sa voix et se retourne, un peu gênée d'avoir été prise en flagrant délit de bêtifiage.

– Je crois, oui. J'ai dû porter Ophélie un peu trop longtemps. Elle n'était pas très en forme.

– Je vois... Et j'entends !

– Je vais la rentrer.

– Qu'est-ce qu'elle a ?

– Je ne sais pas au juste. C'est peut-être...

Voilà Paule qui énumère toutes les tracasseries susceptibles de susciter la mauvaise humeur d'Ophélie. Les dents. Le nez. Les oreilles. Le ventre. Les fesses. Elle recommence comme sur la jetée avec la mouflette. La revue de détail n'est pas encore terminée quand ils arrivent à destination. Barth est abasourdi. D'abord, que Paule lui ait parlé de ça, à lui ! Ensuite, qu'elle ne s'inquiète pas de savoir comment s'est passée son entrevue avec Keran. C'est quand même leur avenir qui est en jeu. Eh bien, ça la préoccupe manifestement beaucoup moins que les couinements incessants de Son « Altesse Emmerdantissime ». Malgré tout, il garde son calme, le regard fixé sur la ligne bleue de la douche de Rodolphe. Tiens ! Justement...

– Je vais aller prendre un bain pour me délasser, dit Paule à Laurence en train de chasser le puceron sur les rosiers du jardin. Tu peux donner un petit yaourt à Ophélie ?

– Nature ou aux fruits ?

– Oh... nature.

– Elle préférerait peut-être un petit-suisse ?

– Ah... peut-être.

– Ou alors une petite crème au chocolat : elle aime bien.

– Ah non ! Pas au chocolat : elle n'a pas fait son caca depuis deux jours.

– Ah, bah... ne cherche pas ! C'est ça qu'elle a !

– Tu as raison : je n'y avais pas pensé !

– Alors, dans ce cas-là, il vaudrait mieux lui donner une petite compote de pommes.

– Ou d'abricots. C'est bon aussi pour ça.

– Ecoute, ne t'inquiète pas, de toute façon, elle fera bien comprendre ce qu'elle veut. Hein, mon petit trésor ?

Nous disons donc : le petit yaourt, plus le petit-suisse, plus la petite crème, plus la petite compote, plus le petit trésor : je pose culotte et je retiens une grande connerie !

Barth, au prix d'un effort surhumain, parvient à tempérer son exaspération par quelques gouttes d'ironie :

– Ma petite Popaule, ton petit oiseau des îles te suggère de confier le petit bedon de ta petite grenouille aux bons soins de ta petite Laurence, et d'aller immédiatement chez le petit Rodolphe prendre une petite douche... comme une grande personne !

Paule voyant la vérité dans ce miroir déformant ne peut que sourire et suivre Barth. Sitôt qu'ils sont dans la voiture, elle lui offre le baiser de paix – disons d'armistice –, puis daigne enfin s'intéresser à leur cas :

– Tu ne m'as pas dit comment ça s'était passé avec Keran.

Comme Barth en avait eu l'idée sur la jetée, il lui ment. Très bien. Elle croit vraiment que Keran et Laurence vont devenir les « parents-bis » d'Ophélie dont elle deviendra, elle, comme convenu, la grand-mère lointaine mais tellement présente par la pensée et par le téléphone. Elle croit vraiment que cet arrangement idéal va prendre effet dans huit jours, quand Barth sera revenu d'abord de Montréal où il aura assisté à l'inauguration du salon de Rodolphe flambant neuf ; puis de Genève où il aura surveillé le chantier de la nouvelle succursale souhaitée par Kronoku après la relancée réussie du label « Crins bleus ». Elle croit vraiment... et elle n'arrive pas à s'en réjouir. Elle fait semblant. Barth n'arrive pas à comprendre. Mais il fait semblant aussi.

Ah ! s'il n'y avait pas la douche...

Eh bien, il n'y a pas la douche ! Pas de ruissellement photogénique ! Pas de flux ! Pas de reflux ! Pas de geyser ! Rien qu'un petit filet d'amour tiède qui coule nonchalamment sur leurs corps allongés dans le lit avec une grande banalité. Ni trop chaud ni trop froid. Tiède, quoi ! Agréable au demeurant. Comme de faire échec et mat à un partenaire qui s'est laissé battre avec complaisance. Là encore, ils font semblant de ne pas être déçus. De ne pas être tristes. Jusqu'au moment où Paule rompt leur fausse béatitude :

– Ça t'ennuierait si je téléphonais à Laurence pour avoir des nouvelles ?

– Non... Même si tu préfères rentrer, ne te gêne pas pour moi.

– Ce n'est pas que je préfère, mon chéri, mais comme Keran n'est pas là ce soir, j'ai peur que...

– D'autant que Keran va sûrement encore rester à Houlgate cette nuit.

– Il te l'a dit ?

– Oui. Entre autres choses.

Sur-le-champ, ces autres choses, Barth les déballe toutes avec un calme terrifiant et, le déballement terminé, y ajoute cette recommandation :

– Ne te donne pas la peine d'être navrée. Ni même contrariée. Tu ne l'es pas. Et – Dieu soit loué ! – tu ne sais pas mentir.

– Mais Barth...

– Chut ! Laisse-moi continuer. Ce n'est pas facile : nous nous sommes battus, déchirés, blessés. Nous y avons peut-être gagné de découvrir – moi surtout – que « si ce n'est pas l'amour, mon amour, ça lui ressemble de plus en plus ». Je crois maintenant que nous sommes arrivés à un point de non-retour.

– Barth...

– Chut ! J'ai bien réfléchi. Notre problème est très simple. Je ne peux pas me passer de toi. Tu ne peux pas te passer d'Ophélie. Ophélie et moi on ne peut pas se supporter. Alors ? Il faut qu'il y en ait un de nous deux qui cède. Etant donné que ta décision engagerait une enfant innocente, je pense que c'est à moi de céder. Mais sachant que forcément, un jour ou l'autre, je t'en voudrais et que je te le reprocherais, j'estime que notre couple a une chance sur mille de résister à cette épreuve. Je reviendrai dans huit jours te dire si, cette chance sur mille, j'ai envie de la tenter. Voilà. Maintenant, tu pars, s'il te plaît. Sans commentaire. A samedi prochain. Même heure. Ici.

Huit jours plus tard, ponctuellement, Paule et son con de cœur déjà en berne retrouve, dans la chambre bleue, Barth. Chamboulé ! C'est le mot que lui-même emploie. Et qu'il renforce ensuite, avec un mot québécois : chambranlé ! Littéralement : déstabilisé au point d'être obligé de s'appuyer au chambranle d'une porte. Eh bien oui, l'oiseau des îles est chambranlé ! Lui, d'habitude assez clair dans ses propos, est complètement confus. Il ne finit aucune phrase : « Ah non, ça, tu ne peux pas savoir, c'est... », « pas une seconde je n'aurais pu penser que... », « quand je vais te le dire tu vas... ».

Il faut à Paule une bonne demi-heure pour ajuster dans le bon ordre les morceaux du puzzle verbal fourni par Barth et reconstituer les faits qui chambranlent son amant. Ou son ex-amant, elle ne sait pas encore.

Tout a commencé le dimanche précédent, c'est-à-dire, pour vous fixer les idées, le lendemain de l'absence de douche.

En fin de matinée, Barth reçoit un appel d'Odile au comble d'une joie bien compréhensible : elle est en possession du premier exemplaire de son premier livre ! Elle souhaiterait que Barth qui s'est si gentiment impliqué dans son imminent lancement en soit le premier lecteur et se propose d'aller lui porter son trésor immédiatement chez Rodolphe.

Elle y arrive vingt minutes plus tard. Il y a seulement quinze jours que Barth l'a vue au marché et pourtant il a du mal à la reconnaître. Il s'était bien aperçu, surtout au cours du reportage dans les salons « Crins bleus », qu'elle avait maigri, mais pas à ce point-là. Ça doit être une question de vêtements. Avec cette taille étranglée dans une large ceinture entre un pull bavard et une minijupe carrément indiscrète, c'est frappant. Au point qu'il ne peut s'empêcher de le lui dire et d'ajouter :

– Je ne savais pas que tu avais de jolies jambes !

– Mais il y a des tas de choses que tu ne sais pas encore.

Ça, elle ne ment pas ! Par exemple, il ne savait pas qu'elle était capable de coquetterie. Capable de consacrer des heures à l'entretien de ses cheveux depuis peu ultracourts et savamment balayés de mèches claires ; à son bronzage sûrement pas dû au soleil normand ; à ses mains jadis objet de tous ses complexes et maintenant fort présentables. Il ne savait surtout pas qu'elle était capable de ce regard d'allumeuse. Paule lui avait bien affirmé que dans sa jeunesse, trop brève, Odile avait été une luronne, pas contrariée du tout, mais il avait toujours eu du mal à imaginer la rustre poissonnière en Messaline chaloupante.

Or, ce dimanche-là, Barth a plutôt du mal à imaginer la rustre poissonnière sous cette jeune femme mince et délurée qui lui tend son roman avec un contentement bien explicable et un sourire provocant qui l'est beaucoup moins.

Barth est déjà très étonné, mais il l'est encore bien davantage par la suite.

D'abord quand il voit sur la couverture du livre un visage d'homme qui n'est pas tout à fait le sien, mais... pas tout à fait un autre non plus : une sorte de portrait-robot, particulièrement réussi.

Ensuite quand il découvre le titre qui lui confirme que sa ressemblance avec l'homme de la couverture n'est pas fortuite : *Le Hors Normes*, le nom qui, selon Odile, le définit le mieux. Il le sait par Paule.

Enfin quand, à la première page, il voit que l'ouvrage lui est dédié : « A Barth sans qui ce livre n'aurait jamais existé. »

Mais tout cela n'est rien à côté de ce qui l'attend aux pages suivantes et jusqu'à la dernière : la deux cent soixante-deuxième. Le roman d'Odile n'est qu'un vibrant hymne d'amour à Barthélemy de Saint-Omer, à peine déguisé sous les traits de Jérémie de Saint-Aubin.

L'oiseau des îles effaré apprend au fil de sa lecture la passion qu'il a inspirée à une poissonnière normande, amie de « son caprice du moment ». C'est ainsi que Paule est désignée. Passion dans les premiers temps niée, refoulée, soigneusement cachée, puis acceptée. Et à partir de là : stimulante, motivante, mobilisatrice au point de susciter un livre-exutoire et une métamorphose physique sur lesquels l'héroïne compte pour atteindre enfin « l'inaccessible étoile ». C'est écrit en toutes lettres.

Paule est aussi chamboulée que Barth.

Et pourtant il lui reste encore à découvrir les détails de l'histoire dont elle est en fait la deuxième héroïne : triomphante au premier tiers du livre, gâchant bêtement sa chance à cause d'une mouflette souffreteuse au deuxième tiers, et délaissée au troisième. Il lui reste aussi à retrouver entre des lignes incandescentes des confidences qu'elle a faites à Odile, des phrases entières qu'elle a prononcées.

Selon la très juste expression de Barth : « C'est un livre écrit avec du papier carbone qu'ils auraient pu signer à trois ! »

– Tu as revu Odile ?

– Non, je lui ai écrit.

– C'est contagieux !

– Juste un mot que j'ai posté à Orly avant de partir pour Montréal. Je lui disais que je souhaitais « digérer » son livre avant de lui en parler. En vérité je voulais surtout en parler avec toi.

– Pour me dire quoi ? Que tu es tombé amoureux ?

– Amoureux ? Non, c'est stupide ! Tu es bien placée pour savoir que... question sentiments, je ne me déclenche pas très facilement.

– Mais... question curiosité ?

– Ça, c'est différent ! J'avoue que je suis un peu troublé. Mets-toi à ma place : ce n'est pas tous les jours qu'on tombe sur une bonne femme qui vous hurle « je t'aime » pendant deux cent soixante-deux pages.

– Indiscutablement ! C'est un argument contre lequel je ne peux rien.

– Si, Paule ! Mais pas avec Ophélie sur le dos !

– Autrement dit ?

La réponse cette fois arrive nette, claire, précise :

– Ou tu te décroches de la mouflette, ou j'essaie de m'accrocher à Odile.

– Et ton blocage ?

– De ce côté-là, j'ai aussi confiance en elle qu'en toi.

Paule hoche la tête, consciente de vivre la seconde où son existence et celle d'Ophélie – sans compter celles de Barth et d'Odile – peuvent encore basculer dans un sens ou dans un autre. Quatre destinées dépendent de la décision qu'elle va prendre. Des mots qu'elle va prononcer. Finalement elle ne peut en prononcer qu'un :

– Désolée !

La gorge nouée de Barth ne peut en libérer que trois :

– Et moi donc !

La porte claque.

De chaque côté de cette porte, sans le savoir, l'un et l'autre ont la même image devant les yeux : le couperet de la guillotine.

CHAPITRE XXIV

Ophélie attendit le 21 avril pour offrir ses premiers pas à sa grand-mère.

– Juste le jour de ses treize mois, constate Laurence.

– Exactement comme moi ! dit Paule avec une fierté que Barth et Odile trouveraient particulièrement imbécile.

Elle a reçu et bien sûr dévoré le livre que son ex-amie a dédié à celui qui est – elle le sait maintenant – son ex-amant. Elle l'a trouvé il y a une semaine dans sa boîte aux lettres, accompagné d'une lettre d'Odile, au style déjà étudié, déjà littéraire : elle y prétendait ne pas avoir à se justifier puisque, à ses yeux, l'amour excusait tout. Néanmoins, elle rappelait à Paule qu'elle lui avait signalé, quand il en était temps encore, l'impossibilité d'une cohabitation pacifique entre Barth et Ophélie ; que pour n'avoir rien à se reprocher elle avait, contre son intérêt, accepté de garder la moufflette à « La Sabotière » ; qu'après un premier échec elle avait renouvelé son offre en promettant de resserrer la surveillance ; que c'est Paule qui avait refusé et qu'elle était donc la seule responsable de ce qui était arrivé. La jalousie de la fille du père Hébert, le poissonnier, pour la fille du docteur Astier avait sans doute pris sa source à l'école, serpenté souterrainement pendant vingt-cinq ans avant de faire surface. Elle éclatait à la fin de la lettre où « celle qui a eu toutes les chances et les a gâchées » était priée de croire au souvenir très reconnaissant de « celle qui lui devait la seule chance qu'elle ait jamais eue ».

La lecture du livre d'Odile dont Barth lui avait

révélé très précisément la teneur et l'esprit ne lui apprit que cette vérité d'ordre général : l'écrit est plus fort que la parole.

Elle savait et, certes, elle avait été déjà chambranlée. Mais quand elle a lu, noir sur blanc, ce qu'elle savait, elle a été bouleversée, comme si elle ne savait rien.

Peu de temps après, pour son malheur, elle a découvert une autre vérité : l'image est plus forte que l'écrit.

Elle sait. Elle a lu. Mais quand elle voit sur son écran de télévision ce qu'elle sait et qu'elle a lu, elle s'effondre. Comme si elle ne savait rien et n'avait rien lu. Heureusement, elle est seule dans le salon de la villa « Mon rêve » dont Keran, de moins en moins présent, ne parle plus, quand il y passe, de changer ni les papiers à rayures sinistres, ni l'agencement désuet. Paule a refusé que Laurence déroge à ses habitudes de couche-tôt pour regarder à ses côtés cette émission relativement tardive et la ponctuer de commentaires indignés contre ces « deux pourris ». Elle a rejeté aussi sa sage suggestion d'éviter le spectacle qui ne va pas manquer de la torturer encore davantage. Ennemie de la politique de l'autruche, elle a voulu voir. Elle voit.

Elle voit Odile, en effet méconnaissable, raconter la transformation – physique et morale – de ce qu'elle fut en ce qu'elle est. De la poissonnière à l'écrivain. De la femme résignée à la femme amoureuse. Des images en superposition viennent étayer ses dires. Des images d'avant sur lesquelles parfois apparaît Paule, l'involontaire *dea ex machina*. Des images d'après avec Barth, l'involontaire déclencheur, avec lesquelles alternent des gros plans en direct de l'oiseau des îles, assumant avec humour son rôle de héros malgré lui. Avec une lucidité douloureuse, Paule reconnaît qu'Odile et Barth forment un couple incroyablement médiatique et que leur histoire a toutes les chances de susciter dans le public cette part de rêve si volontiers liée à la part de marché.

Mais qu'Odile soit couverte de gloire et d'argent, Paule s'en fout. Elle s'en serait même réjouie sans arrière-pensée en d'autres temps, d'autres circonstances. Seulement, elle sait le pouvoir attractif de la gloire et de l'argent. Elle sait pour l'avoir éprouvé elle-même quand, maîtresse officielle de Victor Vanneau, elle était sensible au mouvement de curiosité que leur couple provoquait dans tel ou tel restaurant de luxe. Heureuse aussi de pouvoir choisir sur la somptueuse carte de l'établissement n'importe quel mets en fonction de l'envie qu'elle en avait et non pas du prix qu'il coûtait.

Barth va être sensible aussi à ces piètres satisfactions d'amour-propre et à ces facilités de vie. Barth va être heureux. Barth va être reconnaissant à Odile de ces joies nouvelles et inattendues. Barth va le lui prouver quand ils feront l'amour. Barth...

Non ! Non ! Ça, c'est trop ! Paule ne peut pas supporter !

A trois heures du matin, elle est encore sur le canapé du salon, le visage détrempé, grimaçant, les poings écrasés sur les yeux comme pour y enfoncer les visions cauchemardesques qui ne cessent d'y surgir. Immergée dans son chagrin, elle n'entend pas Keran entrer. Elle sursaute quand il lui ébouriffe gentiment les cheveux.

– J'ai vu des bouts de l'émission au Memphis. J'ai pensé que tu devais dérouiller.

– C'est pour ça que tu es rentré ?

Keran ne prend même pas la peine de mentir :

– Non. Moi aussi, je dérouille. De tous les côtés : boulot et nana.

– Ah ?

– La nana, ce n'est pas grave : ce soir, elle avait ses nerfs. Ça s'arrangera. Mais le boulot...

– Tu as été renvoyé ?

– Non, je voulais parler du disque et de la tournée. Le type de chez C.B.S. qui m'avait contacté est venu me prévenir. Tiens, entre parenthèses, il m'a dit de te présenter son bon souvenir. Il paraît que tu le connais.

– Ça m'étonnerait. Comment s'appelle-t-il ?
– Bourdine.
Paule se redresse en entendant ce nom :
– Il n'a pas le crâne rasé, par hasard ?
– Peut-être, mais alors sous sa moumoute !
– Il sent l'ail ?
– Eh ben tu vois que tu le connais !
– C'est Blanquetti !
– Ton enfoiré de maso ?
– J'aurais dû y penser plus tôt.
– Mais pourquoi ?
– Il a dû pressentir, ou savoir, que Barth comptait sur toi pour me libérer d'Ophélie et il s'est empressé de contrecarrer son plan en se pointant au Memphis avec son faux contrat mirifique.
– Pour éloigner définitivement Barth de toi ?
– Evidemment !
– Quel fumier !
– De toute façon, comme tu le dis, il n'arrive que ce qui doit arriver.
– Peut-être ! Mais j'aurais préféré que ça arrive sans que moi je trinque aussi !
Paule sourit avec indulgence à cet égoïsme inconscient et, dans un geste maternel, serre le bras de Keran.
– Tu es vraiment très déçu ?
– Ben oui ! Tu sais, quand on a rêvé...
– Oh oui ! Je sais !
Le chagrin ne se mesure pas plus que la douleur. Bien sûr, celui de Paule est a priori plus important que celui de Keran. Mais, étant plus aguerrie, son seuil de résistance est plus haut : ça compense ! En tout cas, Keran n'hésite pas à associer leurs deux désarrois :
– Il n'y en a pas un pour racheter l'autre, dit-il.
Il dément assez vite cette constatation en prenant l'initiative d'un rapprochement. Agenouillé près d'elle sur le canapé, il promène sa main – triste, d'accord, mais quand même sa main – sur le cou de Paule, sur le bout de son épaule. Comme il ne rencontre pas

d'opposition, il tente l'escalade de la face ouest du visage avec sa bouche – amère, d'accord, mais sa bouche quand même. Il bivouaque un instant sur le lobe de l'oreille. Elle ferme les yeux.

– Ce serait peut-être le moment d'aller dans la cagna, murmure-t-il.

– Je ne sais pas. J'étais en train de me le demander.

– Attends ! J'ai une idée.

– Quoi ?

Il s'écarte d'elle et fouille dans la poche de son blouson. Il en sort une boîte en fer qu'il ouvre avec précaution. Elle entrouvre les yeux.

– Qu'est-ce que c'est ? demande-t-elle d'une voix alanguie.

– Ça va te faire du bien. Tu vas voir.

Prise d'un soupçon, elle se redresse et écarquille les yeux : Keran est en train de « leur » préparer une ligne de coke. Comme d'autres que lui ont dû en préparer naguère pour Agnès, falsifiant sa personnalité, exploitant ses euphories fallacieuses, ses égarements, ses dérèglements !

En moins de temps qu'il n'en faut pour « sniffer », Paule recouvre toute son énergie. D'un revers de main, elle envoie valdinguer la boîte en fer et son contenu, provoquant chez Keran autant de stupeur que de colère.

– Tu es folle ! Tu sais combien ça coûte ?

– Oh oui, je sais ! Une somme, inoubliable pour moi, d'angoisses et de chagrins.

Pour la première fois, Paule reconnaît dans les yeux de Keran l'expression méprisante qu'elle a si souvent rencontrée dans ceux d'Agnès.

– Je viens enfin de comprendre, dit-il.

– Quoi ?

– Pourquoi Agnès n'a pas pu te supporter.

La phrase de Keran ressuscite un sentiment de culpabilité, mort de mort lente sous les coups répétés de Barth.

– Fous le camp !

Keran marque un temps d'hésitation, puis se dirige lentement vers la sortie. Trop lentement au goût de

Paule qui, ouvrant toute grande la porte, l'invite du geste et de la parole à se presser. Il obtempère mais, sur le seuil, il s'arrête brusquement :

– Il faut quand même que je te dise quelque chose.

– Inutile !

– Si ! Une lettre officielle est arrivée de Grèce à mon ancienne adresse canadienne : Yann et Agnès se sont noyés... Je pense que tu vas recevoir le même courrier... mais au cas où... de toute façon ça ne change rien pour toi.

Bien sûr, ça ne change rien puisque Paule a toujours été persuadée que sa fille avait définitivement disparu en Crète et que, de surcroît, elle la considérait comme perdue pour elle depuis de longues années. Alors, pourquoi ce choc ? Pourquoi ce déchirement soudain ? Paule met un certain temps à comprendre qu'à son insu un espoir avait réussi à pousser entre les pierres serrées de sa muraille défensive, à ressentir la différence entre l'improbable et l'impossible.

Agnès, absente impardonnable, revient en ombre parée d'excuses. Pauvre petite ! Ce n'était pas sa faute ! Mais alors, c'était la faute de qui ? de quoi ?

Paule refuse de se répondre. Pas ce soir ! Elle en a marre des « mea culpa », des «je t'accuse parce que j'ai péché », des reproches des uns et des autres. Marre ! Marre ! Marre !

Adieu tristesse ! Bonjour fureur. Paule shoote dans la boîte en fer de Keran. La minute d'après elle passe l'aspirateur comme une forcenée. Affolée par ce bruit insolite à quatre heures du matin, Laurence déboule l'escalier :

– Qu'est-ce que tu fais ?

– Le ménage !

Laurence ne s'y trompe pas. Il ne s'agit pas du nettoyage de printemps d'une ménagère minutieuse. Il s'agit du nettoyage par le vide de la vie d'une femme meurtrie.

Dès le lendemain, Paule jette des photos, des souvenirs, des lettres. Insensiblement, elle s'intéresse de moins en moins aux programmes de télévision. Elle

lit de moins en moins. Elle parle de moins en moins.
Même à Ophélie. Elle évite au maximum de répondre
au téléphone. Même à Félix. Même à Bernadette.
C'est cette dernière qui, flairant la déprime souvent
annonciatrice de pire, avec la complicité de Laurence,
rameute tous les amis et connaissances de Paule et
organise avec eux une campagne de résistance contre
la vraie dépression.

Le premier à intervenir est Rodolphe. Il l'aborde le
jeudi de l'Ascension à la sortie de l'église que, depuis
quelque temps, Paule s'est remise à fréquenter. Il prétend que son labrador est anticlérical et raffole des
murs du presbytère pour se soulager, puis avec une
franchise impardonnable par une femme à tout autre
homme qu'un homosexuel, il attaque Paule au point
sensible :

– Un peu plus, je ne te reconnaissais pas : tu as l'air
de ta sœur aînée !

– Oh... tu sais, maintenant...

– Je sais que tu as une tronche qui ne plaira pas à
Barth quand il va revenir.

Paule hausse les épaules : il est idiot ou il la prend
pour une idiote ?

– Quoi ? Tu ne crois pas que Barth va revenir ?

– Pas plus que toi, Rodolphe.

– Ah, mais moi, j'en suis sûr !

A nouveau elle hausse les épaules, mais avec un
petit sourire : il est idiot, mais gentil.

– Et je vais te dire pourquoi j'en suis sûr, continue
Rodolphe : parce que Barth est un sale macho et qu'il
ne supportera pas longtemps d'être le prince consort
d'une bonne femme qui va le dominer du haut de son
fric et de sa célébrité.

Paule ne hausse pas les épaules : après tout, il n'est
peut-être pas si idiot que ça ! Son raisonnement va à
l'encontre du sien, mais en y réfléchissant il est logi-
que : Barth, typiquement homme, peut très bien ressentir dans le sillage d'Odile Hébert le contraire de
ce qu'elle, typiquement femme, ressentait dans le sillage de Victor Vanneau. Il revient à la mémoire de
Paule quelques images de Barth prises à son insu

alors qu'il assistait au milieu du public à une émission de télévision où, avec le même brio qu'à la première du genre, Odile assurait la promotion de son *Hors Normes*.

– C'est vrai, dit Paule à Rodolphe, qu'il n'est pas très à l'aise dans les seconds plans.

– C'est évident et c'est pourquoi...

C'est pourquoi le lendemain, vendredi 13, Paule se retrouve au salon « Crins bleus », successivement entre les mains de l'esthéticienne – une fée ! –, du coloriste – un génie ! –, du coiffeur – un inspiré ! –, de la manucure – une artiste ! –, elle en ressort non pas métamorphosée comme Odile, mais elle-même en mieux, en plus gai et surtout en plus confiant. Rodolphe est formel : maintenant elle a l'air de sa sœur cadette. Sur le seuil de sa boutique, il lui arrache la promesse de revenir régulièrement pour avoir l'air d'être sa benjamine.

Paule a fait une cinquantaine de mètres d'un pas déjà plus assuré quand, par un hasard toujours orchestré par Bernadette, elle tombe sur « la Bourdine », mentant pour la bonne cause avec l'aplomb des purs :

– Ah ça, alors ! C'est incroyable : j'allais vous téléphoner en rentrant !

– C'est vrai ?

– Ben, je n'irais pas inventer une chose comme ça !

– Bien sûr... Mais que vouliez-vous me dire ?

Avec des mines de conspirateur, Madame Bourdin vérifie à droite et à gauche qu'aucune oreille indiscrète ne peut l'entendre, puis annonce :

– J'ai reçu un message pour vous.

– De qui ?

– Ben, de Là-Haut.

« La Bourdine » a dit ça sur le ton de l'évidence, comme s'il s'agissait vraiment d'un message des Télécom. Très ouverte aux phénomènes paranormaux, Paule sollicite non pas une confirmation, mais une précision.

– Mais qui, Là-Haut ?

– Je pense que c'est votre mère. Mais c'est drôle, elle vous appelait Marie-Paule.

Paule a de quoi être ébaubie : personne ne l'a jamais appelée ainsi sauf... sauf, dans sa toute petite enfance, Rose Astier qui se vengeait ainsi du refus de son mari de prénommer leur petite dernière Marie tout court, comme elle le souhaitait. Or Paule n'avait jamais mentionné cette anecdote familiale à quiconque. Sauf... sauf à Bernadette qui, par déformation professionnelle au cours d'une conversation amicale, avait attrapé au vol ce détail anodin. Mais ça, bien sûr, Paule n'y pense pas. Elle est donc fort troublée d'entendre dans la bouche innocente de « la Bourdine » cette appellation, ignorée de tous et presque oubliée par elle-même. Elle ne peut douter que sa mère est bel et bien l'expéditeur de ce fameux message et s'informe de sa teneur auprès de « la préposée à la transmission ».

– Que disait-elle ?

« La Bourdine » se concentre, en comédienne consommée :

– Attendez... que je ne dise pas de bêtises... Au début, c'était clair. Elle a répété plusieurs fois : « Pleure pas, Marie-Paule. Pleure pas. »

– Et après ?

– Ben... après, pour tout vous dire, je n'ai pas bien compris. J'ai entendu les mots, mais je ne sais pas ce qu'ils signifiaient.

– Dites ! Moi je vais peut-être comprendre.

– Attendez ! Je les ai marqués sur mon agenda pour être sûre de ne pas me tromper. Je dois l'avoir dans mon sac. Je n'aime pas qu'il traîne à la maison quand je n'y suis pas. On ne sait jamais.

Paule, impatiente, regarde « la Bourdine » fouiller de fond en comble dans sa sacoche de facteur avant d'en extraire un cahier de petite dimension. Sur la couverture de ce cahier recouvert de papier bleu ciel, deux angelots grossièrement dessinés tiennent une étiquette sur laquelle, d'une plume malhabile, « la Bourdine » a écrit : « Carnet de correspondances ». Bernadette a dû bien s'amuser à imaginer ces petites naïvetés qui sentent bon l'authentique ! En tout cas, elle a vu juste : Paule est subjuguée et suspendue aux lèvres de « la Bourdine », d'où tombe l'oracle maternel :

– « Ton zazou court vers l'auréole. »

Décidément, Bernadette n'a pas lésiné. Elle ne le regretterait pas si elle voyait l'ahurissement de Paule. Mettez-vous à sa place : « zazou » et « auréole », deux mots qui appartiennent en exclusivité aux répertoires respectifs de Rose Astier et de Barth. Ça c'était aussi une chose que « la Bourdine » ne pouvait pas inventer ! La pseudo-médium va au bout de la mission que la psy lui a confiée et s'inquiète :

– Vous avez compris le message, vous ?

– Oui. C'est extraordinaire !

– Mais... c'est bon pour vous ?

– C'est... ce serait inespéré, si...

– Ah, mais ça, c'est sûr que ça va arriver ! Vous pensez bien que « Là-Haut » ils ne se dérangent pas pour rien !

Sur cette nouvelle évidence, « la Bourdine » range son précieux « Carnet de correspondances », enfourche son vélo et quitte Paule en prenant cette dernière mesure de prudence :

– Bien entendu, si je recevais un autre message, je vous préviendrais.

Bernadette suivit à travers Laurence les heureux effets de la double intervention de Rodolphe et de « la Bourdine ». Elle attendit qu'ils s'émoussent un peu pour lancer sur Paule un nouveau commando antidépression. Il entre en action le samedi 28 mai sur la plage de Deauville. Paule s'y efforce d'apprendre à Ophélie l'art délicat du pâté de sable quand un petit garçon, plus âgé que la mouflette, saute à pieds joints sur le dernier édifice. Les parents du gamin se précipitent pour le semoncer. Ce sont – quelle coïncidence ! – Ulysse et Pénélope de Saint-Omer venus pique-niquer avec leur diable d'Hercule... juste à cinq mètres de Paule – quel heureux hasard ! Ils s'en félicitent. Trouvent avec les deux enfants un sujet de conversation inépuisable ; se divertissent de leur comportement ; se relaient pour éviter les conflits ou les régler. Quand l'ambiance est devenue vraiment chaleureuse, Pénélope, selon un scénario prévu, ménage un tête-à-tête entre Ulysse et Paule en entraînant les deux têtards vers la mer.

Dès qu'elle s'est éloignée, Ulysse s'approche de Paule avec sa dose d'antidépresseur, recommandé par Bernadette. Tout de blanche candeur vêtu, il commence aussitôt à l'injecter :

– Je sais que je ne devrais peut-être pas te le dire, mais tu me connais, je n'ai jamais pu tenir ma langue... surtout pour une bonne nouvelle.

– Quelle bonne nouvelle ?

– Barth m'a téléphoné hier.

A partir de cette information, on peut considérer que le cerveau de Paule, brusquement paralysé, laisse le champ libre à son con de cœur qui, bien entendu, fidèle à lui-même, ne dit que des conneries. En plus, sur un ton qui se veut détaché... et je vous jure que lui, ce n'est pas un bon comédien !

– Il était à Paris, Barth ?

– Non, à Bruxelles.

– Ah oui, c'est vrai, c'est là qu'il est né.

– Oui... mais ce n'est pas pour ça qu'il y était.

– Je m'en doute.

– Il y était pour affaires.

– Seul ?

– Non !

– Il faisait beau là-bas ?

– Oui, je crois.

– Et... il allait bien ?

– Question santé, oui, mais pour le reste...

– Pour le reste ?

– Ben... j'ai l'impression qu'il ne s'amuse pas beaucoup.

– Oh... ça m'étonnerait : Odile est une fille très vivante, très intéressante.

– Oui, dans la conversation peut-être... Mais ailleurs...

– Où ça, ailleurs ?

– Enfin, Paule, tu comprends bien ce que je veux dire ?

– Non, je t'assure.

– Eh bien, puisqu'il faut te mettre les points sur les *i*, d'après Barth elle serait plus douée pour la littérature que pour la turlutaine !

Ah ! Quel bonheur, pour Paule, cette phrase ! C'est le petit Jésus en culotte de velours qui lui descend dans l'oreille. Ce ratage, finalement, est préférable à un nouveau blocage. Ça veut dire que, même quand ça marche... ça ne marche pas ! Ça veut dire que, forcément, Barth doit comparer. Et la regretter... Ça veut dire... Ça veut dire en un mot comme en cent qu'il y a encore un espoir. Et l'espoir c'est encore le meilleur des psychotoniques. Bernadette le sait. Elle ne lésine pas sur la quantité. Le soir même, c'est Madame Desvignes qui est chargée d'en administrer une nouvelle giclée par téléphone :

– Pardon de vous déranger, ma petite Paule, mais il m'arrive une chose qui ne m'est jamais arrivée.

– Quoi ?

– Dix fois de suite j'ai interrogé les tarots à votre sujet, dix fois le Soleil est sorti sur vous et l'homme brun.

– Qu'est-ce que c'est que le Soleil ?

– Le triomphe sur toute la ligne !

– C'est vrai ?

– Enfin, Paule, vous savez bien que je ne suis pas d'une nature optimiste.

– En effet...

– Alors, si je vous dis que tout s'arrange, c'est que je suis sûre de moi.

Paule n'aurait sûrement pas été influencée par les seules prédictions des tarots mais, venant après les certitudes de Rodolphe qui connaît si bien Barth, les messages de l'insoupçonnable « Bourdine », la confidence du candide Ulysse, la joyeuse prophétie de la catastrophivore est la cerise sur le gâteau !

Le moral de Paule n'est certes pas au beau fixe. Il y a des zones dépressionnaires toujours menaçantes ;

notamment quand elle voit *Le Hors Normes* caracoler en haut des listes de best-sellers ; ou une photo d'Odile avec « sa muse » ; ou quand elle entend les libraires deauvillais se féliciter du succès de leur gloire locale ; ou même Félix qui n'est pas totalement insensible à l'augmentation de son chiffre d'affaires, due à sa cousine... Mais dans ces moments d'intempéries, il y a toujours Rodolphe, ou « la Bourdine », ou Madame Desvignes, ou Ulysse, qui se trouve là comme par hasard pour à point nommé entretenir l'espoir. Surtout Ulysse et Pénélope dont elle accepte de plus en plus souvent les invitations. A cause d'Ophélie, bien sûr, qui aime beaucoup se chamailler avec Hercule, ou se promener en canard gonflable sur la piscine chauffée. A cause aussi de Barth qui peut-être un jour appellera pendant qu'elle est là...

Il y a même eu le 19 juin, le jour de la fête des Pères, un coup de téléphone de Peter Murray. Il a raté bêtement la fête des Mères. Mais Paule tenant le double rôle parental auprès d'Ophélie, il estime pouvoir se rattraper en lui souhaitant la fête des Pères. Prétexte pour lui offrir un cadeau qui, pour une fois, ne doit rien à Bernadette.

– Un cadeau qui va te faire plaisir, dit-il, à condition que tu passes sur l'emballage.

– Dis toujours !

– Ma femme a acheté les droits cinématographiques du *Hors Normes*.

– Effectivement, ça commence mal !

– Je t'avais prévenue. Mais la suite est mieux.

– J'espère !

– Anna voulait que je joue le rôle principal et j'ai refusé.

– Merci !

– Ce n'est pas tout. Après mon refus, elle a eu l'idée géniale de proposer le rôle – celui de Barth, en clair – à Barth lui-même.

– Il a refusé ?

– Oui. Mais ce n'est encore pas tout.

– Quoi d'autre ?

– Il a refusé parce qu'il ne souhaitait plus – a-t-il dit textuellement – associer son nom à celui d'Odile.

– Ça date de quand ?

– A l'instant. Il vient d'appeler.

– D'où ?

– Copenhague.

– Qu'est-ce qu'il fichait à Copenhague ?

– Il écoutait peut-être la petite Sirène...

Ce coup de téléphone que Paule s'empresse de rapporter à Ulysse est transmis par celui-ci aux autres membres du commando antidépression qui se réjouissent fort de cette bonne nouvelle enfin vraie et se demandent si finalement leurs pieux mensonges ne vont pas s'avérer.

Le suspense dure jusqu'au 3 juillet.

C'est un dimanche. Il fait beau. En tout cas, il n'y a aucune raison pour qu'il pleuve. Gabrielle Moutiers revient de la messe de huit heures, avec un chapelet d'informations. De source sûre ? Jugez plutôt : Monsieur le curé ! Même quand on n'a pas de religion comme Laurence, ça rassure : il n'aurait pas été inventer ça, ce saint homme. Quoi « ça » ?

La Marie-Jeanne de « La Sabotière » était venue le chercher en pleine nuit pour qu'il aille porter l'extrême-onction à la mère d'Odile. Et de une !

Odile était arrivée la veille. Il ne savait pas si elle revenait de loin, mais il était sûr qu'elle tombait de haut. Et de deux !

La fille d'Odile, Juliette, était partie depuis une semaine pour le Canada avec un certain Keran... en laissant ses deux enfants. Et de trois !

Le fils, Sébastien, s'était embarqué sur le bateau du copain d'un copain avec sa guitare. Et de quatre !

Sa femme, Dan, s'était envolée vers Saigon, elle, avec sa fille et un élève de Le Divelec, pour y ouvrir un restaurant français au Viêt-nam. Et de cinq !

Au retour de « La Sabotière », juste devant son presbytère, Monsieur le curé avait failli écraser le labrador de Rodolphe qui, une fois de plus, arrosait ses murs. A quelques pas de là, le coiffeur était assis sur un banc et palabrait avec Monsieur de Saint-Omer. Et de six !

Monsieur de Saint-Omer était passablement éméché... et de sept !

Monsieur de Saint-Omer avait sommé l'abbé de l'entendre sur-le-champ en confession et lui avait fait jurer – oui, jurer ! – de ne pas en respecter le secret auprès de Paule Astier. Et de huit !

La confession de Monsieur de Saint-Omer s'était réduite à l'aveu d'un seul péché mais cent fois répété : « Je suis un con. Je suis un con. » Et de neuf !

Le bon curé, soucieux de ne pas trahir son serment, mais rechignant à jeter des grossièretés à la tête de sa nouvelle paroissienne, avait écrit cent fois la confession brève mais explicite de Monsieur de Saint-Omer sur deux pages d'un grand cahier d'écolier. Il avait chargé Mademoiselle Moutiers de le transmettre à qui de droit. Et de dix !

Voilà : la dizaine du chapelet d'informations de la rayonnante Gabrielle est terminée. Elle peut aller en paix.

Paule, elle, toute la journée se prépare à aller vers le dernier combat, à déposer les armes, à mourir au champ d'amour !

– Ophélie, ma mouflette, n'aie pas peur. Je suis là. Je serai toujours là. Je ne te prendrai pas à toi ce que je lui donnerai à lui. Il faut que tu le comprennes. Je ne t'enlève rien. Sinon un peu de temps. En échange, je t'offrirai un visage plus souriant, des rapports plus détendus, et puis des histoires bien plus gaies. Tiens ! Je vais commencer tout de suite : « Il était une fois un oiseau des îles qui revenait d'un long voyage. A son retour... »

Paule est interrompue par la sonnerie du téléphone. Son con de cœur décroche en même temps qu'elle.

– Allô ?

– Allô, Paule, c'est Rodolphe.

Le coiffeur a la voix lourde de catastrophes.

– Qu'est-ce qu'il y a ?

– Barth...

– Quoi, Barth ?

– Tu peux venir tout de suite à Beuvron, chez son frère ?

– Mais qu'est-ce qui se passe ?

– Viens !

CHAPITRE XXV

— Ophélie, sultane de mes deux ! Shah-toosh de mes fesses ! Petite enfoirée de mouflette ! Ah ! Ça t'amuse, hein, les grossièretés ? Arsouille ! Canaille ! Dévergondée ! Tu as fini de me faire du charme ? Ça ne prend pas !

— Pa-pa-pa-pa-pa !

— Non, justement, je ne suis pas ton pa-pa. Ni ton papy. Ni ton papé. Je te l'ai déjà dit : je suis Barth. Le mari de Popaule. Tu es en âge de comprendre, quand même ! Tu as eu deux ans aujourd'hui. Eh oui, déjà ! Et moi j'en ai quarante-neuf... depuis neuf mois. Neuf mois... Le temps d'une grossesse. Il y a un peu de ça. J'ai l'impression d'avoir accouché d'un Barth qui me ressemble comme un faux frère. Je me souviens très bien du jour où je l'ai conçu : le 19 juin, le jour de la fête des Pères. Drôle, non ? J'étais à Copenhague pour un reportage qui devait être le premier d'une série intitulée : « Monsieur et Madame Hors Normes à travers le monde ». Et puis brusquement, en posant comme un mannequin pour l'incontournable photo devant la petite Sirène, j'ai été pris d'un coup de sang ! Tiens ! Comme toi, la mouflette, quand tu piques une rogne ! Le soir même, j'étais à Genève, chez Peter, ton grand-père, le vrai ! Il a été très bien. Il a été le premier à me traiter de con... Ah ! bravo ! Ça te fait rire aussi, ça ! Tu es vraiment un voyou ! Eh bien, attends ! Tu vas te régaler. Deux jours plus tard, j'ai déjeuné à New York avec Helga Schuller. Dame ! Il fallait bien lui annoncer que je renonçais à la série de reportages pour ses journaux. Elle aussi a été très bien. Elle a déchiré le contrat purement et simplement. Et puis, elle a été la deuxième à me traiter de con... Tu as fini de rire, crapule ! Pendant que j'étais là-bas, j'ai fait un saut jusqu'à Montréal pour jeter un œil sur le salon « Crins bleus ». Le soir, désœuvré, je suis allé dans une boîte. Et qui j'y ai vu ? Keran derrière son saxo et Juliette Dabadiouf, née Hébert, derrière le bar... Si ! Je te jure ! Mais je comprends ton scepticisme : un romancier n'aurait peut-être pas osé. Mais la vie, elle, elle ose : elle n'hésite pas à expédier au Canada, ensemble, le faux fils de Popaule et la vraie fille d'Odile !

« Ils ont été respectivement le troisième et la quatrième à me traiter de con... Alors, je suis rentré à Paris. J'ai passé un long moment avec Madame Desvignes et avec ton copain Félix. Je ne t'étonnerai pas en te disant qu'ils ont porté à six le nombre de personnes qui estimaient que j'étais un con. A la septième – qui était Rodolphe –, mes murailles tombèrent... d'abord devant une bouteille de champagne, ensuite devant l'église de Deauville. C'était le 3 juillet dernier à quatre heures du matin. A midi... j'apprenais... qu'à cause d'un chauffard débile ton petit copain Hercule était orphelin... Eh bien, tu ne vas peut-être pas me croire, c'est seulement à ce moment-là que j'ai compris ce qu'elle voulait dire, Popaule, avec "sa putain de conscience" : rien de tel que l'exercice pratique. Hercule n'avait plus que moi, comme toi, la mouflette, tu n'avais plus eu qu'elle... Je n'ai pas hésité une seconde : je l'ai gardé. Enfin, j'ai demandé à Popaule si elle voulait bien nous garder lui et moi. Et pourtant, Hercule ne m'était pas plus sympathique que toi... A l'époque. Maintenant, vous vous êtes un peu arrangés, tous les deux. Oh... Hé... j'ai dit : "un peu". Ne pavoise pas !

– Pa-pa-pa-pa-pa-pa.

– Tête de mule ! Je ne suis pas papa. Je suis Barth. Le nouveau Barth. Un peu moins oiseau des îles. Un peu plus bouvreuil normand. C'est vous, Hercule et toi, qui l'avez mis au monde. Dans le fond, oui, je suis votre fils. Ça me plaît bien comme parenté. Dorénavant, je t'appellerai maman, et Hercule, papa.

– Pa-pa-pa-pa-pa-pa.

– Tête de pioche ! Je ne suis pas papa, je te répète que moi je suis Barth : Barthélemy de Saint-Omer, président-directeur général de la S.S.O.F., Société Saint-Omer Frères. Fabrique de jouets en tout genre. En pleine croissance grâce au démarrage foudroyant de ses deux dernières exclusivités : le gentil Monsieur Tourneboule et le monstre Blanquetto avec sa perruque tournante et ses deux dents en or. Il paraît que le modèle, le beau Lucien, ne décolère pas.

– Pa-pa-pa-pa-pa-pa.

– Ah non ! Tu ne vas pas recommencer, tête de Bretonne ! Avec ton pa-pa-pa-pa-pa-pa-pa. Attention ! Pour la dernière fois, je te le dis : je ne suis pas ton papa. Je suis Barth. Je vis à Beuvron-en-Auge, site protégé, dans une maison protégée par un quarteron d'anges gardiens... mené de main de maîtresse par notre Popaule. Tu as entendu ? J'ai dit « notre ». Je n'ai pas dit « ma ». Parce que je sais que tu n'aimes pas. Tu m'entends ou tu ne m'entends pas ? Tu ne m'entends pas ? Si ? Eh bien alors, la mouflette, pourquoi tu ne dis pas papa ?

Juin 1994

Grands romans

La littérature conjuguée au pluriel, pour votre plaisir. Des œuvres de grands romanciers français et étrangers, des histoires passionnantes, dramatiques, drôles ou émouvantes, pour tous les goûts...

ADLER Philippe
Bonjour la galère !
1868/1
Les amies de ma femme
2439/3

Mais qu'est-ce qu'elles veulent ces bonnes femmes ? Quand il rentre chez lui, Albert aimerait que Victoire s'occupe de lui mais rien à faire : les copines d'abord. Mais le temps passe et le grenier devient un enfer. Et le seul désir de ces enfants devenus adolescents est désormais de s'évader... à n'importe quel prix.

ANDREWS™ Virginia C.
Fleurs captives

Dans un immense et ténébreux grenier, quatre enfants vivent séquestrés. Pour oublier leur détresse, ils font de leur prison le royaume de leurs jeux, le refuge de leur tendresse, à l'abri du monde. Mais le temps passe et le grenier devient un enfer. Et le seul désir de ces enfants devenus adolescents est désormais de s'évader... à n'importe quel prix.

- Fleurs captives
1165/4
- Pétales au vent
1237/4
- Bouquet d'épines
1350/4
- Les racines du passé
1818/5
- Le jardin des ombres
2526/4
La saga de Heaven
- Les enfants des collines
2727/5

C'est l'envers de l'Amérique : la misère à deux pas de l'opulence. Dans la cabane sordide où elle vit avec ses quatre frères et sœurs, Heaven se demande comment ses parents ont eu l'idée de lui donner ce prénom : «Paradis». Un jour, elle apprendra le secret de sa naissance.

- L'ange de la nuit
2870/5
- Cœurs maudits
2971/5
- Un visage du paradis
3119/5
- Le labyrinthe des songes
3234/6
Ma douce Audrina
1578/4

Etrange existence que celle d'Audrina ! Sur cette petite fille de sept ans, pèse l'ombre d'une autre : sa sœur aînée, morte il y a bien longtemps dans des circonstances tragiques et qu'elle est chargée de faire revivre.

Aurore
Un terrible secret pèse sur la naissance d'Aurore. Brutalement séparée des siens, humiliée, trompée, elle devra payer pour les péchés que d'autres ont commis. Car sur elle et sur sa fille Christie, plane la malédiction des Cutler...

- Aurore
3464/5
- Les secrets de l'aube
3580/6
- L'enfant du crépuscule
3723/6
- Les démons de la nuit
3772/6
- Avant l'aurore
3899/5

ARCHER Jeffrey
Le souffle du temps
4058/9

ASHWORTH Sherry
Calories story
3964/5 Inédit

ATTANÉ Chantal
Le propre du bouc
3337/2

AVRIL Nicole
Monsieur de Lyon
1049/2

La disgrâce
1344/3

Isabelle est heureuse, jusqu'au jour où elle découvre qu'elle est laide. A cette disgrâce qui la frappe, elle survivra, lucide, dure, hostile, adulte soudain.

Jeanne
1879/3

Don Juan aujourd'hui pourrait-il être une femme ? La belle Jeanne a appris, d'homme en homme, à jouir d'une existence qu'elle sait toujours menacée.

L'été de la Saint-Valentin
2038/1
La première alliance
2168/3
Sur la peau du Diable
2707/4
Dans les jardins de mon père
3000/2
Il y a longtemps que je t'aime
3506/3

L'amour impossible entre Antoine, 14 ans, et Pauline, sa belle-mère.

BACH Richard
Jonathan Livingston le goéland
1562/1 Illustré
Illusions/Le Messie récalcitrant
2111/1
Un pont sur l'infini
2270/4

Grands romans

BELLETTO René
Le revenant
2841/5
Sur la terre comme au ciel
2943/5
La machine
3080/6
L'Enfer
3150/5

BERBEROVA Nina
Le laquais et la putain
2850/1
Astachev à Paris
2941/2
La résurrection de Mozart
3064/1
C'est moi qui souligne
3190/8
L'accompagnatrice
3362/4
De cape et de larmes
3426/1

TERROIR

Romans et histoires vraies
d'une France paysanne
qui nous redonne le goût
de nos racines.

BRIAND Charles
De mère inconnue
3591/5
Le destin d'Olga, placée comme
domestique chez des paysans
angevins et enceinte à 14 ans.

CLANCIER G.-E.
Le pain noir
651/3

GEORGY Guy
La folle avoine
3391/4
Orphelin, Guy-Noël vit chez sa
grand-mère, une vieille dame
qui connaît tout le folklore et
les légendes du pays sarladais.

Roquenval
3679/1
A la mémoire de
Schliemann
3898/1

BERGER Thomas
Little Big Man
3281/8

BEYALA Calixthe
C'est le soleil qui m'a
brûlée
2512/2
Le petit prince de
Belleville
3552/3
Maman a un amant
3981/3
Loukoum, douze ans, est un
Africain de Belleville, gouailleur
et tendre comme tous les
gamins de Paris. Mais voilà que

JEURY Michel
Le vrai goût de la vie
2946/4
Une odeur d'herbe folle
3103/5
Le soir du vent fou
3394/5
Un soir de 1934, alors que souffle
le vent fou, un feu de brous-
sailles se propage rapidement et
détruit la maison du maire...

LAUSSAC Colette
Le sorcier des truffes
3606/1

MASSE Ludovic
Les Grégoire
Histoire nostalgique et tendre
d'une famille, entre Conflent et
Vallespir, en Catalogne françai-
se, au début du siècle.

- Le livret de famille
3653/5
- Fumées de village
3787/5
- La fleur de la jeunesse
3879/5

sa mère décide soudain de
s'émanciper. Non contente de
vouloir apprendre à lire et à
écrire, elle prend un amant, un
Blanc par-dessus le marché !
Décidément, la liberté des
femmes, c'est rien de bon...

BLAKE Michael
Danse avec les loups
2958/4

BORY Jean-Louis
Mon village à l'heure
allemande
81/4

BOUDARD Alphonse
Saint Frédo
3962/3

BRAVO Christine
Avenida B.
3044/3

PONÇON Jean-Claude
Revenir à Malassise
3806/3

SOUMY Jean-Guy
Les moissons délaissées
3720/6
Mars 1860. Un jeune Limousin
quitte son village natal pour
aller travailler à Paris, dans les
immenses chantiers ouverts par
Haussmann. Chaque année, la
pauvreté contraint les gens de
la Creuse à délaisser les moissons... Histoire d'une famille et
d'une région au siècle dernier.

VIGNER Alain
L'arcandier
3625/4

VIOLLIER Yves
Par un si long détour
3739/4

Grands romans

BROUILLET CHRYSTINE

Marie LaFlamme

- Marie LaFlamme
3838/6

En 1662, à Nantes, la mère de Marie est condamnée au bûcher. Pour sauver sa fille, elle lui fait épouser un riche et cruel armateur, Geoffroy de St Arnaud. Mais Marie aime Simon et pour conquérir sa liberté, elle est prête à tout. Même à s'embarquer pour la Nouvelle-France, qui va devenir le Canada...

- Nouvelle-France
3839/6
- La renarde
3840/6

BYRNE BEVERLY

Gitana
3938/8

CAILHOL ALAIN

Immaculada
3766/4 Inédit

Histoire d'un écrivain paumé, en proie au mal de vivre. Un humour désespéré teinte ce premier roman d'un auteur bordelais de vingt ans, qui s'inscrit dans la lignée de Djian.

CALFAN NICOLE

La femme en clef de sol
3991/2

CAMPBELL NAOMI

Swan
3827/6

CATO NANCY

Lady F.
2603/4
Tous nos jours sont des adieux
3154/8
Sucre brun
3749/6
Marigold
3837/2

CHAMSON ANDRÉ

La Superbe
3269/7
La tour de Constance
3342/7

CHEDID ANDRÉE

La maison sans racines
2065/2
Le sixième jour
2529/3

Le choléra frappe Le Caire. Ignorante et superstitieuse, la population préfère cacher les malades car, lorsqu'une ambulance vient les chercher, ils ne reviennent plus. L'instituteur l'a dit : «Le sixième jour, si le choléra ne t'a pas tué, tu es guéri.»

Le sommeil délivré
2636/3
L'autre
2730/3
Les marches de sable
2886/3
L'enfant multiple
2970/3
Le survivant
3171/2
La cité fertile
3319/1
La femme en rouge
3769/1

CLANCIER GEORGES-EMMANUEL

Le pain noir
651/3

Le pain noir, c'est celui des pauvres, si dur, que même les chiens n'en veulent pas. Placée à huit ans comme domestique chez des patrons avares, Cathie n'en connaîtra pas d'autre. Récit d'une enfance en pays Limousin, au siècle dernier.

CLERC CHRISTINE

Jacques, Edouard, Charles, Philippe et les autres
3828/5

CLÉMENT CATHERINE

Pour l'amour de l'Inde
3896/8

Le roman vrai des amours de Nehru et de Lady Edwina Mountbatten, l'une des plus grandes dames de l'aristocratie anglaise, femme du dernier des vice-rois des Indes britanniques.

COCTEAU JEAN

Orphée
2172/1

COLETTE

Le blé en herbe
2/1

COLOMBANI MARIE-FRANÇOISE

Donne-moi la main, on traverse
2881/3
Derniers désirs
3460/2

COLLARD CYRIL

Cinéaste, musicien, il a adapté à l'écran et interprété lui-même son second roman Les nuits fauves.
Le film 4 fois primé, a été élu meilleur film de l'année aux Césars 1993. Quelques jours plus tôt Cyril Collard mourait du sida.

Les nuits fauves
2993/3
Condamné amour
3501/4
Cyril Collard : la passion
3590/4 (par J.-P. Guerand & M. Moriconi)
L'ange sauvage (Carnets)
3791/3

CONROY PAT

Le Prince des marées
2641/5 & 2642/5
Le Grand Santini
3155/8

CORMAN AVERY

Kramer contre Kramer
1044/3

Grands romans

DeMILLE NELSON
Le voisin
3722/9

DENUZIERE MAURICE

A l'aube du XIX° siècle, le pays de Vaud apparaît comme une oasis de paix, au milieu d'une Europe secouée de furieux soubresauts. C'est cette joie de vivre oubliée que découvre Blaise de Fontsalte, soldat de l'Empire, déjà las de l'épopée napoléonienne. De ses amours clandestines avec Charlotte, la femme de son hôte, va naître une petite fille... La nouvelle saga de Maurice Denuzière.

Helvétie
3534/9
La Trahison
des apparences
3674/1
Rive-Reine
4033/6 & 4034/6

DHÔTEL ANDRÉ
Le pays où l'on n'arrive jamais
61/2

DICKEY JAMES
Délivrance
531/3

DIWO JEAN
Au temps où la Joconde parlait
3443/7

1469. Les Médicis règnent sur Florence et Léonard de Vinci entame sa carrière, aux côtés de Machiavel, de Michel-Ange, de Botticelli, de Raphaël... Une pléiade de génies vont inventer la Renaissance.

DJIAN PHILIPPE

Né en 1949, sa pudeur, son regard à la fois tendre et acerbe, et son style inimitable, ont fait de lui l'écrivain le plus lu de sa génération.

37°2 le matin
1951/4

Se fixer des buts dans la vie, c'est s'entortiller dans des chaînes... Oui, mais il y a Betty et pour elle, il irait décrocher la lune. C'est là qu'ils commencent à souffrir. Car elle court derrière quelque chose qui n'existe pas. Et lui court derrière elle. Derrière un amour fou...

Bleu comme l'enfer
1971/4
Zone érogène
2062/4
Maudit manège
2167/5
50 contre 1
2363/2
Echine
2658/5
Crocodiles
2785/2

Cinq histoires qui racontent le blues des amours déçues ou ignorées. Mais c'est parce que l'amour dont ils rêvent se refuse à eux que les personnages de Djian se cuirassent d'indifférence ou de certitudes. Au fond d'eux-mêmes, ils sont comme les crocodiles : «des animaux sensibles sous leur peau dure.»

DOBYNS STEPHEN
Les deux morts de la Señora Puccini
3752/5 Inédit

DORIN FRANÇOISE

Elle poursuit avec un égal bonheur une double carrière. Ses pièces (La facture, L'intoxe...) dépassent le millier de représentations et ses romans sont autant de best-sellers.

Les lits à une place
1369/4
Les miroirs truqués
1519/4
Les jupes-culottes
1893/4
Les corbeaux et les renardes
2748/5

Baron huppé mais facile à duper, Jean-François de Brissandre trouve astucieux de prendre la place de son chauffeur pour séduire sa dulcinée. Renarde avisée, Nadège lui tient le même langage. Et voilà notre corbeau pris au piège, lui qui croyait abuser une ingénue.

Nini Patte-en-l'air
3105/6
Au nom du père
et de la fille
3551/5

Un beau matin, Georges Vals aperçoit l'affiche d'un film érotique, sur laquelle s'étale le corps superbe et intégralement nu de sa fille. De quoi chambouler un honorable conseiller fiscal de soixante-trois ans ! Mais son entourage est loin de partager son indignation. Que ne ferait-on pas, à notre époque, pour être médiatisé ?

Pique et cœur
3835/1

Grands romans

DUBOIS JEAN-PAUL
Les poissons me regardent
3340/3
Une année sous silence
3635/3
Vous aurez
de mes nouvelles
3858/2

DUNKEL ELIZABETH
Toutes les femmes
aiment un poète russe
3463/7

DUROY LIONEL
Priez pour nous
3138/4

EDMONDS LUCINDA
En coulisse
3676/6

ELLISON JAMES
Calendar girl
3804/3

FERBER EDNA
Show-Boat
4016/5

Au début du siècle, tous les grands fleuves américains sont sillonnés de bateaux affrétés par des troupes théâtrales. Ces comédiens ambulants abordent pour quelques représentations et repartent un peu plus loin. La vie et les amours de Magnolia, une enfant de la balle, dans le Sud pittoresque d'autrefois.

FIELD MICHEL
L'homme aux pâtes
3825/4

FIELDING JOY
Dis au revoir à maman
1276/4

Lors de son divorce, Donna s'est battue pour avoir la garde de ses enfants. Mais lors d'un week-end, Victor, son ex-mari, disparaît avec Adam et Sharon. Que peut Donna contre ce rapt qui ne tombe sous le coup d'aucune loi ? Pour retrouver ses enfants, elle va se battre, espérant et désespérant tour à tour...

La femme piégée
1750/4

FOSSET JEAN-PAUL
Saba
3270/3

FOUCHET LORRAINE
Jeanne sans domicile fixe
2932/4

FREEDMAN J.-F.
Par vent debout
3658/9

FRISON-ROCHE
Né à Paris en 1906, l'alpinisme et le journalisme le conduisent à une carrière d'écrivain. Aujourd'hui il partage son temps entre de grands reportages, les montagnes du Hoggar et Chamonix.

La peau de bison
715/3
La vallée sans hommes
775/3
Carnets sahariens
866/2
Premier de cordée
936/3

Le mont Blanc, ses aiguilles acérées, ses failles abruptes, son pur silence a toujours été la passion de Jean Servettaz. C'est aussi pour cela qu'il a décidé d'en écarter son fils. Mais lorsque la montagne vous tient, rien ne peut contrarier cette vocation.

La grande crevasse
951/3
Retour à la montagne
960/3
La piste oubliée
1054/3
La Montagne
aux Écritures
1064/2
Le rendez-vous
d'Essendilène
1078/3
Le rapt
1181/4
Djebel Amour
1225/4

En 1870, une jolie couturière épouse un prince de l'Islam. A la suite de Si Ahmed Tidjani, elle découvre, éblouie, la splendeur du Sahara. Décidée à conquérir son peuple, elle apprend l'arabe, porte le saroual et prend le nom de Lalla Yamina.

La dernière migration
1243/4
Les montagnards de la
nuit
1442/4

Frison-Roche, qui a lui-même appartenu aux maquis savoyards, nous raconte le quotidien de ces combattants de l'ombre.

L'esclave de Dieu
2236/6
Le versant du soleil
3480/9

GEDGE PAULINE
La dame du Nil
2590/6

L'histoire d'Hatchepsout, reine d'Egypte à 15 ans. Les splendeurs de la civilisation pharaonique et un destin hors série.

Grands romans

GEORGY Guy

La folle avoine
3391/4
Le petit soldat de
l'Empire
3696/4
L'oiseau sorcier
3805/4

GOLDSMITH Olivia

La revanche
des premières épouses
3502/7

GOLON Anne et Serge

Angélique
Marquise des Anges
2488/7

Lorsque son père, ruiné, la marie contre son gré à un riche seigneur, Angélique se révolte. Défiguré et boiteux, le comte de Peyrac jouit en outre d'une réputation de sorcier. Derrière cet aspect repoussant, Angélique va pourtant découvrir que son mari est un être fascinant...

Le chemin de Versailles
2489/7
Angélique et le Roy
2490/7
Indomptable Angélique
2491/7
Angélique se révolte
2492/7
Angélique et son amour
2493/7
Angélique et le Nouveau Monde
2494/7
La tentation d'Angélique
2495/7
Angélique et la Démone
2496/7

Angélique et le complot des ombres
2497/5
Angélique à Québec
2498/5 & 2499/5
La route de l'espoir
2500/7
La victoire d'Angélique
2501/7

GROULT Flora

Après des études à l'Ecole des arts décoratifs, elle devient journaliste et romancière. Elle écrit d'abord avec sa sœur Benoîte, puis seule.

Maxime ou la déchirure
518/1
Un seul ennui, les jours raccourcissent
897/2
A 40 ans, Lison épouse Claude, diplomate à Helsinki. Elle va découvrir la Finlande et les enfants de son mari. Une erreur ?

Ni tout à fait la même, ni tout à fait une autre
1174/3
Une vie n'est pas assez
1450/3
Mémoires de moi
1567/2
Le passé infini
1801/4
Le temps s'en va, madame...
2311/2
Belle ombre
2898/4
Le coup de la reine d'Espagne
3569/1
L'amour de...
3934/1

HEBRARD Frédérique

Auteur de nombreux livres portés à succès à l'écran ; son œuvre reçoit la consécration avec Le Harem, Grand Prix du Roman de l'Académie française 1987.

Un mari, c'est un mari
823/2
La vie reprendra
au printemps
1131/3
La chambre de Goethe
1398/3
Un visage
1505/2
La Citoyenne
2003/3
Le mois de septembre
2395/1
Le Harem
2456/3
La petite fille modèle
2602/3
La demoiselle d'Avignon
avec Louis Velle
2620/4
Le mari de l'Ambassadeur
3099/5

Sixtine est ambassadeur. Pierre-Baptiste est chercheur à l'Institut Pasteur. Opposés, l'aventure les réunit pourtant, au beau milieu d'une révolution en Amérique centrale, et va les entraîner jusqu'au Kazakhstan, en passant par Beyrouth et le Vatican !

Félix, fils de Pauline
3531/2
Le Château des Oliviers
3677/7

Entre Rhône et Ventoux, au milieu des vignes, se dresse le Château d'Estelle, son paradis. Lorsqu'elle décide de le ramener à la vie, elle ne sait pas encore que son domaine est condamné. Aidée par l'amour des siens et surtout celui d'un homme, Estelle se battra jusqu'au bout pour préserver son univers.

4187

Photocomposition Assistance 44-Bouguenais
Achevé d'imprimer en Europe (Allemagne)
par Elsner (Berlin) le 15 juillet 1996.
Dépôt légal juillet 1996. ISBN 2-277-24187-3
1er dépôt légal dans la collection: mai 1996
Editions J'ai lu
84, rue de Grenelle, 75007 Paris
Diffusion France et étranger: Flammarion